Georges Simenon

Long cours

Gallimard

Georges Simenon naît à Liège le 13 février 1903. Après des études chez les jésuites, il devient, en 1919, apprenti pâtissier, puis commis de librairie, et enfin reporter et billettiste à *La Gazette de Liège*. Il publie en souscription son premier roman, *Au pont des Arches*, en 1921, et quitte Liège pour Paris. Il se marie en 1923 avec « Tigy », et fait paraître des contes et des nouvelles dans plusieurs journaux. *Le roman d'une dactylo*, son premier roman « populaire », paraît en 1924, sous un pseudonyme. Jusqu'en 1930, il publie contes, nouvelles, romans chez différents éditeurs.

En 1931, le commissaire Maigret commence ses enquêtes… On tourne les premiers films adaptés de l'œuvre de Georges Simenon. Il alterne romans, voyages et reportages, et quitte son éditeur Fayard pour les Éditions Gallimard où il rencontre André Gide.

Durant la guerre, il est responsable des réfugiés belges à La Rochelle et vit en Vendée. En 1945, il émigre aux États-Unis. Après avoir divorcé et s'être remarié avec Denyse Ouimet, il rentre en Europe et s'installe définitivement en Suisse.

La publication de ses œuvres complètes (72 volumes !) commence en 1967. Cinq ans plus tard, il annonce officiellement sa décision de ne plus écrire de romans.

Georges Simenon meurt à Lausanne en 1989.

PREMIÈRE PARTIE

1

Une auto qui venait en sens inverse éclaira un instant la borne kilométrique et Joseph Mittel se pencha juste à temps pour lire : *Forges-les-Eaux, 2 km.*

Cela ne l'avançait guère, car il ne savait pas à quel endroit de la route Paris-Dieppe se situe cette ville.

Il se rassit sur le tonneau vide et se tint de la main droite à un montant de fer, de sorte que la bâche mouillée touchait sa main et la glaçait. On roulait vite. La camionnette était légère. À l'avant, le chauffeur, un grand garçon au nez cassé, était assis avec Charlotte, mais, de l'intérieur, Mittel ne les voyait pas.

Il ne voyait, lui, qu'en arrière, la route luisante sur laquelle, parfois, on flottait dangereusement. Depuis que la nuit était tombée, le macadam semblait encore plus lisse, jusqu'à donner l'impression d'un canal bordé d'arbres.

On avait traversé Pontoise, puis Gournay, puis enfin Forges-les-Eaux. Mittel voyait les bornes à l'envers, c'est-à-dire celle de leurs faces annonçant la direction de Paris. Ainsi on franchissait une ville ou un village et c'était quelques kilomètres plus loin seulement qu'il en lisait le nom.

Il avait oublié sa montre. Autrement dit, il ne la reverrait sans doute jamais !

Et il était parti avec son complet gris, le plus mince, le plus vieux, et une froide gabardine.

Pouvait-il se douter, le matin, en sortant de chez lui ? À Paris, il ne faisait pas froid, malgré novembre. C'était le courant d'air, dans la camionnette, qui le figeait. Et la pose inconfortable ! Quand il remuait un pied ou un bras, il risquait de faire dégringoler des paquets qui contenaient peut-être des objets fragiles.

De temps en temps, les deux autres échangeaient quelques mots, à l'avant. Mittel entendait, à moins qu'à ce moment la bâche claquât justement.

— C'est votre ami ? avait d'abord demandé le chauffeur du camion.

Charlotte avait répondu :

— Depuis deux ans…

Puis, plus loin :

— Vous connaissez Dieppe ?

— Un peu !

Après Pontoise :

— Il a fait une bêtise, hein ! Il était dans un bureau ? Il a l'air tout jeune…

— Vingt-deux ans, comme moi. Nous sommes nés la même semaine.

Chaque fois que Mittel entendait ainsi la voix de Charlotte, il était en proie au même effarement. Comment pouvait-elle être si calme ?

Il lui arriva même de rire, de son drôle de rire vulgaire, quand le chauffeur murmura :

— Vous sortirez, ce soir ? Dites donc, s'il ne sortait pas avec vous, on pourrait aller danser tous les deux. Je connais un petit bal, près du port…

Comme Charlotte riait toujours, le chauffeur ajouta :

— Avouez que je suis gentil ! Je ne vous ai rien demandé ! Je vous transporte tous les deux et j'aurai peut-être des ennuis. C'est le moins que vous soyez un peu gentille aussi…

— J'irai danser, promit-elle. Je vous retrouverai place des Grèves…

— Comment, vous connaissez ?

Une auto passa, qu'on faillit accrocher. Quelqu'un jura dans la nuit et de nouvelles rafales de pluie s'abattirent sur la bâche.

— Vous descendrez au haut de la côte, avant d'entrer en ville, des fois que mon patron vous aperçoive…

Et Mittel se cramponnait toujours au montant, écœuré par l'odeur de hareng qui se dégageait des moindres parcelles du camion.

— Donne-moi ton cache-nez !… Des gens pourraient me reconnaître…

C'était au haut de la côte où la camionnette les avait déposés. Deux rangs de becs de gaz dévalaient vers la ville et un phare balayait le ciel, cependant qu'un train sifflait quelque part.

Charlotte était vêtue d'un tailleur en serge noire qui était encore moins chaud que le complet de son compagnon. Elle portait un chapeau noir, des souliers noirs, si bien qu'il n'y avait de clair que son visage et les bas couleur chair que la boue commençait à étoiler.

— Non ! ne me tiens pas le bras…

Elle marchait vite, l'air décidé, et Mittel n'osait pas la regarder.

— Tu as promis au chauffeur… commença-t-il.

— Tu parles que je n'irai pas ! Il m'a caressé le genou tout le long du chemin… Prends à droite… J'aime mieux ne pas passer par la Grand-Rue…

Ils étaient en ville. Charlotte se faufilait sans hésitation dans un quartier calme et mal éclairé d'où on apercevait parfois les étalages illuminés de l'artère centrale. Joseph Mittel se laissait conduire, avec des regards anxieux chaque fois qu'une silhouette jaillissait de l'ombre. C'était lui qui, machinalement, prenait sans cesse le bras de sa compagne.

— Je te dis de ne pas me tenir…

Elle était nerveuse quand même. Son front était plissé. En arrivant au port, elle releva davantage le cache-nez qui lui voila la moitié du visage.

— C'est la marée… annonça-t-elle. Nous avons de la chance !…

Lui ne savait pas. Il découvrait l'avant-port obscur, avec un seul quai d'éclairé. Il ne comprit qu'en s'approchant davantage.

Quatre chalutiers, qui venaient d'arriver, étaient amarrés en face de la Halle aux Poissons. Et on entrait soudain dans le vacarme, dans un grouillement de gens et de choses, de sons et d'odeurs, d'obscurité et de lumière.

— Par ici !

Charlotte se glissait entre les charrettes plates qui venaient se ranger sur le quai, poussées par des femmes, des rouleuses, comme on dit, et qui tout à l'heure emporteraient le poisson.

Tout était mouillé. Des commères avaient le tablier sur la tête. De gros câbles électriques zigzaguaient dans la boue et on accrochait par-ci par-là des ampoules livides, on en faisait pendre au-dessus du pont des bateaux où les marins tiraient des cales les paniers de harengs.

À cinquante mètres, plus rien, que l'obscurité et le silence. La ville était là-bas, de l'autre côté du chemin de fer.

— Qu'est-ce que tu cherches ?

Charlotte allait de groupe en groupe, prudemment, et soudain ce fut elle qui serra le bras de Mittel et souffla :

— Viens vite !… Elle est là…

— Qui ?

— Maman… Ma sœur doit être avec elle… Elles travaillent toujours ensemble…

Ils continuaient tout droit, non vers la ville, mais vers le faubourg du Pollet, accroché au flanc de la falaise. Ils franchirent un pont de fer, s'arrêtèrent sur une place, et Mittel devait se souvenir d'une immense quincaillerie et d'une boucherie au pignon de laquelle une niche abritait une Vierge blanche et bleue.

— Attends-moi ici…

Ses mains, son visage étaient mouillés. Son imperméable était transpercé au défaut des épaules. Il avait envie de s'appuyer au mur, tandis que Charlotte courait presque, s'enfonçait dans une ruelle en pente, à côté de la boucherie.

Impasse des Grèves… Un mètre cinquante de large à peine. Des marches, par-ci par-là, et le ruisseau coulant au milieu des pavés… Dans une chambre éclairée, Charlotte vit un vieux qui réparait sa pipe avec un morceau de fil de fer. Les autres maisons étaient vides. Les hommes étaient au hareng. Les femmes, pour la plupart, travaillaient au port comme rouleuses.

Quatre, cinq maisons. Une borne-fontaine et son robinet de cuivre, à gauche. Charlotte glissa la main sous la fontaine, chercha entre deux pierres, là où depuis des années ses parents avaient l'habitude de cacher la clef.

Et la clef y était !

Elle se retourna. Personne ne la voyait. Sixième maison, la sienne, la porte peinte en bleu, la grosse serrure, l'odeur de poisson qui incommodait si fort Mittel…

— Quelqu'un ? demanda-t-elle quand même en poussant l'huis dans le noir.

Il traînait des bouffées de feu, de bois brûlé. Sa main toucha des tasses sur la table. Elle se dirigea à tâtons vers la seconde pièce.

— Quelqu'un ?…

Elle avait déjà atteint le lit de ses parents, l'édredon en coutil rouge, les matelas bourrés de plumes et sa main cherchait le portefeuille entre les deux.

Quelque chose bougea. Charlotte glissa le portefeuille dans la poche de son tailleur. Un gémissement lui parvint.

C'était dans la chambre de ses sœurs. Elle eût pu sortir. Elle poussa la porte, devina une forme sur le lit.

— C'est toi, Jeanne ?

— Qui est là ?

— Chut !… C'est moi, Lolotte !… Ne dis rien… Tu es malade ?

— J'ai mal à la gorge…

Une petite de huit ans… Charlotte fit quelques pas, se pencha vers la chaleur du lit, toucha la joue brûlante de la gamine.

— Qu'est-ce qu'il y a, Lotte ?

— Chut… Ne dis jamais que je suis venue…

— J'ai eu peur… Il y a beaucoup de bateaux ?

— Quatre…

— Alors, elles ne vont pas encore rentrer !… J'ai soif… J'ai si soif !…

Et Charlotte chercha de l'eau, fit boire sa petite sœur. C'était son ancien lit à elle.

— Il faut que je parte…

— Tu ne veux pas faire de la lumière ?

— Non… Au revoir, Jeannot !…

— Lotte !

— Chut !…

— Viens !

Mittel eut l'impression qu'elle n'était plus tout à fait la même. Dans une rue sombre, elle lui poussa le porte-feuille dans la main.

— Regarde combien il y a… Va sous le bec de gaz, là-bas…

Le portefeuille ne contenait pas que de l'argent. Mittel trouva des papiers d'inscrit maritime, un reçu de la caisse d'épargne, un extrait d'acte de naissance et deux billets de mille francs.

Charlotte attendait un peu plus loin. Il la rejoignit :

— Eh bien ?

— Deux mille…

— Ils ont dû payer le loyer, soupira-t-elle. Enfin !…

Il y avait des heures, maintenant, qu'ils flottaient ainsi dans un univers incohérent, sombre et mouillé, des heures que Mittel se demandait où ils allaient.

Il était entré comme tous les jours dans la petite librairie de la rue Montmartre où il savait trouver Char-lotte et où ils étaient quelques libertaires à se réunir.

Par hasard, la boutique était vide. Bauer, le libraire, qui était en même temps imprimeur, avait sa tête des mauvais jours.

— Passe vite derrière !

Charlotte se tenait dans l'arrière-boutique, avec la grosse Mme Bauer qui épluchait des pommes de terre.

— Combien as-tu d'argent sur toi ?

— Je ne sais pas... Peut-être deux cents francs...

— Et dans ta chambre ?

— Rien !

Tendue, Charlotte serrait les dents de rage.

— Bauer vient justement de payer Hachette !... Il lui reste quatre-vingts francs...

— Mais que se passe-t-il ?

Alors elle, sèchement, en regardant ailleurs :

— Je viens de tuer un homme... Tu comprends ?... Il faut filer !... Et vous êtes tous sans le sou !

Bauer avait arrangé la chose avec un camion de service rapide qui chargeait toutes les après-midi dans un bar de la rue Montmartre. Il ne faisait pas encore noir, à ce moment-là. On nageait dans la pluie et dans la grisaille. Les roues des taxis patinaient. On commençait à crier les journaux du soir. Mme Bauer avait embrassé Charlotte en reniflant. Les autres amis n'étaient pas là, car on avait mis à l'étalage le Karl Marx en deux volumes qui servait de signal. Cela voulait dire :

— N'entrez pas maintenant... danger...

Et Mittel s'était assis sur son tonneau, tandis que le chauffeur, comme Charlotte venait de l'avouer, caressait le genou de sa voisine et prononçait de temps en temps quelques mots.

— Maintenant, il faut aller au bassin des cargos…

Elle l'entraînait toujours. Ils suivaient des quais déserts et Charlotte marchait vite.

— Tu ne m'as pas encore expliqué… dit-il.

— Plus tard !… Nous avons une chance sur trois d'attraper un bateau qui parte avec la marée…

À leur gauche, dans la nuit liquide, les bâtiments sombres des Moulins à Huile. En face, un navire immobile.

— Un grec ! constata Charlotte. Pas la peine.

Elle marchait toujours. Lui ne connaissait rien de la mer, qu'il n'avait vue qu'à Nice, quand il était photographe en plein air sur la Promenade des Anglais. Il butait dans les câbles. Elle le prévenait :

— Attention !…

Ou bien :

— Ici, c'est glissant…

Un autre bassin. Un cargo et, à terre, un groupe d'hommes.

— Reste là ! commanda-t-elle.

Il entendit nettement sa voix.

— Pardon, messieurs, ce bateau part avec la marée ?

— Dans une heure ou deux, madame.

— Quelle destination ?

— Panama et l'Amérique du Sud.

— Le capitaine est à bord ?

— Vous avez plutôt des chances de le trouver au Grand Ridin…

— Tu as entendu, Jef ? Est-ce que tu crois que, comme ceci, on puisse me reconnaître ?

Et son chapeau déformé lui descendait jusqu'aux yeux, son cache-nez montait plus haut que la bouche.

— Je ne pense pas…

— Alors, il vaut mieux que j'aille avec toi.

Plus d'un kilomètre de quais à parcourir dans la boue, puis à nouveau le grouillement des chalutiers qu'on déchargeait. Il y avait du hareng partout, lisse et visqueux, dans les charrettes, dans les paniers, et des harengs éventrés par terre, des harengs gluants sous les pieds.

Il voulut lui serrer furtivement la main, mais elle avait déjà poussé la porte du café violemment éclairé et elle s'asseyait dans un coin. Ce fut elle qui commanda :

— Deux cafés arrosés…

Toujours l'odeur du poisson ! Des cirés étaient luisants d'écailles de harengs. Puis, en contrepoint, l'odeur du rhum et des pipes.

— Six cents paniers… annonçait-on à côté.

— Nous, on en aurait fait davantage si le câble…

Il faisait chaud, soudain, et Mittel avait le sang à la tête. Mais Charlotte scrutait les visages, désignait un colosse vêtu d'un tricot bleu, d'une vareuse, coiffé d'une casquette sans insigne, qui discutait avec un homme de la ville.

— C'est sûrement lui !… Attends qu'il sorte…

Ils attendirent un quart d'heure, burent trois cafés arrosés, et Mittel commençait à s'assoupir quand les deux hommes se levèrent et gagnèrent la porte.

Un signe de Charlotte. Il se leva aussi. Sur le seuil, les autres se séparaient.

— Pardon, monsieur…

Elle venait de lui faire la leçon. Mais il fut un bon moment sans rien dire, puis soudain il se mit à parler d'abondance, en serrant ses mains l'une contre l'autre de nervosité, d'angoisse. Le capitaine était beaucoup plus grand que lui, deux fois plus large. Il se penchait. Alentour, on criait, on se bousculait et il fallait se garer des charrettes de harengs que les rouleuses poussaient en courant.

Tant pis, puisqu'il fallait tout dire !

— Elle a tué, vous comprenez ?… Ou plutôt vous ne pouvez pas comprendre…

L'homme écoutait, un œil à demi fermé, la cigarette éteinte par la pluie entre les lèvres.

— Un moment… dit-il.

Et il s'approcha de la vitre du café, là où le rideau un peu écarté permettait de voir à l'intérieur. Il resta long-temps à observer Charlotte.

— C'est ta maîtresse ?

— Oui… c'est-à-dire…

— Jaloux ?

— Vous ne nous connaissez pas… Nous sommes des intellectuels, des cérébraux et, pour nous, l'amour physique…

Le capitaine haussa les épaules.

— Naturellement, tu veux venir aussi ?

— Je…

Il pleuvait toujours. On voyait le feu vert et le feu rouge de l'entrée du port et le phare, là-haut, qui éclairait parfois la chapelle de Notre-Dame-de-Bon-Secours, perchée sur la falaise.

— Attends-moi !

Plus de dix minutes à attendre, tandis que le capi-taine était assis dans le café, à côté de Charlotte, un bras passé derrière elle sur le dossier de la banquette. Ils revinrent ensemble ; ils paraissaient de bons amis.

— Je vous laisse aller, hein ! Vous connaissez le chemin...

Et, à Mittel :

— Toi, viens avec moi... Tu as tes papiers, au moins ?

— Je les ai...

— Tu n'as pas peur de travailler ?

— Je ferai n'importe quel métier.

— On verra ça !

Il n'était pas convaincu.

— Vous savez, il m'est arrivé de décharger des légumes aux Halles...

L'autre n'écoutait pas. Il marchait vite. Il poussa la porte d'un petit pavillon planté près du pont, cria à l'adresse d'un officier du port :

— Le pilote dans une demi-heure ! Michel viendra faire la sortie...

— Bon voyage, Mopps !...

Il repartait, gagnait, sur un autre quai, le bureau de l'Inscription Maritime.

— Déjà ? fit l'employé derrière son pupitre noir.

— Le rôle est prêt ?

— Une signature à mettre...

— Un instant !... Il faut ajouter un nom... un chauffeur...

— Il est inscrit maritime ?

— Pas encore... Ton nom, toi ?

— Joseph Mittel.

— Adresse ?

— 32 *bis*, avenue Hoche, à Paris. Je vous expliquerai...

— Quoi ?

— Comment il se fait que j'habite l'avenue Hoche...

— Je m'en f… !

Le bureau était morne, plein de fumée. Pendant qu'on portait le rôle à la signature, le capitaine Mopps lut les avis affichés, grommela :

— Encore une épave !

Il avait les cheveux gris, les yeux gris, le nez un peu de travers.

— Voilà ! Bon voyage, commandant…

— Merci ! Bonjour aux copains !

Mittel le suivit, faillit entrer avec lui dans un bistrot voisin, mais son compagnon l'arrêta :

— Attends-moi là…

Il se fit servir au comptoir un verre qu'il ne but pas, mais, par contre, il resta près de dix minutes dans la cabine téléphonique.

— En route !

Mittel n'avait plus de personnalité, plus de volonté. Il ne pouvait qu'obéir.

— Quel âge a-t-elle, la petite ?

— Vingt-deux ans, comme moi.

— Toi, je m'en f… ! Il y a longtemps que vous êtes ensemble ?

— Deux ans.

— Et avant ?

— Elle était sage.

Cela le fit rire. On franchissait à nouveau les ponts. On apercevait le Moulin à Huile. Une silhouette se détacha de l'ombre, celle de Charlotte, qui s'avançait avec confiance.

— C'est fait, mon petit !… Laisse-moi voir ces messieurs… Toi, Mittel — c'est bien Mittel qu'on t'appelle ? — tu peux monter avec moi…

Une échelle était suspendue au flanc du bateau. Dix

fois, Joseph Mittel crut qu'il allait glisser et il savait qu'il y avait près d'un mètre entre le navire et la berge. Trois hommes attendaient sur le pont mal éclairé, trois silhouettes, trois visages blafards dans les hachures de pluie.

— Tout est paré ? Le douanier ?

— Dans votre cabine, avec le second.

Le commandant se pencha vers une des silhouettes, parla bas.

— Compris ?

— Compris, commandant.

Et l'homme descendit vivement, traversa le quai en direction de l'endroit où on avait laissé Charlotte.

Quant au capitaine Mopps, il regardait Mittel et semblait hésiter.

— Conduis celui-ci au poste d'équipage… Qu'on lui donne un bleu et un ciré…

Le reste se passa comme dans un rêve, ou plutôt comme dans un cauchemar. À aucun moment Mittel n'avait le loisir de redevenir lui-même, de penser, de faire le point.

Il n'avait jamais mis les pieds sur un bateau. On lui faisait traverser les ponts, enjamber des amarres, des bittes, des ferrailles de toutes sortes puis, tout à l'avant, il franchissait une porte basse, trouvait dix hommes dans une pièce surchauffée où régnait plus qu'ailleurs l'odeur de rhum et de poisson.

Certains étaient déjà couchés, dans des cadres superposés, de vraies niches, en somme, et d'autres cassaient la croûte ou écrivaient sur le coin d'une table.

— Un nouveau pour la chauffe ! annonça le guide.

Un petit poêle rond, chauffé à blanc, marquait le milieu du poste. Un nègre à moitié nu grattait un cor au pied avec son canif.

Partout, les cloisons de métal résonnaient comme si on eût donné des coups de marteau.

— On va t'apporter un bleu et, si ça se trouve, une paire de bottes… Mets-toi à l'aise en attendant…

Et tout le monde le regardait sans mot dire. Il était le nouveau ! On l'observait. On attendait.

Que devenait Charlotte, pendant ce temps-là ? Que signifiaient tous ces bruits, tous ces heurts ? Un grincement plus violent que les autres emplit le poste de vacarme. C'était l'ancre qu'on virait et quelqu'un vint crier :

— Jules !… Louis !… sur le pont !

Cela ressemblait à la caserne, en plus sale, en plus délabré.

— Enlève tes godasses. Tu dois avoir les pieds mouillés…

— J'ai l'habitude, fit Mittel en esquissant un sourire amer.

Où était Charlotte ? Pourquoi les avait-on séparés ?

On lui apporta une combinaison trop large, trop longue. Il voulut garder dessous son tricot gris.

— T'auras toujours assez chaud, va

Et il dut montrer, nu, son torse maigre, aux côtes saillantes. Un type qui mangeait cracha par terre une peau de saucisson.

— Déjà navigué ?

— Jamais.

On ne dit rien, mais les hommes se regardèrent.

— Connais pas non plus les tropiques ?

— Non… Je n'ai pour ainsi dire pas quitté Paris…

25

On lui offrit à boire.

— On t'appelle ?

— Mittel… Joseph Mittel…

— Eh bien ! Mittel, faut t'arranger pour avoir un quart et une gamelle… Tiens !… Voilà qu'on appareille !…

Une rumeur de sirène, des cris, un bruit sourd qui devait être celui de l'hélice.

— Où allons-nous ?

— Amérique du Sud.

— Sans escale ? Avec un si petit bateau ?

— Cinq mille tonnes, dis donc !

La lumière faisait mal aux yeux, car elle venait d'une grosse ampoule entourée d'un grillage. Un homme redescendait, retirait son ciré.

— Il y a une poule, là-haut, annonça-t-il.

— Sans blague !

— Sans blague ! Le commandant l'a fait cacher chez lui pendant qu'on débarquait le douanier saoul…

— Elle est bien ?

— À mon avis, c'est plutôt le genre moche…

— Je peux monter sur le pont ? demanda Mittel, humblement.

— Si t'as pas peur de te faire saucer !

Il était nu sous son bleu de chauffe. On lui désigna le chemin et il émergea soudain dans l'obscurité, dans le froid, dans la pluie, au moment où le bateau virait lentement de bord et se glissait entre les jetées de bois.

La ville était derrière, idéalement lumineuse, quiète et tentante, comme une ville ne peut l'être que vue de la mer. On avait envie, soudain, de se promener le long de ces boulevards rectilignes, entre ces maisons où chaque lumière, chaque fenêtre éclairée était comme un abri heureux.

À droite, on frôlait la falaise abrupte surmontée d'un phare et d'une chapelle.

Des houles accouraient déjà du large à la rencontre du bateau, le soulevaient, le faisaient plonger du nez, relevaient soudain l'arrière et Mittel, qui regardait de tous ses yeux, découvrait enfin la cellule vivante, le centre de toute l'activité du bord, la petite cabine blanche, là-haut, à peine éclairée, où on devinait la silhouette de deux hommes.

À l'aide d'un porte-voix, ils criaient des ordres dans la pluie et dans le vent et aussitôt d'autres silhouettes s'agitaient sur le pont, des filins glissaient, des aussières se levaient, un cabestan cessait son vacarme.

Les jetées se raccourcissaient. Les lumières fondaient.

Le dernier lien avec la terre semblait disparaître, mais alors Mittel découvrait, non loin des flancs du navire, un petit bateau à peine plus grand qu'un canot qui piquait jusqu'au mât dans les embruns.

Il ne comprenait pas. Il avait tout à apprendre. Un mille plus loin, on stoppa, et la barque, avec peine, s'approcha du navire tandis qu'un homme descendait de la passerelle, enjambait le bastingage et se glissait le long d'un échelle de corde.

Mittel devina, se dit :

— Le pilote !

Un coup de sirène encore. Déjà les lumières, à travers le rideau de pluie, paraissaient lointaines. Il hésitait, lui, comme un collégien devant le bureau du recteur.

Il y en avait d'autres sur le pont, de lourdes silhouettes en cirés et en suroîts. Le bateau se soulevait deux fois, trois fois, reprenait de la vitesse. Mittel était obligé de se tenir à quelque chose. Il marcha comme un ivrogne, attiré par ces lueurs de là-haut…

Un escalier de fer… Il le gravit à tâtons, avec la peur d'être projeté par-dessus bord. Sa main chercha la clinche de la porte. Une voix cria :

— Entrez !

Et il se trouva, la combinaison mouillée, les cheveux collés au front, dans un oasis de paix et de silence. Un matelot était debout à la barre. Le commandant Mopps, debout lui aussi, grommelait des ordres négligents.

— Un peu à gauche… Bon… Garde le cap…

Une lampe éclairait en jaune une carte marine et dans un fauteuil de rotin Charlotte était assise, vêtue d'un pantalon de laine bleue, le torse moulé dans un tricot, une bouteille de champagne à sa portée sur un guéridon.

— Ah ! Te voilà… fit le commandant.

— Je vous demande pardon… Je voulais savoir…

— Demain, mon petit !… Cette nuit, il y a du travail… Pas vrai, Charlotte ?… Va te coucher !… Sèche-toi !… Bois quelque chose de chaud ! Encore à gauche… Bon !…

Et, tandis que Charlotte restait immobile, Mopps ouvrait la petite porte, poussait Mittel dehors, lui serrait le bout des doigts.

— Tu comprendras plus tard… lui lança-t-il en guise d'adieu.

2

On lui avait prêté un ciré jaune, des bottes cana-
diennes en caoutchouc rouge, un suroît, car il ne
pouvait pas dormir, il ne pouvait pas non plus rester
dans le poste surchauffé où il avait failli vomir.

Depuis une demi-heure, il cherchait un coin, sur le
pont, s'adossait tantôt à une cloison, tantôt à une autre,
mais c'était partout le même univers de tôle froide et
mouillée, de corps durs qu'il heurtait en errant dans
l'obscurité, de filins qui le happaient au passage.

Mittel avait d'abord cru que la seule vie était là-haut,
dans la cabine du commandant, où régnait une lumière
clémente. Mais voilà que par-ci, par-là, il rencontrait,
dans le noir, un homme immobile, roide dans son ciré,
le visage impassible.

— Qu'est-ce que c'est ? avait-il demandé à l'un
d'eux en désignant, tout près du bateau, un puissant
projecteur braqué sur la mer.

— Harengs…

Des chalutiers, comme les quatre chalutiers qui
déchargeaient leur poisson à Dieppe ! On en avait frôlé
dix. On en apercevait encore à l'horizon.

— Nous sommes loin ? demanda-t-il à un autre.

Il devina que sa question ne voulait rien dire, car l'homme se contenta de hausser les épaules. Loin de quoi? De la côte? Non, puisqu'on voyait encore le phare d'Ailly.

Mais il était loin, lui, loin de tout. Il n'avait même pas froid. De temps en temps, il passait la langue sur ses lèvres et il goûtait le sel. Pleuvait-il encore ou étaient-ce des embruns qu'il recevait au visage?

Il levait la tête vers la lumière d'en haut, imaginait Charlotte assise près de la roue du gouvernail, le commandant debout, puis il s'appuyait à quelque chose, car il n'avait pas encore le pied marin.

Il commençait seulement à réaliser le chemin parcouru. Depuis le moment où il avait mis les pieds dans la librairie de Bauer — il devait être un peu plus de trois heures de l'après-midi — jusqu'à maintenant, en somme, il n'avait eu aucun contrôle sur les événements, il ne les avait même pas analysés, il avait été droit devant lui, parce qu'il le fallait, parce qu'il n'y avait pas moyen de faire autrement.

Or, il se retrouvait avec des vêtements qui n'étaient pas à lui sur un bateau visqueux et froid, plein d'embûches, d'objets méchants, d'odeurs écœurantes. Il se souvint soudain que, le soir même, il devait assister à la présentation privée d'un film d'avant-garde. Qu'avait-on pensé de son absence? Est-ce qu'on savait déjà?

Encore un chalutier, une lampe électrique sur le pont, des ombres qui s'agitaient...

Il se pencha en constatant que de la lumière filtrait d'une claire-voie, tout près de lui, et il découvrit un autre monde, à des profondeurs insoupçonnées. Des machines énormes étaient en mouvement, au fond du bateau, et trois hommes travaillaient avec calme comme dans une usine. L'un d'eux, qui avait une burette à la main, leva la tête et regarda un instant le visage de Mittel, qui devait à peine lui apparaître dans le clair-obscur.

Une sonnerie résonna. Mittel sentit que quelque chose changeait et plusieurs minutes après seulement il réalisa qu'on avait stoppé. Le cargo se balançait davantage dans les houles. Le capitaine ouvrait sa porte, criait, les mains en porte-voix :

— Chopard !

Et une ombre passait en courant.

Mittel demanda à une autre ombre :

— Qu'est-ce qui se passe ?

— N'en sais rien !

On resta près d'une heure à la même place. Des gens faisaient la navette entre la cabine de commandement et l'avant du bateau. Mittel eut l'impression qu'on effectuait des signaux avec un fanal, mais la mer paraissait vide, alentour.

Des jurons éclataient. La sonnerie se fit entendre à nouveau et le bateau, cette fois, tourna sur lui-même comme s'il eût voulu rentrer à Dieppe. Presque aussitôt on aperçut un phare ; un quart d'heure plus tard s'alignaient en guirlande les lumières d'une ville tandis que, sur la droite, le halo du Havre faisait rougeoyer le ciel.

Charlotte s'était endormie, assise sur un coussin, à même le plancher du poste de commandement, à un mètre de l'homme de barre qui la contemplait parfois de haut en bas. Mopps avait fini la bouteille de champagne, rageusement ; rageusement aussi il donnait des ordres à Chopard, le bosco, qui avait une joue enflée.

— Pare à mettre un canot à la mer… Si le courant

n'est pas trop fort, nous ne mouillerons pas... Sinon, une ancre à un mille au nord de la jetée d'aval...

Il haussa les épaules en regardant le petit tas que formait la jeune femme et attendit en tapotant la vitre de son index.

Un après l'autre, tous les hommes étaient sortis du poste d'équipage. On les voyait se camper devant le bastingage, allumer une pipe ou une cigarette en fixant les lumières qui se rapprochaient.

— C'est Dieppe ? demanda Joseph Mittel à quelqu'un.

Il ne s'aperçut qu'après qu'il s'était adressé au nègre.

— Fécamp.

— On entre dans le port ?

— Faut demander au commandant.

On stoppa, encore, à moins d'un mille des jetées dont on voyait le feu rouge et le feu vert. Des palans grincèrent. Un canot fut descendu à la mer, avec quatre hommes, et le capitaine se glissa le long d'une échelle de corde, saisit la barre tandis que quatre avirons touchaient l'eau à la fois.

Il ne pleuvait plus. Mittel crut un moment qu'il allait vomir, puis il trouva un tas de cordages et s'y affala, finit par s'assoupir.

— À l'escalier de pierre... commanda Mopps.

Et les matelots, l'instant d'après, stoppaient le canot au bas des marches garnies de mousse verdâtre que le jusant découvrait.

Au-dessus des têtes, à ras du quai, un homme en pèlerine attendait, immobile, silencieux. Mopps le rejoignit sans hâte, serra une main.

— Un coussinet claqué… grommela-t-il. Faudra bien que Mestré se lève pour m'en donner un autre…

Il parlait à un douanier qui se contenta de hocher la tête.

— Je vais lui téléphoner de chez Louis.

C'était en face, le seul bistrot encore ouvert, avec ses vitres dépolies derrière lesquelles bougeaient des ombres. Mopps poussa la porte, examina d'un coup d'œil les six consommateurs, des pêcheurs, sauf un qui était télégraphiste. Louis interrompit une belote pour venir lui serrer la main, non sans lui lancer un coup d'œil inquiet.

— Pas parti ? grogna Mopps.

— Mais si !… À huit heures, comme convenu… qu'est-ce que vous prenez ?

— Ce que tu voudras.

Mopps avait le front plissé, la lèvre hargneuse. Il réfléchissait, cherchait à résoudre un problème.

— Tu es sûr que le *Philibert* est sorti à huit heures ?

— Certain ! C'est moi qui ai pris la communication quand vous avez téléphoné de Dieppe.

— J'ai fouillé tout le coin, pourtant.

— Je devine ce qui s'est passé… Je les avais prévenus…

— Prévenus de quoi ?

— Il y a huit jours que le mécanicien se plaint du graissage du moteur… Si une chemise a claqué…

Mopps avala l'alcool qu'on lui servait, sortit sans même dire au revoir, retrouva le douanier au bord du bassin.

— … lui ai téléphoné… n'a pas de coussinets…

— … que vous allez faire ?

— Sais pas…

Il descendit, sauta dans la barque.

— À bord !

Mittel ne les vit pas rentrer. Il se réveilla beaucoup plus tard, quand le navire était déjà en marche, et il fut dérouté de ne pas apercevoir les phares à la même place.

Mopps avait fait lever Charlotte, l'avait poussée dans sa cabine, lui avait ordonné :

— Couche-toi !

— Mais… vous ?…

— Couche-toi !

Puis il avait refermé la porte d'un coup de pied.

— Qu'est-ce que je fais ? demandait parfois le timonier.

— Continue.

On tournait en rond, comme un manège. Dix hommes fouillaient des yeux l'obscurité et il était près de cinq heures du matin quand l'un d'eux annonça enfin :

— Le voilà !

On ne voyait rien, mais une sirène avait lancé trois petits appels discrets. Bientôt, un feu blanc surgissait, puis les deux feux de position d'un bateau.

— Stoppez les machines, commanda la sonnerie du télégraphe.

Et la voix de Mopps :

— Aux palans, vous autres !

Mittel fut bousculé. Dix minutes ne s'étaient pas écoulées qu'on voyait un petit voilier, une goélette de pêche à moteur auxiliaire, s'approcher prudemment du cargo. Il fallut encore près d'un quart d'heure avant que les deux bateaux fussent amarrés l'un à l'autre et un homme monta à bord, en costume de pêcheur, botté jusqu'au ventre, un tablier de caoutchouc sur les jambes. Malgré le froid, son front ruisselait de sueur et il serra en soupirant la main de Mopps.

— Trois heures de panne, gronda-t-il. J'ai failli f… mon mécano à la mer ! Vous avez eu peur, hein ?

— Je suis descendu à Fécamp.

— N'ont rien dit ?

—… Parlé d'un coussinet grillé…

Les palans étaient déjà en mouvement et hissaient sur le pont des caisses très lourdes qui sortaient de la cale du voilier. Mittel, qui en vit une de tout près, put lire : *Les Glacières Fécampoises.* Mais les caisses ne contenaient pas de la glace, car elles eussent été humides.

Il en compta cinquante puis, comme le manège continuait, il n'eut plus la patience de compter.

Plus que jamais, il avait l'impression d'un univers inhumain. Par exemple, c'était miracle que toutes ces manœuvres pussent s'effectuer sans accident, sans qu'un homme fût happé par les câbles d'acier, ou écrasé par une caisse, heurté par un palan. La goélette, à chaque houle, s'écartait du cargo et revenait vers lui brutalement, donnant un grand coup dans le flanc de fer. N'empêche que des marins sautaient sur l'échelle de corde, arrivaient sur le pont en quelques enjambées, malgré leurs bottes, leurs cirés raides, leurs gants faits avec de vieilles chambres à air d'auto.

Charlotte parut un instant sur le pont. Elle avait les yeux pleins de sommeil. Elle sortait de la cabine, vacillante, les mains sur sa poitrine comme pour se protéger du froid, regardait sans voir, devinait confusément les hommes en manœuvres et rentrait, trop lasse pour essayer de comprendre.

Quand ce fut fini, on se passa des bouteilles de

bateau à bateau. Une bouteille se trouva dans la main de Mittel et il but au goulot comme les autres, sans savoir ce que c'était.

— En route !

C'était tout. Mittel, la tête vide, la poitrine malade, le ventre glacé, regagna le poste, se glissa dans le premier cadre venu, s'enveloppa d'une couverture qui sentait le goudron et s'endormit, les joues bientôt brûlantes, les paupières endolories par la chaleur du petit poêle que quelqu'un rechargeait toujours jusqu'à la gueule.

Il y eut d'abord l'odeur de café et le heurt des quarts de fer-blanc. Puis, en entrouvrant les yeux, Mittel aperçut des hommes, trois ou quatre, qui descendaient l'échelle, le visage noir de charbon, les yeux blancs. Certains cadres étaient encore occupés par des dormeurs.

— Quelle heure est-il ? questionna-t-il en sortant de sa couchette.

— Dix heures. Tu prends le quart de midi.

— Je peux me servir de café ?

Il n'osait pas. Il ne savait pas encore comment on était organisé. Sur le poêle, trônait une énorme cafetière en émail bleu. Mais il faillit être malade après la première gorgée et il se hâta de gagner le pont.

Alors il resta immobile, dérouté par une sensation trop forte. Il était en mer. Il n'y avait à cela rien d'extraordinaire et pourtant cela ne ressemblait pas à ce qu'il avait imaginé.

Un ciel blanc, d'un blanc lumineux qui faisait battre les paupières. Puis l'eau, tout autour de la coque noire du bateau, une eau grise hachurée jusqu'à l'infini de petites crêtes blanches.

On avançait doucement. On traînait à travers l'océan un long sillon que survolaient quelques mouettes.

Mittel regarda là-haut, vit le commandant dans sa cage vitrée et, près de lui, Charlotte qui bavardait tranquillement.

Avait-il le droit de monter ? Tant pis ! Il le fit, à tout hasard. Charlotte dit simplement :

— Bonjour.

Elle portait le même pantalon bleu et le même tricot que la veille mais, cette fois, elle avait serré ses cheveux d'un fichu noir qui lui donnait un air vaguement exotique.

— Bonjour, monsieur Mittelhauser ! prononça le commandant, sans qu'on pût deviner s'il plaisantait ou s'il était sérieux.

Il n'était pas rasé. Sa chemise bâillait sur sa poitrine velue et il traînait des pantoufles d'intérieur à semelles de feutre.

Par la porte ouverte, on voyait sa cabine en désordre, le lit défait, la robe de Charlotte, de l'eau sale dans le lavabo, un peigne, une brosse à dents.

— Tu lui as dit ?… questionna Mittel.

Mais Mopps prenait sur la table le *Journal du Havre*, qu'il avait ramassé au passage chez Louis, à Fécamp.

Un rentier du boulevard Beaumarchais assassiné par une jeune anarchiste.

Mittel lut l'article, qui continuait en troisième page, et Charlotte se rapprocha pour lire aussi.

— Cette fois-ci, ils ont été vite, remarqua-t-elle d'une voix paisible. C'est la concierge ! J'espérais qu'elle ne m'avait pas vue…

... M. Hubert Martin, 54 ans, ex-mandataire aux Halles, habitant boulevard Beaumarchais avec sa femme...

Pas encore de photographie. C'était trop tôt, mais les journaux de Paris devaient la donner.

... En l'absence de Mme Martin, le mandataire recevait cet après-midi la visite d'une ancienne bonne à tout faire...

Mopps les regardait tous les deux sans manifester ses sentiments. Charlotte avait les cheveux d'un blond tirant sur le roux, ou plus exactement ils étaient de deux tons, les mèches extérieures plus dorées que le fond de la chevelure.

Son visage était rond, un visage de boulotte, assez frais, assez régulier, marqué seulement d'une cicatrice au cou, du côté gauche. Sans doute avait-on dû l'opérer au corps thyroïde ?

Des formes de boulotte aussi, que soulignait le costume de matelot. Elle fumait une cigarette en fermant à moitié les yeux au passage de la fumée.

... Un voisin qui donnait une leçon de violon a bien cru entendre un coup de feu, mais n'y a pas pris garde...

Elle se souvenait de la leçon de violon, des six notes toujours les mêmes, de la voix qui bourdonnait derrière la cloison : « Baissez le coude... le coude !... L'archet horizontal... »

... C'est par hasard que quelques minutes plus tard l'employé du gaz...

Voilà pourquoi l'enquête avait été si vite ! Autrement, le corps n'eût été découvert qu'à sept heures du soir, au retour de Mme Martin, qui donnait un coup de main à sa sœur, bouchère dans le douzième arrondissement.

... La concierge a aussitôt désigné l'ancienne bonne à tout faire, qui a acquis une certaine réputation dans les milieux libertaires...

Mopps se taillait les ongles sans cesser d'observer le couple. Mittel avait les yeux rouges, d'avoir mal dormi, et trop près du feu. Peut-être aussi avait-il pris froid au cours de la nuit ? Il avait une petite tête sur un cou maigre, la pomme d'Adam saillante, les yeux toujours fiévreux. Il portait très longs ses cheveux bruns qui juraient avec son bleu de chauffe.

... On a appris que l'ancienne bonne était restée la maîtresse de M. Martin. Celui-ci lui avait même loué un logement rue Montmartre...

— Qu'est-ce que tu en dis ? ragea Charlotte.

... Quand la police y est arrivée, l'oiseau s'était envolé, mais on a suivi sa piste jusqu'à une librairie spéciale du quartier où la meurtrière a retrouvé son ami, un certain Joseph Mittel, en compagnie de qui elle a pris la fuite...

— Bauer n'a rien dit, murmura-t-elle. Lis plus loin !

Et elle montrait du doigt les mots :

... crime crapuleux.

— Vous l'avez cru ? demanda-t-elle durement au capitaine qui leva la tête.

— Quoi ?

— Que c'était un crime crapuleux ? La vérité, je vais vous la dire. Quand je suis arrivée à Paris, je suis entrée comme bonne à tout faire chez les Martin, boulevard Beaumarchais. Une cuisine d'un mètre de large, sans air, sans lumière. N'empêche que le patron y accourait dès que sa femme était sortie.

Mittel, maintenant, regardait ailleurs.

— Vous devinez la suite, n'est-ce pas ? Je n'ai pas

osé refuser. J'étais bête. Mais je me suis mise à lire. J'ai découvert les milieux libertaires. J'ai tout compris et alors j'ai signifié à Martin que c'était trop beau d'avoir une maîtresse pour le prix d'une bonne et d'être servi par surcroît…

Du coup, son accent devenait vulgaire.

— J'ai exigé qu'il me donne mille francs par mois et je me suis installée rue Montmartre, près de la Librairie des Temps Futurs… C'est là que j'ai connu Jef… Il y a deux ans de cela.

Elle remarqua seulement la présence du timonier impassible, les deux mains sur la roue du gouvernail. C'était un auditeur de plus et elle poursuivit :

— Remarquez que, du moment que je n'étais plus sa bonne, je n'intéressai plus Martin… Il a pris une autre domestique et je suis sûre qu'il en a été comme pour moi… J'étais obligée, pour toucher mes mille francs, de le menacer de tout dire à sa femme… Il venait une fois par mois, rarement plus, m'apporter l'argent et, à la fin, il ne m'embrassait même pas.

Mopps se gratta la tête d'un air goguenard.

— Vous ne me croyez pas ? questionna-t-elle durement.

— Mais si ! Mais si !

— Pourquoi riez-vous ?

— Je ne ris pas, je vous jure. Donc, ce pauvre Martin…

— Vous le plaignez ?

— Même pas ! Ou plutôt si, puisqu'il est mort…

Mittel se détourna, regarda la masse grise et blanche de la mer sur laquelle tranchaient les lignes dures du cargo.

— S'il est mort, je vais vous dire pourquoi… Vous

ne croyez pas à l'Idée, évidemment !… Vous ne croyez à rien et c'est votre droit. Mais nous y croyons, nous, et nous sommes quelques-uns à travers le monde à poursuivre un idéal… Pour cela, il faut de l'argent… Les brochures de propagande coûtent cher… Notre journal, *Liberté*, revient à cinq mille francs par mois. Eh bien, voilà trois jours, à la réunion du mardi, alors que tout le monde se demandait comment on réglerait l'imprimeur, je me suis levée… J'ai demandé combien il fallait… Trois mille ? Et si j'étais capable, moi, d'assurer la vie du journal pour un an ?…

Mittel se tourna vers le capitaine, esquissa un petit signe qui voulait dire :

— C'est vrai !

— Pendant deux jours, j'ai fait le guet boulevard Beaumarchais, attendant le moment où Martin serait seul chez lui… C'est arrivé hier… La bonne avait son jour de sortie… Mme Martin était chez sa sœur… Je lui ai mis le marché en main : qu'il me donne une fois pour toutes une grosse somme, trente mille francs, et je le laisserais tranquille… Est-ce un crime crapuleux, ça ? Dites !… Est-ce que j'avais un sou dans l'affaire, moi ?… J'ai toujours porté un revolver dans mon sac… J'ai menacé Martin, pour lui faire peur, car il ne marchait pas…

— Et vous avez tiré, parbleu ! conclut philosophiquement Mopps.

Dépitée, elle lui lança un mauvais regard.

— Résultat : non seulement nous avons à bord cent caisses de mitrailleuses de contrebande, mais encore une meurtrière que la police recherche !

Il adressa un clin d'œil au timonier, alluma sa pipe qui était déjà bourrée sur la table.

— Quant à toi, à ce que je vois, c'est encore plus tassé, reprit-il en s'adressant à Mittel.

Car le journal consacrait à celui-ci tout un alinéa :

… Joseph Mittel, avec qui Charlotte Godebieu a pris la fuite, est bien connu dans les milieux extrémistes. Il n'est autre, en effet, que le fils du fameux Mittelhauser, de la bande à Bonnot, qu'on dut laisser en liberté à l'époque, faute de preuves suffisantes.

Mittelhauser vivait alors avec une jeune fille connue sous le sobriquet de Bébé qui est, à l'heure actuelle, correctrice dans une imprimerie de la Bourse.

C'est d'elle qu'il eut un fils, aujourd'hui Joseph Mittel et amant de Charlotte Godebieu.

Quant à la fin de Mittelhauser, tout le monde la connaît. Arrêté pour intelligence avec l'ennemi pendant la guerre, il s'est ouvert les veines avec le manche d'une cuiller qu'il aiguisait depuis plusieurs jours sur son assiette.

À un regard interrogateur, Mittel se contenta de répondre :

— C'est exact.

Il n'avait pas deux ans à l'époque ! Il n'avait donc pas connu son père qui, pour les uns, était une canaille, et pour les autres un martyr.

Sa mère, qui avait vécu des années avec un Russe, l'avait mis en pension. Puis il avait traîné à gauche et à droite, tournant toujours dans un même cercle : celui des gens qui, jadis, avaient connu son père et partagé ses idées ou son activité.

Certains étaient devenus riches. Il y avait un député, un ministre, le directeur d'une feuille hebdomadaire.

« — Tiens ! c'est le petit Mittel… »

Pour eux, il était toujours un enfant. On l'invitait à

dîner. On le faisait entrer dans un bureau, puis dans un autre, en fin de compte dans une société de cinéma où il apprenait le montage des films…

Comme ce qui coûtait le plus cher c'était le loyer, on lui avait trouvé une chambre pour rien, dans un immeuble dont le gérant était un ami, avenue Hoche. Mais c'était une chambre de bonne, au troisième, sur la cour, et il devait entrer par l'escalier de service.

Le capitaine avait fini par pénétrer dans sa cabine où, assis sur son lit, il enfilait de grosses chaussettes de laine.

— Ce qui est fait est fait, l'entendit-on soupirer. Dis donc, Charlotte, je veux bien que tu te laves chez moi, mais il faudrait vider la cuvette.

Elle le fit avec mauvaise humeur.

— Quant à toi, mon petit, je te l'ai dit hier : il est nécessaire de faire quelque chose. Tu n'es pas capable de travailler sur le pont et encore moins aux machines. Je t'ai donc inscrit au rôle comme chauffeur. C'est moins dur qu'on le raconte. Une fois sous les tropiques, si tu ne supportes pas la chaleur, on verra à te changer de poste…

Il laçait ses souliers en geignant. Penché en avant, il eut un regard en coin pour le jeune homme et, le plus simplement du monde :

— Tuberculeux ?

— J'ai eu un poumon atteint, étant jeune… J'ai passé deux ans en sana…

— Si je te trouve un passeport et si on veut de toi à Panama, tu pourras te débrouiller… Le climat n'est pas mauvais…

Le torse nu, il chercha une chemise propre, enfila sa vareuse, observa tour à tour les jeunes gens.

— À midi, tu prends ton quart avec les autres…
Méfie-toi du nègre, qui vole tout ce qui est à la traîne !…
Quant au bosco, il lui arrivera bien de te casser la
gueule une fois ou l'autre, mais c'est un bon type quand
même…

Le premier officier était entré sans bruit et s'était
penché sur la carte. C'était un grand garçon maigre et
triste, qui feignit de ne pas voir le couple.

— Ça va ? demanda-t-il en serrant la main du capitaine.

— Dans trois ou quatre jours, on aura la chaleur.

Mittel ne savait s'il devait rester ou sortir. Mopps
parut soudain se souvenir de lui. À ce moment, Charlotte était entrée dans la cabine dont la porte restait
ouverte.

— Va la retrouver un moment !… dit-il.

Et il haussa les épaules, referma lui-même la porte
sur les jeunes gens.

— Il t'a touchée ?

Charlotte se brossait les dents, penchée sur la cuvette
à bascule.

— Ce matin, répondit-elle, la bouche barbouillée de
mousse. Il est venu m'éveiller gentiment, m'a apporté
du café chaud…

Mittel était morne. Il restait debout dans cette cabine
qui sentait l'homme, mais où une épingle à cheveux
traînait encore sur l'oreiller, près des bas clairs tachés
de boue.

— Qu'est-ce que tu vas faire ?

Elle se retourna, étonnée.

— Que veux-tu qu'on fasse ? À Panama, nous descendrons. Après, on verra !

— Il va être temps que j'aille prendre le quart… Tu viendras me voir de temps en temps ?

— Il ne veut pas. Il paraît que, si je me frotte à l'équipage, il y aura sûrement des jalousies et des batailles.

Mittel ricana.

— Oh ! ce n'est pas ce que tu crois… Il m'a prise comme ça, comme il aurait fait autre chose… C'est tout juste si ça lui faisait plaisir… Il a d'autres soucis en tête…

— Les mitrailleuses !

— Il ne s'en cache pas… Il m'a dit qu'il était une crapule, mais que cela valait mieux qu'être un imbécile… Je crois qu'il t'aime bien.

— Vraiment !

— Ne fais pas le malin, Jef ! Tu as toujours dit toi-même que la jalousie est une stupidité et que certains gestes n'ont aucune importance. Tiens ! Passe-moi ma combinaison…

Elle avait le torse nu et sa poitrine paraissait blême dans le jour cru qui tombait du hublot. Il la regardait sans désir, avec seulement de la rancune.

— Mon tailleur est sec ?

Il le tâta, lui tendit sa jupe. Comme elle n'avait pas de bas de rechange, elle mit les siens à tremper dans la cuvette.

— Pourquoi as-tu tué Martin ?

Elle sursauta.

— Je l'ai dit tout à l'heure… Tu ne me crois pas ?

— Il n'y a rien eu d'autre ?

— C'est toi qui me poses des questions pareilles ? Dis ! C'est toi ?

— Je ne sais pas…

— Qu'est-ce que tu ne sais pas ?

— Rien !

— Parce que alors il faudrait le dire franchement ! Qu'est-ce que tu as à me regarder ainsi ?

Comment la regardait-il, au fait ? Elle était là, avec sa jupe noire, sa poitrine voilée seulement par une combinaison rose déjà chiffonnée, ses jambes nues, ses pieds nus dans les souliers noirs et elle frottait ses bas l'un contre l'autre dans la mousse de savon.

— Tu regrettes ? demanda-t-elle.

— Quoi ?

— De m'avoir accompagnée.

— Mais non, Lotte ! Tu sais bien que non.

— Alors, quoi ?

— Je ne sais pas. J'ai la tête vide…

La porte s'ouvrit. Le commandant resta debout dans l'encadrement, les observa tous les deux, gronda :

— Ah ! bon…

Le lieutenant, derrière lui, préparait son sextant.

— Tant pis, fiston ! Si vous préférez les scènes de ménage !… Maintenant, il est temps de descendre…

Il sourcilla devant la cabine encombrée, se tourna vers son second.

— Il y a bien un lit de camp quelque part, Voisier ? Tu le feras monter ici.

Et enfin, à Charlotte :

— Dépêche-toi ! On mange à midi tapant.

— Au revoir, articula timidement Mittel en sortant et en s'engageant dans l'escalier de fer pour se rendre sur le pont.

La main courante était glacée, les marches glissantes. Il retrouvait cette masse de ferraille cruelle à laquelle, à chaque pas, il meurtrissait son corps maladroit.

— T'es de quart avec moi, lui lança le nègre qui grignotait un hareng saur et crachait les arêtes dans la mer.

3

— Tu vois ce manomètre ?

Mittel, qui était petit, se haussa en grimpant sur le tas de charbon.

— Si un jour tu laisses la pression monter à plus de quatorze, la chaudière saute, et nous aussi ! Si tu la laisses descendre à douze, tu verras ce que le chef viendra te passer…

Après trois jours, Mittel était déjà moins halluciné, mais le premier quart avait été infernal. Il y avait deux chaudières à bord, chacune à deux foyers.

Mittel partageait la sienne avec le nègre, qui était de la Guadeloupe et que tout le monde appelait Napo. Quant aux autres, ils travaillaient à tribord et on les devinait à peine au-delà du charbon, dans la lumière jaune et noire. Car la lumière donnait l'impression d'être jaune et noire, tant il y avait de poussière de houille entre les rayons de la lampe grillagée.

Comme bruit, le grondement éternel de la machine, puis le vacarme de la boîte à feu chaque fois qu'on ouvrait les foyers.

— Il faut toujours quinze centimètres de charbon sur la grille… lui avait-on appris.

Puis, de six en six heures casser la croûte de mâchefer avec un grand crochet. Chaque matin, à dix heures, vider le cendrier. Ne pas quitter le niveau d'eau des yeux. Ouvrir toutes les deux heures les trois robinets de jauge...

Et s'il oubliait quelque chose ? S'il se trompait ? Napo, près de lui, ne paraissait pas s'en soucier. Par contre, le chef de chauffe, Jolet, qui avait fait ces recommandations à Mittel, avait toujours un air préoccupé.

— Si, en entrant dans la soute, tu sens une odeur d'œufs pourris, c'est que ça brûle et tu donnes l'alarme.

— Ça brûle souvent ?

— J'ai vu trois incendies, sur d'autres bateaux.

Alors Mittel calculait qu'ils étaient tout au fond du navire et que, pour en sortir par les voies régulières, il y en avait pour dix minutes. Mais il existait une échelle de fer vertigineuse, dans la cheminée d'aérage, ce petit cercle blême, tout là-haut, d'où parfois tombaient des gouttes d'eau. Aurait-il le courage ?

Quant à la fatigue, au premier quart, il ne la sentait pas, tant il était sidéré par le manomètre, les robinets, les purgeurs, les recommandations de Jolet. Comme les autres, il grimpa sur le pont, à quatre heures, s'aperçut qu'il faisait noir et alla s'étendre dans son cadre sans prendre la peine de se débarbouiller.

— C'est vrai, que t'es anarchiste ?

Il regarda avec stupeur l'homme qui parlait la bouche pleine, un matelot de pont encore botté de caoutchouc.

— Qui a dit cela ?

— C'est sur le journal... T'as déjà jeté des bombes ?

Il ne se sentait pas capable de leur expliquer. D'ailleurs, il était trop fatigué.

— Jamais, bâilla-t-il en se calant contre la cloison.

— Alors ?

Bien sûr ! Pour eux, ce n'était pas la peine d'être anarchiste si ce n'était pas pour jeter des bombes !

Napo le tira de sa couche à huit heures moins cinq du soir et il en eut jusqu'à dix heures à jeter des pelletées de charbon dans le foyer.

Il avait à peine eu l'impression de s'endormir qu'il était deux heures du matin et que Napo le réveillait à nouveau. La nuit était calme. Une petite lueur brillait dans la cabine de commandement. La mer plate bruissait faiblement.

— Demain, tu ne feras que deux quarts... Un jour deux quarts, un jour trois, parce qu'on n'est pas assez nombreux.

Une habitude à prendre, de dormir n'importe quand, n'importe comment, de se lever comme un somnambule et de se glisser le long des échelles jusqu'à la chauffe, d'ouvrir la porte avec le crochet, de casser un peu le mâchefer et de jeter quelques pelletées, comme ça, par principe, avant de se réveiller tout à fait et de rouler une cigarette.

Du matin au soir et du soir au matin Mittel avait la bouche pâteuse, les tempes vides, mais il ne se plaignait à personne.

D'ailleurs, les trois premiers jours passèrent sans qu'il eût le temps de penser. Entre les quarts, il dormait, ou bien il se collait, tout seul, contre le bastingage, à regarder la mer dont le gris devenait moins cruel. Les mouettes avaient abandonné le sillage du cargo.

La vie du bord, pendant trois semaines, allait être la même. Mittel savait que le capitaine Mopps quittait rarement son perchoir, là-haut. Des jours durant, il vivait en pantoufles de feutre, sans mettre les pieds sur le pont, mangeant seul chez lui, ou plutôt, maintenant, mangeant avec Charlotte.

Les deux officiers et le chef mécanicien, eux, avaient pour domaine le carré, dans la dunette, et Mittel ne les voyait presque jamais. Il apercevait seulement leur cuisinier annamite qui venait jeter ses épluchures par-dessus bord.

L'homme qui régnait sur l'équipage, c'était le bosco, sorte d'adjudant de mer assurant la liaison entre l'état-major et les hommes. Il était petit et brun, hargneux, toujours à fureter. Vingt-quatre heures durant, il avait feint d'ignorer l'existence de Mittel puis, un soir qu'il le croisait sur le pont, il s'était campé devant lui et, lentement, lui avait saisi le menton entre deux doigts.

— Un bon conseil, toi, le phénomène ! Essaie de te trouver le plus rarement possible sur mon chemin.

— Mais…

— Suffit ! Je vais te dire une seule chose. On a navigué dix ans sur le même bateau, Godebieu et moi. Compris ?

D'une secousse, il avait envoyé Mittel contre le bastingage et il était parti sans se retourner.

Mittel en était resté atterré. Qu'eût-il fait, par exemple, s'il eût été mis face à face avec le père de Charlotte ? Et pourtant il n'était pas responsable ! Quand il l'avait connue, elle était déjà militante et c'était lui qu'on trouvait trop tiède.

Or, voilà que l'homme du bord dont il dépendait était un ami du père Godebieu !

— Ils ne comprennent pas, pensait-il. Ils finiront par s'apercevoir que je ne suis pas ce qu'ils croient…

Au point qu'il demanda à Jolet, le premier chauffeur,

de lui prêter ses livres. Car Jolet, dès qu'il n'était pas de quart, s'installait dans un coin du poste et commençait à étudier, répétant les phrases à mi-voix, recopiant vingt fois la même formule, l'air triste et buté. Il avait peut-être vingt-cinq ans et il voulait passer l'examen de mécanicien. Marié, il avait déjà trois enfants.

— C'est difficile, à cause des mathématiques, expliquait-il.

Et, le troisième soir, on assista soudain à un coucher de soleil sur un océan serein. Sans savoir pourquoi, Mittel eut envie de pleurer. Il était assis sur un panneau, à l'avant, près d'un matelot qui taillait un morceau de bois en forme de goélette. Les vitres de la cabine de commandement étaient ouvertes. Accoudée à la fenêtre, en somme, car cela donnait cette impression apaisante, Charlotte fumait une cigarette et, quand elle aperçut Mittel, elle lui adressa un signe de la main.

Il faisait encore frais, mais on devinait comme de timides bouffées de chaleur. Un paquebot italien coupait à l'avant la route du cargo, se dirigeant vers New York.

On devait être à la hauteur du Portugal et, dans trois jours, on apercevrait les Açores.

— Avons-nous la radio à bord ? demanda soudain Mittel au marin qui taillait du bois.

— Parbleu !

— Ah !

Il aperçut l'antenne, en effet, et resta rêveur.

— Qui est-ce, le télégraphiste ?

— Le plus maigre des officiers, celui qui porte des lunettes d'écaille.

Mittel ne l'avait jamais vu. Sans doute qu'avec la chaleur la vie allait changer, que chacun ne resterait plus enfermé dans son compartiment ! Déjà, pour profiter de la soirée, les hommes qui n'étaient pas de quart arrivaient sur le pont les uns après les autres. De là-haut, Mopps regardait Mittel qui, cette fois, s'était débarbouillé et qui portait un bleu de chauffe propre.

— Monte !… finit-il par lui crier.

Mittel s'était si bien habitué à la hiérarchie qu'il regarda autour de lui pour s'assurer que ce n'était pas un autre qu'on appelait. On lui avait prêté une vieille casquette et il la tint à la main en pénétrant dans la cabine.

— Ferme la porte. Montre ta figure.

Il la regarda avec attention, tout en y envoyant de la fumée de pipe.

— Pas trop dur ?

— Je m'habitue.

— C'est ce qu'on m'a dit. Tu n'embrasses pas Charlotte ?

Non ! D'ailleurs, à Paris, ils ne s'embrassaient pas davantage quand ils se retrouvaient. Leurs relations n'étaient pas passionnées et, le plus souvent, les heures s'écoulaient en discussions sociales ou philosophiques.

— Je m'ennuie, Jef ! soupira-t-elle. Le commandant est gentil, mais il n'a même pas un livre…

Elle était à nouveau en pantalon de marin et en tricot. Elle n'avait pas changé et Mittel remarqua qu'elle avait du rouge aux lèvres, un peu trop même, car elle n'avait jamais su se maquiller.

— Je fume toute la journée, je dors, je regarde la mer…

— Un verre de fine ?

— Merci. Je ne bois pas. Cela me fait tousser.

Ce fut Charlotte qui trinqua avec Mopps, tandis que

le soleil commençait à mordre l'horizon et que des marsouins sautaient à moins de cent mètres du navire.

— Pardon, capitaine… Vous avez la T.S.F… Est-ce qu'on a capté des nouvelles ?

— Le *Philibert*, le bateau qui nous a apporté la camelote au large de Fécamp, a eu une seconde panne au moment de s'engager dans le chenal et a heurté la jetée. La coque, qui est vieille, a été défoncée sur plusieurs mètres et trois hommes se sont noyés…

Mittel attendit un moment, par politesse.

— Et pour Charlotte ?

— Rien… Dorénavant, les auditions seront de plus en plus mauvaises jusqu'à l'approche des Antilles…

Au moment où Mittel s'y attendait le moins, le commandant, regardant son interlocuteur dans les yeux, questionna :

— Tu as le courage de continuer ?

— Continuer quoi ?

— La chauffe et le reste…

— Oui.

— Viens te promener.

— Et moi ? fit la jeune femme.

— Toi, tu restes ici.

Il entraîna Mittel sur le pont, vers l'arrière, où il n'y avait personne.

— Tu comptes rester avec cette fille-là ? articula-t-il à brûle-pourpoint en touchant l'épaule de son compagnon. Tu peux parler franchement. Tu comprends ? Je ne vais pas aller lui dire…

— Mais oui.

— Pourquoi ?

Mittel tressaillit, tant la question le troublait. Oui,

pourquoi était-il parti avec Charlotte et pourquoi pro-
mettait-il maintenant de rester avec elle ?

— On est entre hommes, hein ! Elle, voilà trois
jours que je la pratique, que je l'observe. Eh bien ! entre
nous, c'est une garce…

Il eut l'air d'attendre une protestation qui ne vint
pas.

— Je ne dis pas qu'elle ne soit pas amusante… Les
chats sont amusants aussi… D'abord, tempérament,
zéro !… Elle se donne parce qu'il le faut, ou parce que
cela peut lui être utile… Elle ne pense qu'à se rendre
intéressante et, quand elle a vu que je ne mordais pas
dans ses trucs libertaires, il n'en a plus été question…
C'est vrai qu'un militant s'est tué pour elle ?

— Je ne sais pas.

— Donc, ce n'est pas vrai ! Elle ment par surcroît !
Elle invente des histoires, se crée un personnage…
C'est exact aussi qu'elle se soit offerte pour tuer un
dictateur européen ?

— Je ne crois pas.

— Tu vois ! Elle passe son temps à fumer des cigarettes sur le lit et à combiner ses mensonges. Il paraît
que tu as pleuré, la première fois qu'elle a reprisé tes
chaussettes ?

Cette fois, Mittel détourna la tête. C'était vrai ! Mais
le capitaine ne pouvait pas comprendre. Mittel avait
toujours vécu dans le désordre, à la charge des uns
ou des autres, minable le plus souvent, sans jamais
connaître de soins réguliers.

Et voilà que Charlotte, un matin, alors qu'il dormait
encore, ravaudait ses chaussettes, les lavait dans la
cuvette, mettait un point à son veston…

— Elle vous a raconté ça ! balbutia-t-il.

— Et le reste ! Ta mère t'a demandé de ne pas aller la voir, à cause du Russe avec qui elle vit ?

— C'est faux, gronda-t-il. Elle m'a demandé de ne pas aller chez eux — parce qu'il est jaloux de tout et même du passé. Mais j'allais la voir à l'imprimerie.

— Ne t'emballe pas ! Ce que je t'en dis, c'est pour Panama. Là-bas, elle aura vite fait de se débrouiller, elle ! Toi aussi, si tu vas de ton côté. Mais si tu t'accroches à elle…

Il lui donna une grande tape sur l'épaule.

— Tu comprends ce que je veux dire ?

— Je comprends.

— C'est tout ce que je désirais… Ah ! encore une chose. Dès demain, tu ne feras plus que deux quarts par jour. Douze heures de chauffe un jour sur deux, c'est trop pour toi…

— Je vous assure que je suis capable…

— File, maintenant ! Tu n'as rien sur le corps.

C'était presque la nuit et l'air fraîchissait. Charlotte devait être debout derrière la vitre et Mittel traversa le pont, le cœur gros, descendit dans le poste et, saisissant sa gamelle, alla la remplir de soupe au guichet de la cuisine.

Des fois, il avait une place à table, d'autres fois pas, cela dépendait des hommes de quart. Cette fois, il n'en avait pas et il s'assit sur le banc, la gamelle posée sur les genoux. La soupe sentait le lard rance. Ses mains, bien que lavées, sentaient la suie et, parce qu'il venait du grand air, il fut affecté par le sourd relent qui régnait toujours dans le poste.

Il avait une demi-heure pour manger. À huit heures, il redescendait avec Napo, avec Jolet et l'autre dont il ne savait pas le nom, car ils formaient équipe.

Il n'avait mangé que quelques cuillerées de soupe quand des pas lourds retentirent. Une silhouette se profila dans la cabine. Un homme s'arrêta au milieu, regarda autour de lui en examinant chaque visage, marcha enfin vers Mittel, qui se leva machinalement.

C'était Chopard, le bosco, l'ami du père de Charlotte.

Tout le monde se taisait. On sentait qu'il allait se passer quelque chose et Mittel, pour sa part, était en proie à une débâcle physique qu'il ne pouvait maîtriser. Il avait peur. Toute sa chair avait peur et pourtant il était incapable de s'enfuir.

Encore deux pas, un pas…

— Je t'avais prévenu, hein ?

Prévenu de quoi ? Qu'est-ce qu'il y avait ?

— Petite saloperie, va !

En même temps qu'il crachait ces mots, le bosco envoyait son poing droit en plein visage de Mittel.

Celui-ci vacilla. La gamelle sauta ; de la soupe chaude se répandit sur le bleu de chauffe et Chopard restait à la même place, comme pour donner le temps de la riposte.

Mittel se tenait le nez à deux mains, regardait s'il ne saignait pas, voyait vaguement tous les visages tournés vers lui, tandis qu'enfin le bosco s'éloignait, s'engageant dans l'écoutille, lourdement, lentement, avec la satisfaction de la tâche accomplie.

Son départ fut suivi d'un profond silence. Puis les cuillers heurtèrent à nouveau les gamelles. Une voix prononça :

— Qu'est-ce que tu lui as fait ?

Ébahi, Mittel dut balbutier :

— Je ne sais pas…

Il cherchait. Il sentait confusément que le geste du

bosco devait avoir un rapport avec la conversation du capitaine. Mais lequel ? Qu'avait-il dit ?

Il n'avait même pas promis de quitter Charlotte ! Il n'avait émis aucun jugement sur elle !

— Mets un peu d'eau fraîche dessus…

On mangeait. On le regardait toujours avec indifférence.

— C'est devant la chaudière que ça va te cuire !

L'accident eut lieu dix minutes avant la fin du quart. Mittel avait le nez tuméfié, la lèvre supérieure enflée.

Napo, qui s'était aperçu qu'il avait la fièvre, le regardait sans cesse à la dérobée et deux fois ce fut lui qui rechargea le foyer de son camarade.

Pourquoi ce soir-là, au fond du navire, tandis que ses tempes battaient, Mittel pensa-t-il à Mrs White ?… Cela vint à son insu. Ce fut d'abord comme une bouffée de parfum. Puis il s'obstina à retrouver tous les détails de cette aventure unique.

Tout à l'heure, on lui avait parlé de Charlotte, des chaussettes qu'elle avait réparées et de son émotion à lui.

Mrs White, c'était l'autre pôle de sa vie amoureuse ! Un dimanche… Il faisait très beau… Il était trois ou quatre heures de l'après-midi…

Il était resté chez lui, avenue Hoche, dans la chambre de bonne, au troisième, et, par la fenêtre, il avait vu s'en aller les uns après les autres tous les domestiques de la maison.

On devinait les promeneurs au Bois de Boulogne et aux Champs-Élysées, les familles devant les vitrines des grands magasins, les terrasses pleines, les concierges assises sur le pas des portes…

Mittel ne faisait rien. Il n'aurait pas pu dire pourquoi il n'était pas sorti comme les autres. Il savourait sa paresse, en somme, quand il aperçut une forme qui bougeait dans la cuisine la plus proche. C'était une jeune femme qu'il n'avait jamais vue et qui portait un tailleur de soie blanche, une capeline blanche, des gants, prête à sortir…

Les fenêtres étaient ouvertes. L'inconnue n'était pas à six mètres de Mittel qui la voyait tourner avec nervosité les robinets du fourneau à gaz.

Elle le vit aussi. D'abord, elle n'y prit pas garde, puis soudain, à bout de patience, elle s'écria :

— *Please…*

Elle lui faisait signe de venir. Son visage trahissait la contrariété, presque l'angoisse. On la sentait perdue dans un monde inconnu pour elle.

— Entrez, *please*… Vous sentez aussi ?

Cela sentait le gaz, sans nul doute.

— Tout le monde est parti… Je tourne les robinets, mais cela sent toujours… Qu'est-ce qu'il faut faire ?

Alors il se mit, lui aussi, à tourner les robinets. Puis il eut une inspiration, chercha le compteur, qu'il ferma.

La cuisine était luxueuse, garnie de casseroles de cuivre.

— Vous croyez que ce n'est plus dangereux ?

— Nous le saurons dans quelques instants… dit-il. Si cela sent encore, nous appellerons le plombier…

C'est alors qu'ils firent connaissance, en attendant. Le gaz s'échappait par la fenêtre. L'atmosphère devenait moins fétide. La jeune femme regardait Mittel avec un drôle de sourire et il s'aperçut qu'il était sans veston, la chemise ouverte sur son cou d'adolescent.

Il toussa.

— C'est le gaz… fit-elle. Il faut boire quelque chose…

Elle ne devait pas mettre souvent les pieds à la cuisine. Comme elle avait ouvert les robinets, elle ouvrait les armoires et ne trouvait rien.

— Venez, j'ai du whisky dans le boudoir…

— Attention !… souffla Napo en le bousculant.

Il dormait presque. Il tressaillit, ouvrit la porte de son foyer, devina la tête du bosco qui venait jeter un coup d'œil, avec l'espoir de le prendre en défaut.

Il vacillait. Jamais il n'avait eu la tête aussi chaude et il se raccrochait à la vision de cet appartement de femme, là-bas, avenue Hoche, à la vision de cette femme elle-même qui lui offrait des cigarettes dans un étui d'or orné de pierreries et dont tous les gestes, dans un cadre de féerie, aboutissaient à des bibelots précieux.

Elle buvait du whisky avec lui, regardait avec une tendre ironie ses longs cheveux d'artiste, ses yeux fiévreux, sa silhouette de grand gamin.

— Un petit cocktail ?… Si !… Je ne savais pas que faire aujourd'hui…

En même temps elle déclenchait un phonographe et saisissait un shaker.

Mme White… Mrs White, comme elle l'écrivait… Son mari vivait en Amérique… Elle passait, elle, six mois de l'année à Paris.

Cela n'avait plus l'air vrai, ici, près des chaudières, les pieds enfoncés dans le charbon, la pelle à la main !

60

Et pourtant, il était devenu son amant, un jour, une heure, pas plus, sans savoir lui-même comment cela s'était fait.

Il fallait un effort, maintenant, pour se dire que l'appartement existait réellement, l'étui garni de diamants et d'émeraudes, la salle de bains en marbre noir…

Elle, surtout, qui n'avait pas vingt-cinq ans et qui jonglait avec ces richesses en souriant candidement !

Elle qui, gourmande, l'embrassait avec passion en l'appelant *baby*…

— Qu'est-ce que c'est ? hurla-t-il en portant la main à son front.

— Couche-toi !… Couche-toi vite !…

Il ne savait rien. Il avait reçu quelque chose sur la tête et il entendait un drôle de bruit, un sifflement continu, tandis que l'air devenait plus chaud, plus étouffant.

Il avait obéi à la voix de Napo et, couché dans le charbon, il ouvrit un œil, vit la vapeur qui giclait d'un tube de niveau qui venait d'éclater.

Jolet accourait aussi. Le nègre tournait un robinet et Jolet s'accrochait à un autre. Tous les deux recevaient des gouttelettes de vapeur.

— Encore un tube, là-bas !…

Le sifflement s'arrêtait. Mittel s'apercevait qu'il n'avait rien, sinon une brûlure au front, dont il ne ressentait même pas la douleur.

— Que s'est-il passé ? C'est ma faute ?

C'était le sentiment qui dominait, car il avait conscience de n'avoir pas monté son quart avec l'attention nécessaire.

— Mais non… Tiens ça !…

Tous les quatre s'agitaient.

— Passe-moi une clef anglaise… Tiens toujours bon…

Jolet n'avait pas un faux mouvement, ne s'énervait pas. Cinq minutes plus tard, il examinait le nouveau tube qu'il avait mis en place.

— C'est fréquent, expliqua-t-il. Un défaut dans le verre. Un simple courant d'air suffit à le faire éclater… Laisse voir ton front ?… Un peu plus bas et tu y perdais un œil… Je te donnerai une pommade après le quart.

Le quart, on le piquait, là-haut, à la cloche. C'était déjà fini. Presque rien ! Une émotion, une alerte, quatre hommes qui se précipitaient autour de quelques appareils.

Mittel retenait seulement qu'il risquait un œil et il se demandait s'il aurait le courage, le lendemain, de reprendre son poste, tant il sentait sa chair veule.

— Les chaudières, c'est comme ça, disait Jolet en traversant le pont. À Amsterdam, j'ai vu un remorqueur éclater dans le port. Eh bien ! on a retrouvé la moitié d'un des hommes sur un toit à plus de soixante mètres… Nous avons de la chance que les nôtres ne soient pas trop vieilles… On les a changées tout de suite après la guerre…

— J'ai mal à la tête, soupira Mittel en s'accoudant au bastingage.

— Si tu ne veux pas attraper du mal, ne reste pas ici… En principe, nous, on n'a même pas le droit de passer par le pont…

Seule une lanterne d'écurie éclairait le poste où dormaient une dizaine d'hommes. Certains bougèrent, sans ouvrir les yeux. Jolet ouvrit un sac qui lui servait d'oreiller et y prit une boîte en fer pleine de pommade brune.

— Mets ça sur ton front… Essaie de dormir… On s'arrangera pour le quart de demain matin…

Mittel rêva de Mrs White. Elle tournait des robinets. Il courait derrière elle, cherchant à arrêter tous les sifflements, tous les jets de vapeur qui emplissaient la cuisine.

— Allons, un petit cocktail ! disait-elle en riant.

Et il n'y avait plus de vapeur. Il voyait un oreiller de soie rose, des draps de soie rose, des dentelles…

— Drôle de *baby* !…

C'était lui.

— Charlotte n'a pas de tempérament… avait dit le capitaine.

Ce n'était pas comme Mrs White !

— Dépêche-toi !… On t'appelle, là-haut…

Il dut faire un terrible effort pour s'y retrouver dans toutes ces images et il se dressa enfin dans la lumière grise du poste où se lavaient les hommes demi-nus.

— Où m'appelle-t-on ?

— Chez le capitaine.

— Quelle heure est-il ?

— Sept heures…

Il se donna un coup de peigne, machinalement, but une gorgée de café dans le quart de quelqu'un.

Il faillit reculer devant le mur de soleil qui l'attendait au-delà de l'écoutille. Jamais il n'avait vu soleil aussi brillant, aussi épais. On n'apercevait plus le ciel. C'est à peine si on devinait la mer incandescente, elle aussi.

De petites choses sautaient à la surface de l'eau et il ne put croire que c'étaient déjà les poissons volants.

Il faillit se heurter au bosco qui, debout sur un panneau, faisait placer par ses hommes des tentes au-dessus du pont.

Dans le poste de commandement, il ne trouva que le premier officier qui lui dit :

— Frappez chez le commandant.

Il frappa. Une voix fit :

— Entrez !

Mopps, le torse nu, vêtu seulement d'un pantalon, était assis au bord de son lit, les cheveux en désordre. Sur le lit de camp, Charlotte était encore couchée.

— Jef ! cria-t-elle. Ils nous ont retrouvés…

— Qui ?

— La police. Quelqu'un a parlé…

— Doucement !… Doucement !… grogna Mopps en se levant. Qu'est-ce que tu as au front, toi ?

— Un tube de niveau qui a éclaté…

— Bon !… Tu as entendu ce que Charlotte a dit ? On vient d'avoir des nouvelles par le radio… La police a suivi la piste jusqu'à Dieppe… Comme on ne vous a retrouvés dans aucun hôtel, comme on ne vous a vus ni à la gare, ni chez les loueurs de voitures, on a conclu que vous vous étiez embarqués, ce qui n'est pas malin…

— Alors ?

— Alors, deux bateaux ont quitté le port ce soir-là, nous et un bananier qui fait tous les mois Las Palmas. Le bananier a répondu qu'il n'avait pas de passagers à bord.

Charlotte regardait fixement devant elle et Mopps s'approchait du lavabo.

— Qu'est-ce que vous allez faire ? questionna Mittel, sidéré.

L'autre haussa les épaules, mit de la pâte sur sa brosse à dents, se ravisa.

64

— Qu'est-ce que *vous* allez faire ! corrigea-t-il.

— Oui, qu'est-ce que nous allons faire ?

Charlotte s'asseyait sur son lit, découvrant une chemise rose saumon qui ne voilait qu'à moitié sa gorge.

— Demande du café… soupira-t-elle, la bouche pâteuse.

— Le bouton qui est près de la porte… expliqua Mopps.

Et il ajouta :

— À Saint-Domingue, rien à tenter. On ne vous laissera pas débarquer. À Panama, encore moins… Il y a même des chances pour que le gouvernement français ait déjà demandé votre extradition… C'est un crime de droit commun et…

— C'est un crime politique ! protesta Charlotte.

— Bon ! Te fâche pas… C'est tout ce que tu voudras, mais on te coffrera dès que tu mettras les pieds à Panama.

— Mes avocats me défendront !

— Fais donc pas l'imbécile et parlons sérieusement. Après Panama, il y a des îles à peine habitées…

Ce fut la crise. Charlotte se leva, sans souci de sa demi-nudité, parcourut la cabine à grands pas.

— Mufles !… Salauds !… Autrement dit, vous m'abandonneriez dans une île déserte !… Hein ?… C'est cela que vous voulez ?… Et vous osez vous appeler des hommes ?

Elle avait les larmes sous les paupières. Ses sanglots éclatèrent tout à coup et elle se jeta sur le lit.

— Des mufles, oui !… Ils sont là quand il s'agit de profiter d'une femme, mais dès qu'il s'agit de prendre des responsabilités…

Mopps s'essuya la bouche. L'Annamite apporta le café sur un plateau.

— Pose une tasse ici et porte les autres à côté, ordonna le commandant.

Car il se désintéressait de Charlotte et de sa crise, de ses larmes et des injures.

— Viens, dit-il à Mittel qui ne savait que faire.

Et il prit son veston sur son bras.

4

— À qui appartient le bateau ? demanda Mittel d'une voix paresseuse.

Couché sur le dos, il voyait au-dessus de lui la tente ensoleillée et une partie de la cheminée, celle que cernait une ligne rouge. Un coin de ciel bleu apparaissait dans l'échancrure de la toile.

— Chopard n'est pas par ici ? questionna Jolet avant de répondre.

Et il se soulevait sur les coudes, allongé, lui aussi, sur le panneau avant où frémissait une légère brise. Son torse était nu. Il faisait chaud. L'univers était un tel embrasement que parfois il semblait que l'air grésillât.

— Je vais t'expliquer ce que je sais, murmurait Jolet en refermant un traité de mécanique et en roulant une cigarette.

D'autres matelots étaient éparpillés sur le pont, tous ceux qui n'étaient pas de quart. Certains, entièrement nus, se douchaient l'un l'autre avec la manche à incendie. On les entendait crier et rire plus à l'avant. Napo, lui, regardait devant lui comme si déjà il eût aperçu les montagnes violettes de son île.

Quant à Mittel, il jetait parfois un coup d'œil à la passerelle, mais ne voyait ni Mopps, ni Charlotte.

— Moi, c'est seulement mon troisième voyage avec lui, murmurait le chauffeur. Mais il y en a ici qui le suivent depuis dix ans et plus… Le bosco, tiens ! Il était avec le capitaine au temps où Mopps faisait le boot-legger…

— Ah ! il faisait le bootlegger ?

La voix de Mittel était molle, ses pensées assez floues, tant la quiétude ambiante le pénétrait.

— Il a peut-être eu vingt, peut-être trente bateaux ? Il en achetait un à Amsterdam, au Havre, ou en Alle-magne, partait avec et revenait presque toujours à bord d'un autre. À certain moment, il était dans le Pacifique, à faire la navette entre le Canada et les États-Unis. Il paraît qu'il a été pris et qu'il a fait de la prison avec le bosco…

C'était très bien ainsi. Ces détails cadraient avec l'idée que Mittel se faisait de Mopps. Oui ! C'était l'homme à aller en prison sans sourciller, à acheter des navires, à les revendre, peut-être même à les couler ?

— Il s'est marié.

— Hein ?

— Avec une petite Américaine, toute jeune, à San Francisco… Il lui avait acheté une villa en Floride et elle avait son auto, son chauffeur, des domestiques chinois… Je ne sais pas ce qui s'est passé, mais ils ont divorcé et elle lui a fait un procès qu'elle a gagné, si bien qu'il lui verse une pension…

Mittel rêvait, attiré par le colosse qui avait vécu tout cela et qui traînait, en pantoufles, dans sa cabine en désordre.

— Il est encore riche ?

— Il a eu des millions. Il a voulu vivre à terre et il a racheté au Havre une affaire d'exportation. En quatre ans, il a tout perdu et il a repris la mer.

— Le navire est à lui ?

— Les bateaux ne sont jamais à son nom. Celui-ci appartient soi-disant à un Dieppois qui n'a pas un sou, un courtier d'assurances qui sert d'homme de paille. Je le connais… Le dernier voyage que nous avons fait, c'était pour passer en fraude de la teinture d'iode et les douaniers étaient dans le jeu.

En tournant un peu la tête, Mittel pouvait voir la silhouette du premier officier sur la passerelle et cet homme avait l'air si calme, si honnête, qu'il questionna :

— Les officiers sont complices

— Il y en a des milliers en chômage… riposta Jolet.

— Et s'ils sont pris ?

— Ils ne sont pas obligés de tout savoir.

Pourquoi, dans l'esprit de Mittel, la femme que Mopps avait laissée à San Francisco se confondait-elle avec son Américaine de l'avenue Hoche, Mrs White ?

Il aurait voulu causer davantage avec le capitaine, devenir son ami, mais, à bord, ce n'était pas possible. Ils étaient vingt-sept en tout ; il les avait comptés. Les hommes restaient groupés en petits tas, les officiers dans leur carré, les matelots de pont presque toujours ensemble, les mécaniciens dans leur coin et les chauffeurs dans le leur.

Les matelots de pont étaient des Bretons qui parlaient leur langue, quand ils parlaient, ce qui leur arrivait rarement. L'un d'eux construisait un petit bateau en bois qui avait déjà ses mâts et ses vergues. Un autre avait la spécialité de réparer les bottes et se faisait payer avec du tabac à chiquer.

Quant au chef mécanicien, celui qui était père de cinq ou six enfants, on le voyait trois fois par jour arpenter le pont à grands pas, par hygiène. Il comptait les pas, respirait en cadence, puis il disparaissait dans sa cabine, près des machines, où il restait enfermé le reste du temps.

— Il se fait plus de deux mille deux cents francs par mois, avait déclaré Jolet avec admiration.

Mittel ne comprenait pas. À Paris, les gens qu'il connaissait gagnaient bien davantage, avec moins de connaissances et surtout un travail moins pénible et moins dangereux.

— Tiens ! voilà ta femme qui descend…

Jolet était sans méchanceté et sans ironie. Il suivait des yeux la silhouette de Charlotte qui avait déniché un pantalon de toile blanche — sans doute celui du télégraphiste — et un tricot en coton rayé.

Arrivée sur le pont, elle s'avança vers les hommes étendus, appela :

— Jef !

— Je viens.

Il se leva en soupirant, la suivit à l'arrière du bateau où il n'y avait personne, mais où ils étaient en plein soleil. La mer était aussi bleue que sur une affiche réclame pour une lessive. Le sillage tranchait en blanc pur et de loin en loin une vaguelette se formait, un ourlet à peine, qui fondait comme un sorbet.

— Qu'est-ce que Mopps t'a dit ?

Car deux fois déjà elle avait vu Mittel et le capitaine bavarder sur le pont. Elle s'en inquiétait. Elle avait son regard dur, ses lèvres tendues, qui la rendaient plus vulgaire.

— Je ne sais plus au juste. Il se demande ce que nous comptons faire.

— Qu'est-ce qu'il te conseille?

C'était gênant à avouer. Mopps conseillait surtout à Mittel de se désintéresser de sa compagne. Elle l'avait deviné et elle poursuivit, agressive :

— Il te pousse à me laisser tomber, pas vrai?

— Plus ou moins…

— Et lui, est-ce qu'il t'a dit ce qu'il voulait faire de moi?

— Si on n'arrive pas à te débarquer en fraude à Panama, il faudra bien qu'on te dépose ailleurs…

— Dans une île, je sais! Tu as accepté?

Mittel la regardait avec gêne car il avait l'impression, soudain, qu'ils étaient devenus ennemis. Or, si cela l'affectait, ce n'était pas comme il l'aurait cru.

Il n'avait aucune envie, par exemple, de la prendre dans ses bras. Il se demandait même comment ils avaient été amants si longtemps. Il découvrait qu'elle avait le front trop bombé, les pommettes saillantes, des taches de rousseur sous les yeux.

En même temps il pensait à M. Martin et il se souvenait en rougissant que, maintes fois, il avait attendu dehors que le mandataire fût sorti de chez Charlotte pour y entrer à son tour.

C'était récent, trois semaines à peine, et cependant il ne pouvait se faire à l'idée que c'était vrai. Un jour qu'il voulait aller en Allemagne avec Charlotte pour assister à un congrès, il lui avait même déclaré :

— Il vaudrait mieux nous marier. Ce n'est qu'une

formalité, évidemment, mais c'est plus pratique pour les passeports.

Et Bauer, cet inquiétant petit homme terne, marié à sa grosse femme à chair rose, qui gravitait des heures durant dans l'étrange librairie de la rue Montmartre !

Librairie des Temps Futurs !… Il regardait la mer, ses camarades couchés sur le panneau avant et il ne se reconnaissait plus, il ne reconnaissait plus sa compagne.

— S'il ne peut vraiment pas te descendre à Panama… murmura-t-il.

— Je forcerai le navire à y rester, simplement. Je dirai aux autorités ce qu'il y a dans la cale ! Je joue ma tête, moi, voilà ce que tu oublies… Ah ! le voici…

C'était Mopps qui s'approchait, en effet, un sourire goguenard aux lèvres.

— On s'explique ? questionna-t-il en posant la main sur l'épaule de Mittel d'un geste affectueux. Il faut que je vous annonce une nouvelle, mes enfants. On ne fera pas escale aux Antilles. Nous avons assez de charbon et dans quatre jours nous serons devant le canal de Panama.

— Et moi ? articula Charlotte en le regardant dans les yeux.

— Toi, tu auras plutôt chaud. Je viens d'en parler au chef mécanicien. On va déboulonner une cloison et tu resteras coincée entre deux tôles pendant vingt-quatre heures au moins…

Elle ne dit rien. Elle devait avoir peur, car son cou se gonflait et ses lèvres se tendaient davantage.

— Si le gouvernement français les a prévenus, ils visiteront le bateau de la quille à la pomme du mât, mais je te promets qu'ils ne te trouveront pas.

Le bosco rôdait autour d'eux, l'air toujours aussi hargneux. Mittel avait gardé un tel souvenir du coup de poing reçu qu'il ne pouvait en détacher son regard.

— Va te promener là-haut, dit Mopps à Charlotte. Mais si! Va!

— Vous voulez encore comploter?

— C'est ça! Et décider ta mort! File, sacrebleu…

Ses yeux riaient. Il regardait le bosco, puis Mittel.

— Approche, Chopard…

Lui avait-on raconté la scène du poste d'équipage? Lui avait-on dit que le bosco était toujours à tourner autour du jeune homme comme pour le prendre en défaut?

— Tu lui en veux? fit le capitaine à l'adresse de Mittel, quand le bosco se fut avancé, sa tignasse rousse en plein soleil.

— Je n'ai jamais compris, se hâta de répondre Mittel. Je n'ai rien fait. J'aurais voulu expliquer à monsieur…

— À monsieur, c'est joli! s'esclaffa Mopps. Tu entends, Chopard? Il t'appelle monsieur et tu ne dis pas merci? Allons, mes enfants, il faut vous entendre…

— Je suis l'ami de Godebieu, grommela le bosco, buté.

— Et après?

— C'est ce sale gamin qui, avec ses idées, a tourné la tête à la gosse. Je connais les Godebieu, non? Vous ne trouverez pas plus brave à Dieppe. Il y a trois autres filles et je voudrais que vous les voyiez travailler le matin aux Halles, par tous les temps, pire que des hommes…

Mopps, de bonne humeur, s'amusait à observer ses deux compagnons.

— À toi, Mittel !

Et celui-ci, sérieusement, car il souffrait de n'être pas compris :

— Quand j'ai connu Charlotte, elle avait déjà quitté sa place.

— Tu entends, Chopard ? Elle avait déjà quitté sa place !

— Qui est-ce qui en a fait une anarchiste ? Et d'abord, qu'est-ce que c'est une anarchiste ? C'est de tuer un pauvre bonhomme à qui on prenait son argent ? Hein, c'est ça ?

Il se fâchait. Sans la présence du capitaine, il eût battu à nouveau son adversaire.

— Explique-toi, Mittel… Il paraît que tu es anarchiste.

— Vous ne pouvez pas comprendre.

— Chopard ne comprendra pas, mais je comprendrai.

— C'est mon père qui l'était, à une époque où d'autres l'étaient aussi, des gens qui sont devenus des personnages importants…

— Et toi ?

— Moi, ils considéraient que je leur appartenais… Je vous dis que vous ne pouvez pas comprendre… C'étaient les anciens amis de mon père qui me trouvaient des places. J'étais bien obligé de les fréquenter…

C'était impossible à expliquer ! Il sentait ce qu'il voulait dire, mais il ne trouvait pas les mots, surtout ici, avec la mer tout autour, le soleil, le sillage immaculé du noir cargo.

Lui n'était pas un anarchiste, mais un fils d'anarchiste. C'était déjà quelque chose comme une aristocratie ! On le faisait venir aux réunions pour le montrer aux jeunes.

— Le fils de notre martyr Mittelhauser…

Il ne pouvait quand même pas s'enfuir ! D'ailleurs partout, en Allemagne, en Hongrie, à Barcelone, à Londres et même en Amérique il aurait trouvé des groupes, des cellules qui se seraient emparées de lui pour le fêter.

« — Le fils du martyr français »…

Un instant, il revit Mrs White, les cocktails sur la table basse, les draps de soie du lit…

— Il n'a même pas un nom français, s'entêta Chopard. Les boches m'ont assez fait suer pendant la guerre avec leurs mines pour qu'aujourd'hui…

— De quelle nationalité es-tu ? intervint Mopps en gardant son sérieux.

— Français.

— Et ton père ?

— Français aussi. Avec du sang roumain…

On ne savait pas au juste. Il y avait eu des histoires de faux papiers. Certains prétendaient que Mittelhauser ne s'était jamais appelé ainsi.

— Tu entends, bosco ? Les Roumains sont des alliés…

— Qu'est-ce qu'on va faire de la petite ? riposta l'autre, qui ne voulait pas désarmer. C'est vrai, ce qu'elle a raconté au télégraphiste ?

— Qu'a-t-elle raconté ?

— Qu'elle avait fui Paris sans un sou, sur un camion du service rapide, et qu'elle était allée prendre chez elle les économies des vieux ?

Mittel baissa la tête.

— Je ne savais même pas où elle allait, soupira-t-il.

Il aurait tout fait, à cette heure, pour gagner l'amitié de cet homme têtu qui l'avait frappé et qui l'épiait encore à la dérobée. Jusqu'ici, c'était un peu comme s'il n'eût pas fait entièrement partie du bateau. À part Jolet et le nègre, les autres ne lui parlaient guère, le regardaient curieusement et, quand on lui adressait la parole, on disait :

— Alors, l'anarcho ?

Est-ce que ce mot le poursuivrait toute sa vie ?

— Avez-vous quelque chose à me reprocher dans mon travail ? articula-t-il soudain en regardant avidement le bosco.

— Non. Il s'y est mis… répondit celui-ci indirectement, en s'adressant au commandant.

— Je fais tout ce que je peux… Quand le tube a éclaté, ce n'était pas ma faute, tout le monde l'a reconnu…

— Eh bien ! Chopard ? Tu admets que c'est un assez bon petit bougre ? Je n'en dirai pas autant de la Charlotte, là-haut…

— C'est la fille à Godebieu…

— Ce n'est pas ce que ton camarade a fait de mieux ! Donne la main au gosse…

Le marin hésita encore, tendit enfin la main, et il y avait dans cette minute quelque chose de si rare, de si inattendu, le soleil était si brillant, la mer si belle, si affectueux les yeux de Mopps que Mittel dut détourner la tête pour cacher des prunelles trop luisantes.

— Veux-tu que je te dise, maintenant, ce que tu devrais faire ? À la chauffe, ils peuvent s'en tirer sans lui. Sur le pont, tu n'as que cinq hommes. Prends le gamin avec toi…

— Et s'il tombe à l'eau ?

— Ma foi, tu auras vengé ton ami Godebieu ! Laisse-nous un moment. J'ai encore quelque chose à lui dire…

— Tu aurais crevé, là-dessous… expliqua le commandant quand ils furent seuls… Ici, il y a encore de l'air. Demain, nous entrons dans la mer des Antilles, puis ce sera le canal.

— Je ne sais comment vous remercier.

— J'ai horreur de ça ! N'oublie pas que je t'ai chipé ta poule dès le premier jour. Le plus bête c'est que, maintenant, j'aurai de la peine à m'en passer. C'est un poison ! Elle a un caractère détestable ! Elle est égoïste comme une chatte, mais je me suis habitué à la voir rôder dans la cabine, à la trouver vautrée sur son lit à toutes les heures, débraillée, le visage mal maquillé. Si elle pouvait me griffer, elle le ferait…

Le nègre les regardait, de loin, admirant son camarade à qui le commandant parlait si longtemps. Jolet avait ouvert son livre de mathématiques. Au fait, Mittel allait maintenant quitter leur équipe pour entrer dans le clan des Bretons.

— Je continue à la faire enrager avec l'histoire de l'île. Elle imagine un rocher sur lequel elle serait toute seule… On essayera de l'emmener jusqu'à Guayaquil… Après…

— C'est à Guayaquil que nous débarquons les armes ? osa questionner Mittel, tant la minute était à la confiance.

— Tout le monde le sait à bord. Les Équatoriens vont faire une révolution. Ils n'attendent que nos mitrailleuses et, trois jours après, il y aura un nouveau président de la république…

77

Il parlait pour lui-même, gaiement, plissait les paupières dans le soleil et ne se décidait pas à interrompre
ce bavardage.

— Tu as beaucoup toussé, ces derniers temps ?

— Non. Pas plus qu'à Paris. Plutôt moins.

— Ton père était tuberculeux ?

— Ma mère ! Mon père tordait une barre de fer avec
ses mains.

— Charlotte te trompait, à Paris ?

Il y revenait. Et on sentait que ce n'était pas par
hasard. La question laissait Mittel désorienté.

— Je ne sais pas. Je n'y ai jamais pensé. Martin
venait la voir tous les mois, évidemment.

Encore cette vision, ce cauchemar…

— Elle devait te tromper.

— Vous croyez ?

— Pour elle, ça ne compte pas. Si le télégraphiste
voulait…

Son front se durcissait et Mittel fut stupéfait en soup-
çonnant soudain le capitaine d'être jaloux.

— J'en ai déjà eu une dans ce genre-là, vois-tu.

— L'Américaine ?

— Je vois qu'on t'a tout raconté. Elle avait trouvé
le moyen de faire entrer son amant chez moi comme
chauffeur. Allons !… Ouste !… N'oublie pas que
désormais tu travailles avec Chopard…

Il lui donna une tape dans le dos, s'éloigna lentement, rêveur eût-on dit.

Quant à Mittel, il alla se rasseoir près de Jolet et
du nègre. Ceux-ci ne lui demandèrent rien. Le soleil
déclinait. La peau luisante de Napo répandait une
odeur âcre. Des matelots coururent au bastingage et
se désignèrent un requin qui disparut presque aussitôt.

Deux jours avant Panama, les panneaux furent retirés, les treuils mis en mouvement et on travailla dans les cales où les hommes devenaient des êtres microscopiques.

Le commandant lui-même était en bas, se faufilant entre les caisses et les barriques, suivi du bosco à qui il donnait des ordres. Il s'agissait de placer de telle sorte les caisses d'armes que les autorités du canal n'aient pas l'idée de les ouvrir.

Il faisait chaud. La plupart des matelots n'avaient que leur caleçon sur le corps et ils s'essuyaient sans cesse le front du revers du bras.

Les treuils faisaient un vacarme intermittent qui empêchait d'entendre autre chose. Le crochet de fer descendait. Quelqu'un l'attrapait, le fixait aux filins sertissant une caisse.

Et celle-ci s'élevait, se balançait au-dessus des têtes, tandis qu'on la dirigeait tant bien que mal à bout de bras.

— Fermez les panneaux !

L'ordre arriva le soir et ce fut encore une atmosphère nouvelle pour Mittel car, vers la fin de la nuit, on apercevait les feux du canal de Panama. Des hommes, sur le pont, lavaient leur linge. L'un d'eux le repassait dans le poste et les autres lui en voulaient, car il avait fait un feu d'enfer.

Il est vrai que maintenant on dormait sur le pont, enroulé dans une couverture, la tête sur des sacs vides.

— Tu es de quart là-haut à minuit, annonça le bosco à Mittel.

On naviguait avec un équipage réduit, par économie. On affirmait que Mopps n'avait pas de quoi payer son charbon à Colon et qu'il ne pourrait faire la paie à l'équipage qu'à Guayaquil, quand il aurait reçu l'argent des mitrailleuses.

Quand Mittel arriva dans la chambre de veille, à minuit, c'était la seconde fois qu'il prenait place à la roue du gouvernail. Ce n'était pas Mopps qui se trouvait dans le poste, mais le premier officier qui annonça :

— Cap ouest deux quarts sud-ouest !

C'était facile. Les yeux fixés sur le compas lumineux, il suffisait de manier la roue de telle sorte que l'aiguille restât toujours dans la même orientation.

Rien n'était plus calme que cette pièce où l'officier fumait sa pipe en regardant devant lui le ciel lourd d'étoiles. On devinait à peine le ronflement des machines. Des vitres ouvertes laissaient passer un courant d'air presque frais. Mopps devait dormir, ainsi que Charlotte, dans la cabine voisine dont la porte était ouverte mais dont le rideau était tiré, gonflé à chaque souffle d'air.

Le temps passait vite. Parfois l'officier, après une embardée du bateau, faisait signe de la main et Mittel s'apercevait qu'il avait laissé porter à gauche, ou à droite, car ses yeux finissaient par ne plus voir les chiffres du compas.

Il était trois heures quand on entendit du bruit chez le capitaine. Puis la lumière jaillit. Mopps, en pyjama, vint jeter un coup d'œil sur l'horizon, repéra une étoile parmi les étoiles.

— C'est le phare de la jetée sud, annonça-t-il.

— On le voit depuis dix minutes… Encore dix-huit milles environ.

Mopps rentra chez lui et s'habilla, menant grand tapage, et enfin la voix de Charlotte murmura :

— Qu'est-ce que c'est ?

— Panama ! Un bon conseil : dérouille-toi les jambes et respire l'air pur avant d'entrer dans ton trou.

— Vous êtes sûr qu'il n'y a pas de danger ?

— Imbécile !

— Et si c'était un truc ?

— Un truc pour quoi ?

— Pour vous débarrasser de moi.

Elle se leva. Serrée dans une robe de chambre du capitaine, elle pénétra dans le poste, sans reconnaître Mittel qui n'était qu'une silhouette anonyme derrière la barre.

— Ah ! c'est vous… dit-elle à l'officier. Quand est-ce qu'on arrive ?

— Dans une heure, nous aurons le pilote à bord.

— Où est-ce ?

Il lui désigna la lumière du phare qu'elle ne distingua pas d'avec les étoiles. Elle avait les pieds nus, les cheveux défaits.

— Vous croyez aussi qu'on ne me trouvera pas ?

— C'est à peu près certain.

— Et je ne vais pas étouffer ?

— Le chef mécanicien a fait le nécessaire.

Quand Mopps se montra à nouveau, il portait des pantalons blancs, une chemise blanche, un faux col, une cravate et ses cheveux gris étaient cosmétiqués, ses souliers craquaient à chaque pas tandis qu'il répandait une odeur d'eau de Cologne.

— Tu ne te laves pas ? demanda-t-il à Charlotte.

— À quoi bon ? Il paraît que c'est crasseux, là-dedans.

— Pas plus que dans les prisons de Panama. Sonne le steward.

Elle obéit en balbutiant :

— Je ne sais pas pourquoi j'ai peur...

— Tu auras tout le temps d'avoir peur quand tu y seras.

Et, à l'Annamite qui entrait :

— Le panier est-il prêt ? Apporte-le, que je voie moi-même.

Le panier contenait du jambon, des biscuits, deux bouteilles de vin, des bouteilles d'eau, des oranges et du chocolat.

— Tu ne veux pas de lard, Charlotte ?

— Il est rance.

— Tu gardes ma robe de chambre ?

— Oui.

Un autre bateau glissait silencieusement à moins de cinq cents mètres du cargo.

— Un pétrolier allemand, fit Mopps. S'il ne doit pas charbonner, il prendra le canal avant nous.

Il ne faisait pas attention à Mittel. Dans la cabine, Charlotte s'agitait, remuait des objets, allait et venait sans répit.

— Allons !... Le pilote peut arriver d'un moment à l'autre. On voit déjà le feu des deux jetées...

Elle revint, tenant son sac à la main, et elle regarda autour d'elle avec inquiétude, reconnut enfin Mittel qui ne bougeait pas.

— Tu étais là ?

— Dépêche-toi ! l'interrompit Mopps. Prends le panier.

On la sentait affolée. Le pont était noir, désert. Mopps ouvrit la porte du poste sur la nuit.

— Jef!... Écoute... Promets-moi...

Elle ne savait que dire, ou plutôt elle n'osait pas. Elle s'avança vers lui.

— Tu ne me laisseras pas enfermée, dis ? souffla-t-elle. J'ai peur !... De temps en temps, tu viendras écouter si je respire...

Elle ne pleurait pas. Elle grimaçait, tous les traits tirés, les prunelles trop mobiles.

— Alors ? s'impatientait Mopps.

— Je viens... Tu as compris, Jef?... Je n'ai pas confiance en lui ! C'est une brute...

Et Mittel gardait les deux mains sur la roue du gouvernail. L'émotion de sa compagne le gagnait. Il lui semblait qu'un terrible inconnu s'ouvrait devant eux, devant elle surtout. Et les choses se passaient sans aucune solennité, à hue et à dia. Charlotte n'était même pas habillée.

— Je prends mes souliers, dit-elle encore.

Elle les tint à la main, laissa tomber son sac que le capitaine ramassa.

— Jef... Tu as compris ?...

Cela lui fit mal et pourtant il n'avait pas envie de l'embrasser. Sans compter que c'eût été ridicule ! Du poste d'équipage, les matelots de pont sortaient l'un après l'autre, engourdis de sommeil, regardaient l'horizon, mesuraient la distance des phares et gagnaient lourdement leur place.

— Dépêche-toi... Tu marches dans ta robe...

La robe de chambre était trop longue. Charlotte arriva quand même au bas de l'escalier et traversa le pont, disparut par une écoutille qui communiquait avec les machines.

Un quart d'heure s'écoula sans que Mopps revînt. On entendait maintenant un bourdonnement qui n'était autre que le moteur du bateau-pilote encore invisible. Le bosco venait lui-même prendre la barre des mains de Mittel qui restait là, à attendre des nouvelles.

Mopps revint enfin, essuya ses mains tachées d'huile au rideau qui masquait la porte de sa chambre, annonça :

— C'est fait ! Un moment, j'ai cru qu'elle refuserait d'entrer…

— Il y aura assez d'air ? s'enquit le premier officier.

— Le chef s'en porte garant. Par exemple, elle n'a pas dix centimètres pour remuer ! À la dernière minute, elle a éclaté en sanglots et elle s'est jetée sur mon épaule…

Mittel sortit sans bruit, la gorge serrée. Il avait l'impression que quelque chose de grave venait de se passer, quelque chose dont ils étaient tous un peu responsables, comme si, par exemple, ils eussent procédé à une exécution.

Charlotte lui manquait, tout à coup. Il ne savait même pas où elle était. C'était le chef mécanicien, l'homme aux six enfants, qui avait aménagé une cachette entre deux cloisons. Et celles-ci avaient été reboulonnées sur la jeune femme.

Était-ce près des feux ? Il se souvenait des tôles brûlantes, de l'écœurante odeur d'huile…

Et il marchait sur le pont, entendait tout près le bourdonnement du bateau-pilote invisible, tandis que d'autres matelots se penchaient, appelaient déjà de la voix.

Le ciel rosissait à l'est. Les objets commençaient à reprendre leurs contours dans la grisaille.

— Attention, là-haut !

La barque était contre le cargo que Mittel n'avait

rien vu. Un homme sautait à bord, se dirigeait sans hésitation vers la passerelle.

Le télégraphe fonctionna. Le navire ralentit, stoppa tout à fait, resta près d'un quart d'heure immobile, le temps, pour le soleil, de se lever.

Et alors on vit deux, trois vedettes s'avancer vers le cargo. On distinguait des hommes en uniforme kaki, des nègres debout à l'avant des embarcations.

Au fond de la baie, quelques cheminées d'usines, des grues, des bateaux, dix, quinze, vingt bateaux le long des piers, puis des barques encore, des chaloupes, des pirogues.

Des pélicans volaient lourdement autour du pont, tombaient à l'eau chaque fois que le cuisinier jetait des détritus.

— Police ! souffla un homme près de Mittel.

La première vedette accostait, brillante, toute acajou et cuivres, battant pavillon des États-Unis. Des hommes roides se hissaient le long de l'échelle et se dirigeaient en silence vers le poste de commandement.

Il y avait encore la vedette de la douane et celle de la santé, avec son pavillon jaune…

Là-haut, Mopps avait endossé un veston blanc d'uniforme et portait une casquette neuve à écusson. On le voyait aller et venir, parler à ses visiteurs.

La sonnerie du télégraphe… Le bateau s'avança lentement… Le soleil mangeait tout. On voguait dans un monde de lumière où rien n'avait de consistance.

Le chef mécanicien traversa le pont, soucieux comme il l'était toujours. Mittel eut un mouvement pour se précipiter vers lui, mais il n'osa pas.

Il était hanté par Charlotte qu'on avait arrachée à la cabine alors qu'il n'y avait pas encore de soleil. Il se souvenait de son sac, du panier à provisions, des chaussures qu'elle portait à la main…

Il n'avait pas dormi de la nuit, mais il resta debout sur le pont, à dévorer des yeux tout ce qui tremblait dans le soleil.

5

On n'était même pas dans le port. On n'était nulle part, car comment donner un nom à cette montagne de charbon qui formait une île au fond de la baie ?

On avait frôlé les quais de déchargement et les docks ; on avait vu de tout près les passagers et les passagères de deux paquebots à l'escale ; on avait même deviné une rue et des petites voitures à chevaux surmontées d'un taud blanc à franges…

Mais on ne s'était pas arrêté. Le médecin avait quitté le bord le premier, dans sa vedette, et s'était dirigé vers le pétrolier allemand pour les mêmes formalités ; la police américaine avait laissé un homme sur le pont, comme d'habitude ; les douaniers aussi. Et tout le monde avait bu du whisky avant de partir, tandis que Mopps bavardait avec le plus pur accent yankee.

Maintenant, on était amarré sous une grue qui débordait du tas de charbon et, pour aller à terre, il fallait traverser en canot tous les bassins.

Boussus, le chef mécanicien, attendait sur le pont le moment de remplir les soutes. Pendant que Mopps buvait avec les autorités, le premier lieutenant, Voisier, s'était tenu près de lui, ne se mêlant pas à l'entretien, ne buvant pas, mais passant au fur et à mesure les papiers nécessaires.

Au début, les yeux du capitaine avaient ri. Tout avait marché à merveille. Les douaniers n'avaient pas demandé à vérifier le chargement. La police du canal ne se doutait de rien. Quant à la police de Panama, elle était représentée par un petit homme au sang mêlé d'Indien qui s'était contenté de mettre dans sa serviette le rôle d'équipage et de rester en faction sur le pont.

Mais voilà que Mopps fronçait les sourcils, fouillait de ses jumelles la surface du port que sillonnaient barques et vedettes.

— On a bien envoyé un radio à la French Line ?

— Il y a quarante-huit heures.

— Et on a commandé le charbon ?

Ce qu'il y avait d'étrange, c'est qu'on ne voyait personne à la grue, qui aurait dû être prête à fonctionner ; personne non plus dans l'île au charbon.

Quant à l'employé de la French Line, qui servait de courtier maritime, il aurait dû être à bord le premier.

Tant qu'il n'arrivait pas, on ne pouvait rien faire qu'attendre. Lui seul pouvait s'occuper de toutes les formalités, commander le charbon, se porter garant du payement, s'adresser à l'administration du canal pour avoir un tour de passage et régler les droits qui se chiffraient par près de quatre-vingt mille francs. À lui encore d'envoyer un bateau-citerne pour l'eau douce, des vivres, des touques d'huile.

Le soleil montait dans le ciel et une chaleur lourde pesait sur les épaules, qui n'avait aucun rapport avec la chaleur des jours précédents. Ici, il n'y avait pas un souffle d'air, pas un remous dans cette masse de lumière et de chaleur qui semblait se refermer sur vous dès que vous aviez fait un geste.

Mittel, à l'avant, contemplait l'agitation lointaine du port, puis guettait la chambre de veille où Mopps s'impatientait.

— Écoutez, Voisier. Il doit se passer quelque chose. J'aurais préféré ne pas quitter le bord, mais il vaut mieux que j'aille là-bas. Je compte sur vous ?

Boussus, le chef mécanicien, se promenait sur le pont, attendant le signal pour charbonner. Tout le monde attendait. Les hommes, les bras ballants, regardaient le tas de houille.

— Hé ! Boussus…

Boussus monta dans la cabine, frappa à la porte vitrée, car il évitait toute familiarité, saluait, répondait comme un employé modèle, sans jamais s'énerver.

— Vous veillerez à ce que vous savez ?

— Je veille.

— Je vais à terre. On dirait que la French Line nous a oubliés.

Logiquement, il aurait dû y avoir vingt nègres autour de la grue, prêts à charger dès l'arrivée du cargo.

— Armez un canot… Trois hommes ! cria Mopps de la passerelle.

Mittel faillit demander pour être de ces trois hommes. Ainsi il aurait vu le port et la ville de Colon. Il n'osa pas. Il lui semblait qu'il devait rester là, près de ces tôles qui enfermaient Charlotte.

Le commandant parti, on sentit encore mieux l'attente, le désœuvrement. Les hommes ne savaient où se mettre. On regardait la grue, le charbon, la cale béante…

Heureusement qu'une barque arriva avec des nègres

et des métis qui vendaient des cigarettes américaines, des cigares, des ceintures en crocodile, du papier à lettres.

On les fit monter à bord et on se mit à marchander.

Les trois matelots, à quai, restèrent dans la barque, car ils n'avaient pas le droit d'aller à terre. Mopps sauta sur le pier, écarta les chauffeurs de taxi qui l'assaillaient et, sa serviette sous le bras, parcourut deux cents mètres, pénétra dans le vaste immeuble de la French Line où, dans l'ombre, travaillaient des employés en bras de chemise.

— Gérard est ici ?

— Dans son bureau.

La porte en était ouverte. *General Manager*, était-il écrit en anglais.

Un homme jeune et maigre, au teint décoloré, regarda entrer le commandant et cessa un moment d'écrire, puis acheva la lettre commencée après avoir prononcé :

— Asseyez-vous…

Aux murs, des horaires de navires, des cartes géographiques, les derniers cours des changes. La French Line représente aussi bien les intérêts des grandes compagnies françaises en Amérique du Sud que ceux des petits armateurs qui s'adressent à elle.

— Vous n'avez pas reçu mon radio ?

— Je l'ai reçu.

Le jeune homme, poli et froid, tendit son étui à cigarettes, mania son briquet, en regardant Mopps avec un calme absolu.

— Alors ? Personne à bord ! Les grues ne sont pas prêtes…

D'un tiroir, son interlocuteur tira un dossier, du dossier un document.

— Lisez.

C'était un radio de la direction de Paris.

Évitez toute intervention.

Alors Mopps se transforma. Jusque-là, il avait été plutôt bon enfant, mais du coup ses yeux se durcirent, ses lèvres se troussèrent en un drôle de sourire.

— Qu'est-ce que cela veut dire ? Vous avez demandé des instructions à Paris ?

— Par ce câble…

Et l'autre le montra avec la même nonchalance.

Croix de Vie annoncé demande charbon et passage. Stop. Attends instructions. Stop. French Line Colon.

C'était la bataille. Un instant, le matin, Mopps s'était inquiété de voir que tout allait trop bien. Il devinait une paille. Mais laquelle ?

Les jambes croisées, renversé sur sa chaise, le visage nimbé de fumée, il questionna avec l'air de ne pas y toucher :

— Les autres fois, vous n'aviez pas besoin d'instructions… Voilà combien de fois, au fait, que je passe le canal ?… Douze ? Treize ?…

— À peu près. Je pourrais rechercher dans les archives.

— Qu'est-ce qui vous a inquiété cette fois-ci ?

— Je préfère ne pas vous répondre.

— Je suppose que la décision est définitive ?

— Vous avez lu le câble de Paris. Ici, je ne suis qu'un simple agent d'exécution.

Les traits de Mopps ne bougeaient pas. Et cependant la situation était aussi tragique que possible. Si quelqu'un ne se portait pas garant pour lui, il ne pouvait charbonner, car il n'avait pas à bord les dizaines de milliers de francs nécessaires pour payer le combustible.

Impossible aussi de franchir le canal !

Autrement dit, impossible d'avancer et impossible de revenir en arrière !

— Je vous remercie. Je suppose que votre collègue anglais, votre collègue allemand et votre collègue italien seront dans les mêmes dispositions ?

— J'ai tout lieu de le croire.

— À tout à l'heure !

Il se leva sans mauvaise humeur, serra la main de son interlocuteur et, la serviette sous le bras, sortit du bâtiment à colonnes.

Un cocher indigène guettait son signal. Il grimpa dans la voiture et se fit conduire dans Colon, près du marché, où il descendit en face d'un hôtel de second ordre. Sa chemise était déjà trempée. Il entra dans la salle fraîche du café, fit de la main un salut au barman métis, s'approcha d'une table, dans le fond, et grogna en tendant la main :

— Bonjour, Jules !

— Bonjour…

On aurait dit qu'ils s'étaient quittés la veille. Jules était le patron de l'hôtel et du café, un gros homme mou, aux cheveux ras, dont le ventre avait l'air de se poser sur les cuisses.

— Qu'est-ce que tu prends ?

— Un pernod, comme toujours…

Car il y avait du vrai pernod, qu'on servait comme avant la guerre avec le morceau de sucre en équilibre sur une cuiller à trous.

— Je viens de la French Line.

— Alors? fit simplement Jules.

— Tu étais au courant?

— Je me doutais que cela n'irait pas tout seul.

— *Because?*

— T'as pas lu les nouvelles? La révolution a commencé à l'Équateur.

— Hein?

— Oui. Tu comprends? Ils n'ont pas attendu tes machines à coudre. Alors…

— Compris!

Ils se turent. Mopps but son pernod en regardant durement devant lui.

— Et l'autre truc? questionna-t-il enfin.

— La petite?

— Tu es au courant aussi?

— On a reçu les journaux hier…

— Le gouvernement a demandé l'extradition?

— Nous pouvons le savoir dans cinq minutes.

— Allons-y.

Mopps vida son verre. Jules endossa un veston d'alpaga mais garda ses pantoufles, car il avait les pieds plats et sensibles.

— Si on me demande, je suis à la police, dit-il au barman.

Ils franchirent deux rues, pénétrèrent dans des bâtiments aux murs blanchis à la chaux, aux couloirs pleins de nègres et d'Indiens. Jules évoluait là-dedans comme chez lui, serrait la main des employés à qui il parlait espagnol et il ne se gêna pas le moins du monde pour entrer sans frapper chez le chef.

— Bonjour, Enrico ! Je te présente un ami. Dis donc, je voudrais un petit renseignement. Tu as reçu quelque chose de France avec le dernier courrier ?

Le Panaméen ouvrit un tiroir et montra une liasse de documents auxquels une photographie était épinglée. Il n'y avait pas besoin de longs discours. Ils s'étaient compris dès le début.

— C'est elle ? demanda Jules au capitaine.

Un simple battement de paupières, car c'était bien le portrait anthropométrique de Charlotte, de face et de profil, avec le signalement au-dessous, y compris la cicatrice sous la joue gauche.

— Extradition ?

— Pas encore. La demande est faite. Le mandat sera signé dans deux ou trois jours.

— Et en attendant ?

— Garder cette personne à vue si elle débarquait à Panama…

Un coup de coude de Jules dans les flancs de Mopps. Des poignées de main. Le policier, en les reconduisant, se contenta de murmurer :

— Elle ne compte pas débarquer, n'est-ce pas ?

— Je ne pense pas.

— Cela vaut mieux.

— C'est mon avis aussi.

Cela s'était passé gentiment, sans questions inutiles, et les deux hommes se retrouvaient dehors. Mopps arrachait sa cravate qu'il mettait dans sa poche et ouvrait le col de sa chemise, car on était maintenant en plein midi et il n'y avait pas d'ombre dans les rues.

— De ce côté, tu es tranquille.

— Oui, soupira le capitaine.

— Qu'est-ce que tu vas faire ?

— Il faut que je trouve cent cinquante mille francs au moins.

Ils s'étaient arrêtés sur le trottoir. Des négresses passaient en balançant les reins. L'odeur du marché se répandait jusqu'à quatre blocs de maisons plus loin.

— La camelote est à toi ?

— Parbleu !

— Combien ?

— Un million et demi. Là-dessus, il y a deux cent mille de bakchich à donner…

— Viens voir Hakim.

— Celui du bazar ?

Ils y étaient trois minutes plus tard : un bazar moderne, avec trois étages de rayons, cinquante vendeuses, et tous les touristes des bateaux déferlant, casqués de blanc, vêtus de toile ou de tussor.

— Hakim est là-haut ?

Un jeune homme aux cheveux huileux, au teint basané, qui leur offrit aussitôt du café turc et des cigarettes.

— Qu'est-ce qu'il y a, Jules ?

— Tu connais le capitaine Mopps… Mais si, tu l'as vu chez moi… Arrange-toi avec lui et tu gagnes cent mille francs en dix jours…

De temps en temps, une vendeuse venait demander un renseignement, ou bien Hakim répondait au téléphone. Mopps donnait des explications, sans phrases inutiles.

— Je vous donne cent mille francs d'intérêt sur les cent cinquante mille que vous versez pour le charbon et le passage du canal…

Ils discutèrent dix minutes, sans éclats de voix. Les cent mille d'intérêt devinrent cent cinquante mille et, pour garantir cette somme, Mopps dut signer des traites comme s'il eût acheté des marchandises au bazar.

— Mon frère ira avec vous, ajouta le Levantin en terminant. Nous allons passer à la banque.

— Elle est fermée.

— Pas pour moi. Mademoiselle, téléphonez à la banque qu'on me prépare dix mille dollars.

Et ils sortirent tous les trois. Mopps avait toujours sa serviette sous le bras, sa cravate dans sa poche.

La moitié de l'équipage dormait sur le pont, à l'ombre des toiles, et l'autre moitié attendait, lugubre, quand la vedette aborda et que Mopps sauta sur le pont, regarda autour de lui, avisa le chef mécanicien.

— On charbonne dans dix minutes ! lui lança-t-il.

Il était deux heures et demie. Mopps avait déjà couru tous les bureaux, y compris la direction du Canal, enlevé toutes les autorisations, payé tous les frais.

— On part à quatre heures du matin. Le bateau-citerne me suit. Les vivres arriveront à quatre heures…

À quelques pas, Mittel le contemplait avec admiration.

— Voisier !… criait maintenant le capitaine.

Et le premier lieutenant sortait du carré en boutonnant sa veste.

— Départ quatre heures du matin. Nous sommes en tête de file…

Il n'exagérait rien. Une lourde pinasse accostait le tas de charbon et des nègres demi-nus en descendaient, se dirigeaient vers la grue tandis que d'autres grimpaient à bord par les échelles de corde.

Le vacarme commençait. On mettait les treuils en marche. Des gens criaient. Le bateau-citerne se rangeait le long du cargo et c'était une nouvelle invasion d'indigènes, de bruits aussi, de ronflements, de heurts de toutes sortes.

On eût dit un coup de baguette magique. Tout vivait à la fois et Mopps, sans lâcher sa serviette, s'approchait du policier de garde, lui mettait un gros cigare entre les lèvres tout en l'interpellant en espagnol.

Il eut même le temps, en passant près de Mittel, de marquer un temps d'arrêt.

— Tout va bien ! Je te parlerai un peu plus tard…

Pendant trois heures, on ne le vit pas. Il devait dormir, là-haut, dans sa cabine qui restait close, tandis que tout un peuple préparait le départ, emplissait les soutes, les ballasts, la cambuse.

Des canots et des vedettes arrivaient sans cesse. On embarqua des moutons entiers, des bœufs coupés en deux, rigides dans leur toile, des légumes, des fruits. Le cuisinier annamite courait en tous sens, servait à boire aux fournisseurs qui allaient se faire payer par Voisier.

Le chef mécanicien ne s'occupait que de l'eau, de l'huile et du charbon, mais il disparaissait toutes les heures et Mittel, qui n'osait pas le suivre, devinait qu'il allait coller l'oreille à la cloison, peut-être murmurer un encouragement à Charlotte.

La chaleur s'accroissait toujours. Les débardeurs n'avaient pour la plupart qu'un chiffon noué aux reins en guise de vêtements.

Des femmes arrivèrent dans une barque, des négresses et des demi-blanches. On parlementa. Le bosco finit par les laisser monter à bord et il y eut des marchandages sous l'œil impassible du policier panaméen qui avait déjeuné au carré et bu du vin de France.

Un quart d'heure plus tard, une des négresses arrivait et, comme une furie, s'accrochait au bras de Voisier, prétendant que Napo ne lui avait pas donné le dollar promis.

Mittel n'avait rien à faire. Le bateau était livré aux indigènes. Il avait sommeil. Sa tête était lourde, mais il voulait tout voir de ce spectacle qui le déroutait, lui donnait, à la fin, un véritable vertige.

Des sirènes mugissaient. Des paquebots, là-bas, viraient lentement, les ponts couverts de passagers, et s'en allaient vers le large.

Quinze avions survolaient sans cesse la ville, le port et le canal pour surveiller celui-ci et le soleil ne se voilait jamais, il n'y avait pas une nuée au ciel, rien que parfois l'ombre d'un pélican glissant sur les tôles noires du pont.

— Elle remue ?

Le capitaine, à cinq heures, avait fait appeler Boussus, qui répliqua :

— Elle gémit quand elle entend qu'on s'approche.

— Vous êtes sûr qu'elle a assez d'air ?

— Certain.

Mopps se levait, s'aspergeait la poitrine d'eau fraîche, se gargarisait et commençait à s'habiller. Il héla l'Annamite.

— Tu mettras du champagne à la glace. Vingt bouteilles.

Le torse encore nu, il se montra sur la passerelle, appela Mittel qui ne quittait pas le bastingage.

— Monte un moment !

Et, quand le jeune homme l'eut rejoint :

— Ferme la porte ! J'ai vu la police au sujet de Charlotte. Bien entendu, il n'y a rien à craindre. Le gouvernement de Panama a reçu la demande d'extradition, avec la photo anthropométrique et tout…

— On la recherche ?

— Mais non ! Mais non ! Dans ces pays-ci, on peut toujours s'arranger. Le mandat n'est pas encore signé. À la rigueur, elle pourrait descendre à terre et elle serait simplement gardée à vue.

Il avait l'air de réfléchir, de balancer entre deux partis à prendre.

— Toi, tu as le droit de descendre… Il n'est pas question de toi dans les documents.

Et il l'observa du coin de l'œil.

— Qu'est-ce que tu en dis ?

— J'aimerais mieux rester à bord.

— Tu as peur ?

— Non !

C'était un non catégorique, si catégorique que Mittel en rougissait presque et qu'il balbutia :

— J'aime mieux rester avec vous.

— Bon ! Et elle ? Qu'est-ce que nous en faisons ?

On ne savait jamais si Mopps parlait sérieusement ou s'il poussait une colle à son interlocuteur, surtout quand, comme à présent, il prenait un ton bon enfant et faisait ses gros yeux naïfs.

— Je ne sais pas.

— On la laisse ici ? Si Jules s'en occupe, elle n'a pas grand-chose à craindre. Ce n'est qu'un bistrot, mais je crois qu'il a plus à dire que le ministre de France. Tu comprends ?

— Oui… Non…

Il ne savait plus. Il ne comprenait pas. Il se demandait où le capitaine voulait en venir.

— On la garde ?

— C'est mieux, n'est-ce pas ?

— Entendu, on la garde ! J'ai quelques amis qui vont venir. Quand j'ai parlé de toi à Jules, il m'a dit qu'il a connu des amis de ton père au bagne… Il y a trente ans, lui, qu'il s'est évadé…

Trop de mots, trop d'impressions neuves, trop de soleil, de chaleur !… Mittel perdait tout contrôle de lui-même, écoutait sans entendre…

— Nous leur présenterons Charlotte…

— Mais la police ?

— La police trinquera avec nous. Va te faire propre ! Tu viendras aussi.

Et il rentra dans sa cabine pour achever sa toilette.

— Porte ça au policier, avait dit le capitaine à son steward en lui tendant une bouteille de champagne.

Puis on avait attendu l'obscurité en buvant verre sur verre. Il y avait là Hakim et son frère, que tout le monde appelait Frédo et qui était beaucoup plus jeune que lui. Il devait avoir l'âge de Mittel et il gardait un air timide, avec son visage efféminé, son corps trop souple, ses grands yeux bruns.

Jules, qui avait déjà retiré son veston, était accompagné de deux autres Français sur le compte de qui il n'y avait pas d'illusions à se faire. C'étaient des hommes du milieu, corrects, d'ailleurs, silencieux la plupart du temps, qui connaissaient Mopps depuis des années.

Ils étaient arrivés tous sur la vedette particulière de Hakim et celle-ci restait amarrée au bateau, avec ses deux matelots nègres à qui on avait envoyé de la bière.

La présentation avait été rudimentaire. Personne n'avait pris garde à Mittel, sinon Jules qui lui avait dit :

— Un drôle de type, ton père… S'il ne s'en était pas tiré, il serait sans doute ici avec moi…

On avait adopté le carré des officiers, plus grand que la cabine du commandant. Voisier était là, ainsi que les deux autres, un grand garçon de Dunkerque, blond de poil, et Berton, le troisième officier, un Parisien plus turbulent.

— T'as revu le Borgne qu'on avait rencontré à San Francisco ?

— Une seule fois, à Hambourg.

— Il s'en tire ?

— Il est interprète dans un hôtel.

Après le Borgne, c'était un autre. Ils parlaient ainsi, par bribes de phrases, de gens qu'ils avaient connus et dont les destins étaient les plus divers.

— Ton ex-femme ?

— Elle m'adresse du papier timbré par tous les *sollicitors* des États-Unis parce que je ne lui verse pas sa pension…

— Je te l'avais toujours dit ! Au fond, tu es un sentimental…

Mittel leva la tête et ne put s'empêcher de regarder Mopps, frappé par ce mot qui avait l'air si saugrenu et qui pourtant n'était pas loin de lui paraître exact.

— Quand est-ce que tu nous montres la petite ?

— Encore un verre et nous allons la chercher

ensemble. Par exemple, on va la trouver dans un drôle d'état…

Mittel remarqua encore que les officiers, surtout Voisier et Thiberghem, ne restaient là qu'à contrecœur, n'ouvrant jamais la bouche, buvant le moins possible. Voisier disparut le premier en murmurant quelques phrases où il était question d'ordres à donner. Thiberghem rentra dans sa cabine, qui ouvrait sur le carré, et on ne le vit plus de la soirée. Seul Berton, le Parisien, écoutait de toutes ses oreilles et avait déjà les yeux brillants.

— Allons-y ! Passe devant, Mittel…

Cela prenait des allures de partie de plaisir, presque de farce d'étudiant. On marchait en file indienne sur le pont, puis Mittel franchissait l'écoutille, descendait l'échelle de fer, hésitant, ne sachant pas au juste où était la jeune femme.

Au fond d'un couloir, il trouva le chef mécanicien debout, l'air grave.

— Où allez-vous ?

Mais Boussus aperçut les autres, se renfrogna.

— Délivre ta prisonnière, fit Mopps qui avait bu.

Hakim restait élégant, fumait une cigarette au bout d'un tube d'or.

— La police est toujours là-haut…

— Elle est ivre, la police ! Ivre et aveugle ! Dépêche-toi…

Mittel tendait l'oreille. Aucun son ne lui parvenait et rarement il eut le cœur aussi serré que pendant les trois minutes qui passèrent à dévisser six écrous.

— Donne-nous une lanterne.

Ils étaient serrés les uns contre les autres dans le passage étroit. Le frère de Hakim était parfumé. Jules

102

suait et remontait sans cesse son pantalon sur son ventre.

— Enlève la plaque…

Mopps tenait la lanterne près de l'ouverture qu'on découvrait et on vit d'abord une jambe nue, un lambeau de robe de chambre, un visage enfin qui s'avançait prudemment, des yeux qui se fermaient à la lumière.

Un cri…

Charlotte, qui voyait tant de monde, croyait à son arrestation et lançait un appel strident, se tassait au fond de sa cachette, renversait les bouteilles qui se brisaient.

— Aie pas peur… C'est nous…

Il fallut la tirer de là, tant elle mettait d'obstination à se replier sur elle-même. Elle ne s'apercevait même pas qu'un des morceaux de verre lui avait entaillé le mollet. Elle ne s'apercevait pas non plus qu'elle était à peu près nue.

— Qu'est-ce que c'est ?… balbutia-t-elle en se cachant les yeux.

— C'est nous… On vient te tirer de là… Dis bonjour à ces messieurs, qui sont des amis…

Elle répéta, ahurie :

— Quels amis ?

Jules la souleva d'un seul bras et l'emporta, gigotante, hors du couloir étroit, la posa sur le pont au-delà de l'écoutille.

— Tu es là aussi, toi ? fit Charlotte en apercevant Mittel.

Elle hésitait à se fâcher. Elle fronçait les sourcils, accoutumait ses yeux à la lumière, puis à l'obscurité.

— Où sommes-nous ?

— À Colon… Le champagne nous attend…

— Et la police?

Comme par ironie, on passait près du policier qui, flanqué de sa bouteille de champagne, esquissait un salut obséquieux.

— Tu l'as vue, la police?

— Je ne peux plus marcher…

— Porte-la encore, Jules…

Il la traîna plutôt. On riait sans savoir pourquoi. Des matelots regardaient passer l'étrange cortège. On s'enfourna dans le carré où cinq coupes se tendirent vers la jeune femme.

— Bois toujours ça! et essaie de cacher ta poitrine…

Tout le monde l'avait vue. Charlotte buvait, se passait la main sur le front, regardait ces hommes les uns après les autres et, lentement, croisait les pans de sa robe de chambre.

— Sûr qu'on ne va pas m'arrêter?

— Je le jure!

— C'est vrai, Jef?

— C'est vrai, dit-il, gêné.

Encore une coupe, une autre. On les lui passait. Elle les vidait avidement jusqu'à ce qu'elle fût secouée d'un frisson.

— J'ai mal partout… gémit-elle alors.

— Couchez-vous ici.

Il y avait une banquette rembourrée de cuir, le long d'une cloison. On y étendit Charlotte. Hakim disait au commandant:

— Elle est rigolote!

Et Mittel, qui vit à cet instant le visage de Mopps, fut frappé de son expression soucieuse. On eût dit qu'il ne trouvait pas la chose si drôle que cela, qu'il regrettait cette petite fête et même…

Mittel eût presque juré qu'il était jaloux, surtout quand le frère de Hakim, Frédo, s'assit au bord de la banquette et caressa les yeux de Charlotte en murmurant :

— Reposez-vous quelques minutes… Nous avons la nuit devant nous…

Dans un coin, le troisième officier regardait tout cela comme un écolier regarde une partie à laquelle il n'a pas été invité.

— Du champagne, Tao !… hurla Mopps à l'adresse de l'Annamite qui, d'ailleurs, était déjà là avec des bouteilles. Fais marcher les ventilateurs…

Déjà, au lieu de faire sauter les bouchons, on cassait les goulots contre le bord de la table.

— À la santé de Charlotte et de la police panaméenne… Ouvre des boîtes de conserve, Tao !… Foies gras… Tout ce que tu trouveras… Et du whisky pour ceux qui en veulent… N'oublie pas notre camarade de la police… Au fait, pourquoi ne viendrait-il pas trinquer avec nous ?…

Il criait fort. Et pourtant il n'était pas ivre. Mittel le sentait bien, car il l'observait et se demandait quelle préoccupation Mopps s'obstinait ainsi à chasser de son cerveau.

6

— Va t'habiller, toi ! avait ordonné le commandant à Charlotte.

Il était assis de l'autre côté du carré, à côté de Jules, qui fumait un cigare. L'air était bleu de fumée. L'Annamite, silencieux, remplaçait les bouteilles vides par des pleines et il y avait déjà un verre cassé.

— À propos, Electrika est toujours à l'Atlantic ?

— Elle est partie pour le Mexique avec un Yankee qui veut l'épouser.

Comme un enfant avide, Mittel ouvrait les yeux et les oreilles. Pour lui, tous ces mots avaient une couleur et formaient un monde chatoyant. Il n'avait même pas vu la ville de loin. Il ne connaissait pas la grande rue illuminée dont chaque maison est un bar, dont chaque porte, chaque fenêtre déverse de la musique, des cris, des rires, des relents d'alcool, tandis que des matelots, par bandes, des Américains surtout, avec leur béret blanc, se bousculent, le long des trottoirs éclairés tantôt en rouge, tantôt en mauve ou en jaune par des enseignes lumineuses.

Moulin Rouge… Tropic… Atlantic… Des salles noyées dans la pénombre… Les nègres d'un jazz… Et des femmes à toutes les tables, des Cubaines comme Electrika, des Mexicaines, des girls anémiques venues d'Angleterre, de nerveuses gamines des États-Unis...

— Et la petite blonde? questionnait Mopps. Tu te souviens?

— Sonia? Elle est toujours ici.

Mittel sortit un moment, parce qu'il entendait du bruit. Il aperçut, dans l'obscurité du pont, des matelots qui se dirigeaient vers la coupée où une vedette attendait. C'étaient ceux de l'équipage qui avaient la permission de nuit. Le bosco, serré dans un complet blanc très amidonné, allait à terre, lui aussi. Tous s'étaient lavés à la pierre ponce. Ils étaient gais d'avance.

Quand le moteur de la vedette bourdonna et qu'on déborda l'embarcation, Mittel eut un pincement au cœur. La ville était là-bas, à quelques minutes. On percevait sa rumeur, on devinait son agitation. Et il ne la verrait pas!

N'aurait-il pas pu aller à terre, lui aussi? Oui et non. Le commandant l'avait invité avec Charlotte et ses amis. Il n'avait pas voulu refuser.

En somme, c'était un peu ainsi pour tout: il y avait toujours quelque chose qui l'empêchait d'agir selon son désir. Toujours des demi-mesures aussi, des situations fausses!

Les autres étaient des matelots et allaient s'amuser comme des matelots. Dans le carré, les compagnons de Mopps étaient bien entre eux aussi. Mais Mittel? Où était au juste sa place?

Il n'en avait jamais eu! Il n'avait aucun point commun avec les libertaires farouches qui hantaient la librairie de la rue Montmartre; rien de commun non plus avec les anciens amis de son père qui étaient devenus riches; il n'était pas davantage à sa place dans le salon de Mrs White.

Il avait bu plusieurs coupes de champagne et il s'attendrissait sur son sort, suivait avec nostalgie le sillage de la vedette qui filait vers la ville.

— Tu m'as fait peur! fit la voix de Charlotte, près de lui.

En descendant de la passerelle, elle s'était presque heurtée à lui.

— Pourquoi restes-tu ici?

— Je ne sais pas. Je suis triste…

Il n'était bien nulle part, ni dans le carré, ni sur le pont. Il regardait à peine Charlotte qui avait mis son tailleur noir et qui s'était poudrée, fardée, coiffée avec soin.

— Qui est-ce, ces gens-là? s'informa-t-elle.

— Il y a le directeur d'un grand bazar de Colon, puis son frère, qui va venir avec nous, et enfin des Français, un tenancier d'hôtel, le gros Jules…

— Tu ne rentres pas?

— Si…

Il ne savait pas. Il aurait préféré s'attendrir encore, mais avec quelqu'un, et Charlotte avait hâte de retrouver la lumière et le bruit.

On l'acclama à son entrée. De fait, c'était assez extraordinaire de la voir dans ce cadre, le visage pâle, les lèvres très rouges, le corps serré dans son costume de petite Parisienne.

— À votre santé à tous! s'écria-t-elle en vidant un verre de champagne.

— Viens ici… grogna Mopps.

Et il l'assit sur un de ses genoux, comme une enfant,

lui caressa machinalement la nuque, tout en continuant sa conversation avec Jules.

Deux mille matelots peut-être, les passagers et les passagères de dix paquebots, des Allemands venus de Hambourg, des Anglais, des Italiens, des Japonais traînaient dans la grande rue, de bar en bar, de dancing en dancing, attirés par les réclames lumineuses, par les portraits de filles accrochés dans des cadres aux devantures.

Des chauffeurs, des mendiants, des guides, des marchands de cacahuètes et des vendeuses de fleurs les guettaient à chaque pas et il en serait ainsi jusqu'au jour.

Dans le carré, où les bouteilles étaient renversées, Mittel faisait de temps en temps un effort pour voir nettement le contour des objets.

— Je crois que je suis un peu saoul, confiait-il à Frédo. Mais je sais ce que je dis quand même ! Tu me comprends ? Moi, je te comprends très bien…

Car, depuis un quart d'heure, ils se faisaient des confidences.

— Tu vas voir que je comprends. Tu es syrien. Eh bien ! c'est un peu la même chose qu'être le fils d'un anarchiste… Ni figue, ni raisin !… ni chair, ni poisson !… Les Français, les Anglais, les Américains te regardent avec méfiance et tu ne peux pas aller vivre avec les nègres…

— C'est ça ! Si nous n'avions pas d'argent, ce serait pis… Mais nous en avons !

— Vous en avez, répéta Mittel avec conviction. Tandis que moi, je n'en ai pas, voilà ! Je suis comme un

Syrien qui n'aurait pas d'argent… Tu vois que je ne suis pas ivre et que je sais encore ce que je dis.

— Vos gueules, là-bas, cria Mopps. On ne s'entend plus.

Car, dans l'autre coin, ils étaient tous à écouter Charlotte qu'on questionnait sur son crime. Elle avait bu, elle aussi. Mais, au lieu d'avoir le vin larmoyant, elle devenait théâtrale.

— Je leur ai dit : vos trente mille francs, vous les aurez et le journal sera sauvé pour un an !

— Pourquoi pour un an ? questionna le gros Jules d'une voix pâteuse.

— Tais-toi. Laisse-la continuer…

— Je savais les risques que je courais. Mais, puisqu'il fallait que quelqu'un se sacrifie…

— Pourquoi ? s'obstinait l'hôtelier.

— Pourquoi ? Pour la cause ! Pour l'idéal ! Je suis allée boulevard Beaumarchais. Deux jours durant, j'ai guetté, dans le froid, dans la pluie, vêtue comme aujourd'hui…

Mittel entendit, fronça les sourcils, se passa la main sur le front.

— Je savais qu'il était capable de tirer… J'avais fait le sacrifice de ma vie…

Elle était toujours sur un genou de Mopps qui lui caressait nonchalamment la croupe et qui regardait ailleurs.

— Qui est-ce qui verse à boire ? lança-t-il.

— On donnait une leçon de violon dans l'appartement d'à côté…

Elle n'oubliait jamais ce détail, car elle tenait à ses effets. Mittel avait envie de la faire taire.

— Elle est la maîtresse du commandant ? questionna tout bas le jeune Frédo.

Il fit signe que oui.

— Vous n'êtes pas jaloux ?

— Vous ne pouvez pas comprendre... Est-ce que je sais, moi ?

— Et Mopps ?

— Quoi, Mopps ?

— Est-il jaloux, lui ? Si, par exemple, je lui faisais la cour ?

Du coup, Mittel se mit à réfléchir en regardant par terre.

— Évidemment ! grommela-t-il.

— Est-ce que j'aurais des chances ?

Frédo pouvait avoir, à Colon, autant de femmes qu'il voulait, mais il n'y en avait qu'une à bord et déjà elle l'hypnotisait.

— Je crois que je l'ai atteint en plein cœur... Je n'ai pas osé regarder... Heureusement que le violon jouait toujours... S'il s'était arrêté, je me serais tuée plutôt que de me laisser prendre...

Mopps soupira et but à même la bouteille de whisky.

— Tiens, bois aussi... On pourrait peut-être parler de choses plus amusantes...

Et elle, dédaigneuse :

— Vous ne pensez qu'à vous amuser, vous, les hommes !

— Parbleu ! Qui est-ce qui va chercher d'autres bouteilles dans la glacière ?

L'air du carré était presque opaque et la lumière de la lampe filtrait comme par un verre dépoli. Le troisième officier, Berton, tombait de fatigue, mais s'obstinait à rester, à regarder, à écouter, tandis que Jules, en proie à une ivresse massive, racontait gravement des histoires.

Il était peut-être deux heures du matin, peut-être plus. En tout cas, la vedette était déjà revenue avec les matelots et le bosco troquait son complet amidonné contre sa tenue de bord.

Le pont était peuplé de formes et de chuchotements. Pour ceux qui n'étaient pas descendus à terre, des femmes étaient venues, qui s'étaient glissées à bord, et des couples s'étaient formés cependant que des métis, sur le gaillard d'avant, jouaient aux cartes avec les marins, à la lueur des cigarettes.

Un clapotis… Des klaxons lointains… Le ronflement des avions dont on voyait les projecteurs errer dans le ciel…

— Pourquoi me regardez-vous comme ça ? demandait Charlotte à Frédo, qui s'était assis tout près d'elle.

— Parce que je n'ai jamais vu de femme comme vous.

Elle rit, montra ses dents pointues, ses joues se creusèrent de fossettes enfantines.

— Qu'est-ce que j'ai d'extraordinaire ?

— Tout ! À Panama, il n'existe pas de femmes intéressantes !

— Et moi ?

Mopps, de loin, les observait tout en écoutant le récit que Jules lui faisait d'une chasse à l'espadon avec un lord anglais.

Mittel était tout seul. Personne ne s'occupait de lui et il remâchait à mi-voix son idée fixe.

— Je suis comme un Syrien, voilà... Un Syrien qui n'aurait pas d'argent !

Qu'est-ce qu'il était dans la vie ? Un homme comme Mopps pouvait commander un bateau, faire de la contrebande, parler anglais avec les fonctionnaires du canal, arracher cent cinquante mille francs à Hakim, parler espagnol avec les indigènes... Que ne pouvait-il pas ? Il était toujours à son aise, toujours sûr de lui et, le premier jour que Charlotte était montée à bord, il l'avait prise, tranquillement, parce qu'il savait qu'il pouvait le faire.

Mittel, lui, quand il l'avait connue, était resté près de trois mois sans oser lui parler d'amour.

Oui, qu'était-il ? Même Napo était un bon chauffeur, parlait trois langues et pouvait abattre un type d'un coup de poing !

— Je veux bien... dit Charlotte en se levant.

Mittel la suivit des yeux. Frédo lui avait proposé d'aller prendre l'air et ils sortaient tous les deux. Le regard de Mittel rencontra celui de Mopps, qui était sombre.

On frappait à la porte. C'était le bosco, qui était vêtu de toile bleue et dont l'haleine sentait l'alcool.

— Il est trois heures, annonça-t-il. Je fais parer à virer l'ancre ? Ils sont déjà debout, au bureau des pilotes, car il y a de la lumière. Dans une demi-heure, ils arriveront...

— C'est bon ! Réveille Voisin.

Celui-ci sortit de sa cabine cinq minutes plus tard. Il avait dormi. Il traversa le poste en évitant de regarder le spectacle désordonné qu'il présentait.

— Qu'on me prévienne dès que le pilote sera là ! lui cria Mopps en allumant sa pipe.

Tout le monde était las. Le bateau retentissait de bruits nouveaux. Mittel avait les jambes lourdes et manquait de courage pour se lever.

— Pas aujourd'hui... murmurait Charlotte, accoudée au bastingage, dans l'obscurité, près de Frédo, dont l'épaule touchait la sienne.

— Pourquoi ?

— Parce que !

Elle sentit une présence derrière elle et ne bougea pas, tandis que le Syrien insistait :

— Si je vous suppliais ?

— Charlotte !

C'était la voix de Mopps. Il était lourd, hargneux.

— Faut descendre dans ta cachette.

— Mais... vous m'aviez dit que c'était désormais inutile... que la police...

— Tant pis !

— Pourquoi ? c'est affreux, d'être enfermée là-dedans... S'il n'y a pas de raison importante...

— La raison, c'est que j'ai changé d'avis.

Mittel sortait du poste pour savoir, car il flairait quelque chose.

— Va changer de tenue... Sois prête dans cinq minutes...

Frédo n'osait rien dire. Chopard passait à portée de voix.

— À propos, où est passé le policier ? Personne ne l'a revu...

— On vient de le trouver derrière le cabestan. Il a été malade...

Mopps regarda autour de lui comme quelqu'un qui ne sait quel parti prendre, puis soudain il gravit l'échelle et pénétra dans sa cabine où Charlotte se trouvait déjà.

— Je crois qu'il est jaloux… murmura Frédo à l'oreille de Mittel.

Ils entendirent des murmures de voix, puis soudain des bruits plus sourds comme si, là-haut, on se fût battu. Quelques instants plus tard, Charlotte descendait, dans sa robe de chambre trop large et trop longue, faisait mine de rentrer dans le poste.

— Où vas-tu ?

— Dire au revoir…

— Ce n'est pas la peine !

Et Mopps la poussait vers l'écoutille, appelait d'une voix formidable :

— Boussus !… Hé ! Boussus…

Il n'était pas loin. On poussait toujours Charlotte vers le couloir étroit, vers la tôle déboulonnée. Mittel et Frédo se regardaient sans rien dire.

Quand Mopps revint, on n'eût rien pu lire sur son visage. Il tendit l'oreille, devina le ronron d'un moteur, attendit le pilote près du bastingage.

Il était impossible de deviner qu'il avait passé la nuit à boire. Ouvrant la porte du carré, il se contenta d'annoncer :

— Il est l'heure !

Des poignées de main. On n'avait plus rien à se dire. La vedette de Hakim attendait toujours, dans la lueur laiteuse qui émanait de l'horizon. Les deux frères s'embrassèrent, chuchotèrent un moment à l'écart.

— Bon voyage !

— Bonne chance…

D'autres bateaux sortaient peu à peu de l'obscurité, avec les cheminées cerclées de blanc, de rouge, de bleu, les matelots engourdis allant à leur poste.

— Au revoir…

Mittel serra des mains aussi, mais c'était déjà fini. Le navire redevenait un navire dont Mopps était le commandant. Sans même s'occuper de ceux qui s'en allaient, il montait à la passerelle où l'Annamite l'attendait avec du café et il lançait des ordres.

De la vedette de Hakim, on s'obstinait à agiter des mouchoirs. Mopps ne s'en apercevait même pas.

.

— Tu es allé à terre ? demanda Mittel à Jolet qui n'était pas de quart et qui était étendu de tout son long sur le pont.

Le bateau était dans les écluses, remorqué par un tracteur électrique, et c'étaient les hommes du canal qui faisaient la manœuvre.

— Non, et toi ?

— Moi non plus.

Le chauffeur ajouta sans rancœur :

— Moi, c'est parce que c'est trop cher… On est tenté d'entrer dans les cafés, d'acheter des objets… Je suis passé cinq fois à Colon et je ne suis descendu qu'une fois, mais c'était le matin et tout était fermé…

— Où habites-tu, en France ?

— À Bénouville, près de Fécamp, tout en haut de la falaise. J'ai mon aînée qui va à l'école depuis cette année… Ma femme ramasse des tourteaux et des étrilles à marée basse et certains jours elle se fait jusqu'à douze francs…

Ils luisaient de sueur. Tout le monde était sur le pont, car la chaleur était intolérable à l'intérieur du bateau. On marchait sur des tôles brûlantes. Depuis le matin, on n'avait aperçu que la forêt, des deux côtés du canal, et parfois une partie plate, de l'herbe rase, des tentes militaires, bien rangées, derrière des barbelés, et des soldats américains qui faisaient l'exercice.

Après les écluses montantes, on avait changé de pilote et maintenant on traversait un lac immense où, parfois, des arbres émergeaient de l'eau. Quelqu'un avait même vu un crocodile, mais on ne le croyait pas.

Mittel s'était assoupi deux ou trois fois sans cesser d'entendre les bruits du bateau, de sentir le ciel trop lumineux et trop chaud au-dessus de sa tête.

Était-ce l'effet de la gueule de bois? Il était en proie à un malaise qui ressemblait à un pressentiment. Il avait peur de quelque chose, sans savoir de quoi, et il était pris de transes quand il pensait au temps qu'il faudrait pour rentrer en France s'il décidait soudain d'y retourner.

La forêt était grise, impénétrable, hostile, on le sentait et l'air bourdonnait du vol des insectes. C'était un crépitement continu, dans le soleil, à croire que la terre vivait, que tout vivait une vie étrangère à l'homme, une vie tellement plus puissante que Mittel fermait les yeux.

— Tu aimes les pays chauds, toi?

— Cela m'est égal, répondit Jolet, toujours couché sur le ventre.

Un peu plus loin, Napo racontait à des camarades ses amours de la veille.

En somme, une fois le canal franchi, on entrerait dans un autre monde. Mittel avait la carte en tête. Il voyait parfaitement cette immense barrière de l'Amérique qui coupait la terre en deux, du nord au sud.

Rien qu'une petite fente artificielle, au milieu, le canal de Panama. Ils y étaient. À droite et à gauche c'étaient des continents différents. Et dans deux heures on serait dans le Pacifique !

Pour revenir…

Voilà bien ce qui lui faisait peur. Il pressentait que ce serait très difficile, peut-être impossible de revenir.

Mopps, là-haut, n'avait pas quitté son poste, à côté du pilote au chapeau de feutre gris, et il fumait des cigarettes en regardant droit devant lui.

Que comptait-il faire de Charlotte ? Peut-être n'en savait-il rien lui-même ? Pour Frédo, le bosco avait installé un hamac sous la tente et le jeune Syrien y était couché depuis le matin. Deux ou trois fois, on lui avait apporté des citrons.

Et si on retrouvait Charlotte morte ? Avec cette chaleur, la position devait être intenable, entre les tôles. Mopps paraissait furieux, quand il avait conduit Charlotte à sa cachette.

— Tu dors ?

— Non… Et toi ?

Il finit quand même par perdre connaissance, le corps secoué au rythme des machines qui faisaient frémir les panneaux.

On ne s'arrêta pas à Panama, qui garde l'entrée du canal du côté du Pacifique. Et deux jours durant on navigua sur une mer plate, mais grise, sous un ciel d'un gris lumineux qui meurtrissait les prunelles.

Charlotte était malade. C'est Frédo qui l'avait annoncé à Mittel, car le commandant ne descendait pas sur le pont, restait soucieux, là-haut, n'adressant la parole à personne.

Quand Mopps était ainsi, Chopard, par mimétisme,

devenait taciturne et il n'eut pas une conversation avec Mittel, qui n'avait presque rien à faire sur le pont. Pour occuper les matelots, on leur faisait piquer la tôle du bastingage. Avec un burin et un marteau, il s'agissait de faire éclater la rouille, de nettoyer le fer puis d'étendre une couche de minium.

Le bruit était assourdissant. On ne pensait même plus. On donnait des coups de marteau, des heures durant, puis on s'aspergeait les uns les autres avec la manche à incendie et on allait s'étendre à l'ombre.

— Mopps dit que ce n'est pas grave, seulement elle ne veut rien manger…

Frédo, qui s'ennuyait, était toujours à rôder autour de Mittel, avec qui il aimait bavarder.

— Nous nous arrêtons à Buenaventura, annonça-t-il ce soir-là.

— Où est-ce ?

— Un petit port de Colombie. Nous y serons demain matin.

— Pourquoi ne va-t-on pas à Guayaquil ?

— Les radios sont contradictoires. Bogota annonce que Gomez, le nouveau dictateur équatorien, a été assassiné. Les radios de Lima prétendent, eux, que Gomez est vainqueur sur toute la ligne… À Buenaventura, on aura des nouvelles fraîches.

C'était là-bas, sur la gauche. On ne voyait pas la terre, mais on n'en était pas loin, à vingt milles au plus, selon Jolet, qui avait l'habitude de la navigation.

— Je suis sûr que Mopps m'en veut, confia encore Frédo, qui, lui aussi, était soucieux.

— À cause de Charlotte ?

— Oui. Il a entendu que je lui faisais la cour. Il ne

m'en a jamais parlé, mais il m'évite. Quand je vais là-haut, il est toujours occupé…

Tout le monde était nerveux. C'était peut-être le climat ! On ne voyait plus le brillant soleil de la mer des Antilles, mais toujours un disque jaune, pesant et triste. L'air était humide. On respirait mal. Jolet prétendait qu'on aurait de la pluie avant deux jours.

Il n'y avait pas une vague et pourtant le cargo se balançait lentement sur de grandes houles plates, luisantes, noires, aux reflets métalliques.

Frédo pensait à l'avenir.

— Je suis de moitié dans le coup avec mon frère. Si on réussit, je toucherai cinq mille dollars et j'irai passer deux mois à New York, ou même en France. Je suis allé deux fois à Paris.

Jolet ne s'était pas trompé. Ceux qui dormaient sur le pont durent changer de place, car il commença à tomber une pluie fine qui se transforma vers le matin en déluge. Pas de vent, pas même de brise. Les grosses gouttes tombaient d'aplomb et les toiles, au-dessus du pont, devenaient autant de poches d'eau qui se vidaient soudain avec bruit.

Malgré cela, Mittel ne put dormir dans le poste. Il se réveilla moite sous une couverture mouillée, vit autour de lui deux rives basses, couvertes d'une végétation pâle.

On était dans l'embouchure d'une rivière. Un petit bateau qui devait être le bateau-pilote suivait lentement le sillage du cargo qui avait ralenti son allure.

Jamais le paysage n'avait paru à Mittel aussi désespéré. On avait l'impression de voir la vie dans un vieux miroir de brocanteur et la pluie déformait les lignes sans donner la moindre fraîcheur.

Un petit vapeur était à l'ancre au milieu de la rivière

et trois hommes stationnaient sur le pont. Qu'est-ce que ce bateau faisait là ? Qu'attendait-il ? Depuis combien de temps ?

Jolet était à la chauffe. Mittel ne voyait pas Frédo. Le chef mécanicien faisait les cent pas comme tous les matins, par hygiène, sans s'inquiéter du décor.

Quant à la ville… On l'aperçut à un coude du fleuve. Un quai de pilotis… des baraquements en bois. Plus loin, une masse de béton qui devait être un hôtel… Des voies de chemin de fer dans un terrain vague… Enfin, à un kilomètre environ, un petit tas de maisons de bois serrées les unes contre les autres, noirâtres, de guingois…

— Buenaventura, annonça Frédo qui venait de se lever et qui était en pyjama de soie crème. J'y suis venu une fois, avec l'avion américain.

Pour éviter les frais de port, on n'alla pas à quai, mais, comme le petit vapeur, on mouilla au milieu de la rivière où stationnait aussi un bateau norvégien.

Ici, la saison des pluies était commencée. Cela se sentait à l'eau jaune qui arrivait des terres et qui charriait des masses de verdure, des troncs d'arbres, voire des arbres entiers.

En dehors de l'hôtel en béton, des quelques maisons de bois, rien ne semblait habitable sur ces terres basses et humides, dans cette forêt qui paraissait s'étaler sur la terre entière, coupée de rivières fiévreuses.

— Mopps m'appelle !… Nous allons savoir…

La porte de la chambre était ouverte. Charlotte était dans son lit, les yeux ouverts, mais elle ne regarda même pas Frédo qui entrait.

— Habille-toi, dit le capitaine au Syrien. Le pilote ne sait pas grand-chose, mais des gens de Guayaquil sont arrivés hier à l'hôtel.

Les hommes, sur le pont, n'avaient rien à faire. Ils virent Mopps et Frédo descendre dans une chaloupe et accoster aux pilotis.

Là, il n'existait même pas de chemin. Il fallait patauger parmi les rails et les traverses, franchir la gare en construction où attendait l'unique train de la journée pour Cali, trois wagons en tout, déjà pleins de nègres et d'Indiens.

Le hall de l'hôtel était vaste. Quelques personnes y erraient comme dans une gare, attendant le départ du train. À droite, un bar terni par l'humidité, où trônait une machine à sous que Mopps fit marcher sans y penser.

— Appelle le patron, dit-il au barman.

Il était en blanc, comme toujours, mais il ne s'était pas rasé et ses espadrilles étaient détrempées.

— Tiens ! Ce n'est plus le même… remarqua-t-il quand un petit Sud-Américain grassouillet se présenta.

— J'ai repris l'hôtel l'année dernière à mon beau-frère…

— Bon ! Tu as des gens de Guayaquil, ici ?

— Il en arrive tous les jours, mais ils repartent vers Cali et Bogota. Aujourd'hui, il y a l'avion, à onze heures, et nous en verrons sûrement.

— Que se passe-t-il au juste, là-bas ?

— Vous ne le savez pas ?

— Si je le savais, je ne prendrais pas la peine de te le demander.

— Gomez a été assassiné.

Mopps ne broncha pas. Il mit un demi-peso dans la machine à sous, tourna une manette et, après un déclic, reçut deux jetons d'un peso.

— Tu es sûr ?

— Son frère est passé hier. On a cherché à le tuer aussi.

— Donne-moi un cigare…

Il choisit le plus gros et le mâcha en continuant à manœuvrer la machine à sous et à gagner.

— La révolution continue ?

— Elle est finie… Du moment que Gomez est mort…

Le patron regarda plus attentivement l'écusson ornant la casquette de Mopps, puis marcha jusqu'à la baie vitrée, aperçut le cargo au milieu de la rivière, le pavillon français détrempé à l'arrière.

— C'est vous ?… murmura-t-il avec respect.

— Que veux-tu dire ?

— Gomez n'a pas eu la patience de vous attendre. Je crois qu'il était mal conseillé… On prétend que son frère travaillait en réalité contre lui. Ils ont commencé trop tôt ; ils espéraient prendre l'arsenal et y trouver des armes…

Et l'homme se gratta la tête, passa derrière le comptoir, saisit une bouteille de whisky et trois verres.

— Qu'est-ce que vous allez faire, maintenant ? articula-t-il.

— Donne-moi toujours des demi-pesos.

Mopps fumait son cigare à petites bouffées, mettait des sous dans l'appareil, poussait le déclic. On pouvait gagner jusqu'à vingt pesos en faisant apparaître quatre disques de la même couleur. Il en ramassait cinq, six, douze une fois, mais il ne parvenait pas à gagner les vingt et il s'obstinait, le regard fixe.

— Passe-moi encore de la monnaie !

— Qu'est-ce qu'on va faire des armes ? risqua Frédo, que cette attitude énervait.

123

— À un près! tonna Mopps. J'avais trois disques noirs… Tu disais?

— Qu'est-ce qu'on va faire avec…

— Est-ce que j'en sais quelque chose, moi?

Et il joua jusqu'à midi, gagnant soixante pesos, en perdant une trentaine en fin de compte pendant que Frédo, qui ne savait que faire, jouait tout seul au billard et que le bateau, au milieu de la rivière, s'incrustait dans la pluie.

7

Cela dura quinze jours, et pendant ces quinze jours Mittel ne surprit pas un murmure, pas une critique à l'égard du commandant, pas un mot de découragement.

Pourtant, dès les premiers moments, on eut la preuve que l'attente serait longue. Le deuxième matin, Boussus entra chez le capitaine et proposa d'éteindre les feux pour économiser le charbon. Mopps se contenta de laisser peser sur lui un regard morne, puis de murmurer en haussant les épaules :

— Éteignez ce que vous voudrez !

Personne ne lui réclamait de comptes. On le voyait aller à terre, revenir des heures plus tard et, quand il rentrait dans sa cabine sans avoir donné d'ordres, on savait que ce n'était pas encore pour ce jour-là.

Le plus curieux, c'est qu'on le regardait avec indulgence, comme on regarde un malade. On évitait de le contrarier. On essayait d'aller au-devant de ses désirs.

Chopard avait pris sur lui une décision importante. Au lieu de laisser traîner en ville les hommes qui n'avaient rien à faire, il entreprit, malgré la pluie qui tombait toujours, un nettoyage complet du bateau, lessive des cloisons, raclage, peinture, etc.

Le cargo restait ancré au milieu de la rivière, virant sur son ancre à chaque marée, car tantôt c'était le courant qui l'emportait et tantôt le flot de l'océan qui le refoulait avec les eaux du fleuve.

De l'eau toujours plus jaune ! Un ciel glauque. On avait essayé les bottes de caoutchouc, mais on ne pouvait les supporter longtemps à cause de la chaleur. Alors, on allait pieds nus.

On savait peu de chose.

— Gomez a été tué et on ne veut plus de nos armes à Guayaquil.

Mais après ? Qu'est-ce que Mopps allait faire ? Que discutait-il avec Frédo et pourquoi celui-ci, le cinquième jour, prit-il l'avion américain pour Panama ?

Charlotte n'était allée qu'une fois à terre avec le capitaine et elle en était revenue écœurée. Elle passait couchée la plus grande partie de ses journées, se plaignait, devenait d'une irritabilité maladive.

Oui, qu'est-ce que Mopps allait faire ? On attendait. On essayait de tirer des indications de telle ou telle démarche.

— Ça lui passera tout d'un coup, avait affirmé Jolet, à qui on faisait détartrer les chaudières. Un beau matin, on l'entendra donner des ordres…

Mais quels ordres ? C'est justement parce que les hommes ne voyaient pas d'issue à la situation qu'ils respectaient l'abattement de Mopps.

Celui-ci passait des matinées entières à l'hôtel, à jouer des demi-pesos dans la machine à sous et à boire des whiskies. Parfois le patron lui amenait des voyageurs de Guayaquil et il ne les regardait même pas.

Qu'est-ce que cela pouvait encore lui faire que la révolution eût échoué, que les représailles eussent été terribles, qu'on eût retrouvé des têtes coupées ? Tous ces bavards lui faisaient l'effet de grosses mouches et il tournait de plus belle la manivelle de la machine.

Le fait brutal, c'est qu'il ne pouvait débarquer ses mitrailleuses à l'Équateur et que par conséquent elles ne lui seraient pas payées. Or, maintenant, toute l'Amérique du Sud connaissait la nature de son chargement. Est-ce que le Pérou était en mesure d'acheter des armes ?

Il avait câblé là-bas. Il avait câblé au Chili. Frédo était allé à Bogota, mais sans résultat.

À quoi bon naviguer et user le peu de charbon qui restait dans les soutes ? Hakim, à Panama, était furieux. Et on vivait dans l'eau, par surcroît, avec des vêtements transformés en compresses tièdes.

Mopps se repliait sur lui-même et personne n'aurait pu dire ce qu'il pensait. Pas une seule fois il ne se donna la peine d'aller jusqu'à la ville en bois, distante de cinq cents mètres à peine. Il faisait la navette entre l'hôtel et le bateau. Il jouait des pesos, regardait mollement les gens qui débarquaient et qui, le matin, prenaient le train pour Cali.

Le gouvernement colombien avait envoyé quatre gendarmes qui se relayaient sur le wharf, afin d'empêcher qu'on débarquât les armes. Comme s'il allait débarquer des mitrailleuses que personne ne lui payerait !

Il n'avait pas d'argent pour repasser Panama. En France, il était signalé dans tous les ports. Restait-il huit jours de charbon ? À peine…

Pendant ce temps-là, Chopard, véritable adjudant, surveillait ses hommes qui repeignaient les cloisons, se fâchait pour une tôle mal nettoyée, pour une brosse sale, pour un pot de peinture trop épaisse.

La peinture ne séchait pas, d'ailleurs ! Tout le monde en était maculé. Il y avait des rigoles d'eau dans les escaliers et certains jours on ne voyait pas les arbres de la rive tant le rideau de pluie était opaque.

Un Breton s'était mis à pêcher. Il avait capturé deux grands poissons qui ressemblaient à des thons, mais, une heure après, ils sentaient si mauvais qu'on n'avait pas osé les manger.

Le soir, les hommes allaient à terre, par petits paquets, comme des soldats qui quittent la caserne. Ils ne s'arrêtaient pas à l'hôtel, où les consommations étaient trop chères.

Dans la ville en bois, il y avait un long comptoir derrière lequel s'étageaient des centaines de bouteilles. Deux nègres servaient. On s'accoudait et on buvait en attendant l'heure d'aller se coucher, tandis que rôdaient quelques filles malpropres.

On ne pensait pas :

— La situation est sans issue…

Ou bien :

— Un miracle peut seul nous tirer de là…

Non ! On disait :

— Cela finira quand Mopps prendra une décision !

Il avait reçu un coup dur. On sentait qu'il en était accablé et qu'il tournait sans but comme un ours malade. Il buvait deux fois plus que d'habitude, sans jamais vaciller, mais parfois il était obligé de se tenir très raide pour cacher son ivresse.

— Tu es toujours ici, toi ! lançait-il en rentrant à Charlotte déjà couchée.

Il relevait brutalement la couverture, regardait le

corps nu d'un air rêveur, puis il soupirait, recouvrait la jeune femme qui avait peur.

— Est-ce que la police d'ici sait qui je suis ? demanda-t-elle un matin.

— Parbleu !

— Alors, si je retournais à terre ?…

— On ne te ferait rien. La France a envoyé quatre ou cinq mandats d'extradition, mais le hasard veut qu'elle ait oublié la Colombie. C'est toujours comme ça !

Il resta trois jours sans se raser. Quant à Voisier, on ne le voyait presque jamais. Il passait son temps dans sa cabine ou dans le carré, à couvrir un cahier d'une écriture serrée. C'était son journal, qu'il tenait depuis des années.

Cette fois, confiait-il au papier, *je crois qu'on devra nous rapatrier sans un sou. Mopps a perdu la partie. Dieu sait dans quel port il sera obligé d'abandonner son bateau…*

En tout cas, le *Croix de Vie,* même sans ses armes, ne pouvait plus se montrer dans un port français. La fraude était découverte.

Une cascade de hasards malheureux ! Si Gomez n'avait pas commencé sa révolution trop tôt, tout était changé, les mitrailleuses vendues, Gomez dictateur sans doute, Mopps riche, Hakim content…

Un matin qu'il enjambait le bastingage pour descendre dans le canot, Mopps se trouva face à face avec Mittel, qui avait le visage fatigué, les yeux cernés, et, comme tout le monde, le teint laiteux. Il s'arrêta.

— Tu tiens le coup ? questionna-t-il en fronçant les sourcils.

C'était peu de chose et pourtant c'est dès cette minute que Mittel sentit l'affection que le capitaine lui avait vouée. Il le regardait comme on regarde un enfant chétif, comme on regarde quelqu'un qui est fatalement promis à des malheurs.

— Chopard ne te bouscule pas trop ?

Puis, plus bas, presque confidentiel :

— Patiente encore deux ou trois jours…

Quelles pensées roulait-il dans sa tête ? N'avait-il pas toujours présente à l'esprit une carte de l'Amérique du Sud ? Son bateau avait huit jours de combustible dans les flancs. Alors, sans fin, Mopps ne le manœuvrait-il pas du nord au sud, de l'est à l'ouest, se heurtant toujours aux mêmes côtes, aux mêmes ports, aux mêmes douaniers, aux mêmes policiers ?

Il était comme enfermé dans cette rivière, sous un couvercle de pluie. Alors il entrait en traînant les pieds au bar de l'hôtel et la rivière le poursuivait, car elle était là, derrière les vitres, avec le cargo qui tirait sur son ancre et le pavillon qui pendait à l'arrière.

— De la monnaie !

Il s'hypnotisait sur la machine à sous, si bien qu'il avait l'air de ne pas penser. Un Français, représentant en parfums pour l'Amérique du Sud, crut bon de se présenter.

— Je suis heureux de rencontrer un compatriote ! Qu'est-ce que vous prenez, capitaine ?

— Rien.

— Vous venez directement de France ? Vous comptez y retourner bientôt ?

— Ouais…

130

— C'est dommage que vous soyez arrivé à la saison des pluies. Le reste de l'année, le climat est possible. Moi qui viens en Amérique du Sud depuis vingt-deux ans...

Mopps lui tourna le dos.

— Va me chercher Dominico ! lança-t-il soudain au barman. Dis-lui de venir me voir tout de suite...

Il y avait dix jours que le cargo était ancré dans le port. Dominico était monté à bord le second jour, comme il allait à bord de tous les bateaux, car c'était lui qui vendait l'huile, le charbon, le mazout et les vivres, lui aussi qui exportait le café et le cacao, importait des machines. Il avait son bureau à l'hôtel même, dont il occupait tout le dernier étage, et la moitié des maisons de bois lui appartenaient.

Vingt fois, il était entré dans le bar et s'était assis non loin de Mopps, semblant toujours attendre quelque chose de celui-ci. Or, soudain, le capitaine le faisait appeler, se tournait vers l'homme aux parfums, l'air plus doux...

— Je vous demande pardon... J'étais distrait...

— Vous prendrez quelque chose ?

— Un double whisky, oui ! Je vais nous servir moi-même, car le barman est monté chez mon ami Dominico.

— Méfiez-vous de lui, hein ! Je le connais depuis longtemps.

— Et moi donc !

— Il a commencé par vendre de la crème glacée dans les rues de Bogota.

— À votre santé !

Dominico accourait plus vite que le barman.

— On me dit que vous voulez me parler? dit-il en français, avec un fort accent.

— C'est exact, vieille crapule, répliqua Mopps en excellent espagnol. Qu'est-ce que tu bois?

— Jamais rien avant les repas.

Mopps vida son verre, oublia de prendre congé du marchand de parfums et attira le Colombien dans un coin, près de la fenêtre embuée. Si un de ses hommes était entré à ce moment, il eût été transfiguré et quelques minutes plus tard, à bord, il eût annoncé :

— On part!… On va partir!…

Car le capitaine avait repris sa physionomie dure, avec un rien d'ironie au coin des lèvres. Il parlait bas. Dominico répondait plus bas encore, et le patron de l'hôtel vint deux ou trois fois les observer de loin, sentant lui aussi qu'il se passait quelque chose de sérieux.

Trois heures plus tard, les deux hommes discutaient toujours, dans un nuage de fumée, sans s'apercevoir qu'on déjeunait depuis longtemps.

À bord, Charlotte, en savates, se donnait un coup de peigne, se lavait à peine le bout du nez, comme quand elle était petite, cherchait autour d'elle où mettre son corps las.

C'était plus gris qu'à Dieppe en plein hiver et chacun eût préféré avoir les mains gelées que respirer cet air chaud et qu'avoir sans cesse la peau collante. La sueur avait une odeur plus âcre qu'ailleurs. Les cabines sentaient le moisi. Chaque jour, sur ses souliers, Charlotte retrouvait une fine couche blanchâtre et Voisier, quand il écrivait dans son fameux cahier, devait s'essuyer les mains toutes les cinq minutes. Le papier était mou.

On soupirait. Tout le monde regarda, à midi juste, un petit paquebot mixte de la Grace Line qui était arrivé le matin et qui repartait déjà avec une cinquantaine de passagers.

Ceux-là, dans deux jours, seraient à Panama, et dans une douzaine de jours ils arriveraient à New York. Les journaux annonçaient là-bas une vague de froid, des braseros dans les rues, des dispositions en faveur des chômeurs, des morts subites…

Mopps ne revenait pas, mais on n'imaginait pas qu'il y avait quelque chose de changé.

On commença à manger sans appétit. On était déjà dégoûté des aubergines qu'on servait à chaque repas et surtout de la viande qui avait une odeur fade. Jolet, le matin, avait écrit à sa femme et, à travers la brume, il semblait encore chercher la falaise de Bénouville.

— Le capitaine ! annonça-t-il, le premier.

L'eau dégoulinait des bâches, mais il valait encore mieux être mouillé que suer à l'intérieur. Mopps venait de descendre l'escalier de l'hôtel et serrait la main de Dominico qui se hâtait de se mettre à l'abri.

Du bateau, on ne perdait aucun détail de ce qui se passait à terre. Mopps, les mains dans les poches, traversait la gare, enjambait les rails, se faufilait entre les wagons vides et rouillés, longeait enfin le quai tandis que le canot allait le chercher.

— Il est nerveux, remarqua Jolet avec étonnement.

Car on le voyait gesticuler. On devinait qu'il disait aux matelots du canot :

— Pouvez pas arriver à temps, vous autres ?

Encore trois cents mètres à parcourir. Le courant faisait dériver l'embarcation, qui arriva enfin à l'échelle.

— Appelez Boussus…

On se regarda. Mopps avait donné cet ordre d'une voix nette, en jetant un regard critique autour de lui.

— Chopard ! Tu feras enlever tous ces pots de peinture !

— Qu'est-ce que je t'avais dit ? s'écriait Jolet alors que Mopps avait à peine tourné le dos.

— Tu crois ?

— On s'en va, c'est sûr ! Il a appelé le chef mécanicien. Tout à l'heure, on va faire rallumer les feux.

Il en avait les yeux humides. Du coup, il mangeait de meilleur appétit.

Boussus resta dix minutes là-haut et, quand il revint, ce fut en effet pour donner des ordres.

— Les feux rallumés pour cette nuit… À trois heures, on vient avec des chalands apporter du charbon…

— Du charbon !

Le regard de Jolet était triomphant.

— Il a réussi !

Et c'était comme s'il eût remporté une victoire personnelle. Si on livrait du charbon, c'est que tout allait bien, car il fallait le payer ! Et avec du charbon, en outre, on pouvait aller loin, peut-être jusqu'en Europe !

Une heure plus tard, on apportait un télégramme. C'était de Frédo.

Arrive par avion de mercredi…

C'est-à-dire le jour même ! Mopps haussa les épaules et, pendant le repas qu'il prit en tête à tête avec Charlotte, il ne cessa de regarder celle-ci avec une insistance particulière.

134

— Qu'est-ce qu'il y a ? questionna-t-elle. Ma figure a quelque chose de spécial ?

— Un peu.

— Depuis quand ?

— Depuis toujours.

— Je veux savoir ce qui se passe…

— Il se passe que j'ai dit m…

— À qui ?

— À moi.

— Je n'aime pas les mystères.

— Tant pis !

Il n'avait pas encore envie de donner des explications et, à deux heures, il surveillait lui-même le chargement du charbon qu'on amenait sur des chalands. Dominico était là aussi, en ciré noir, contrôlant les chiffres que son commis inscrivait dans un carnet.

— Mittel !

Celui-ci tressaillit, marcha vers Mopps, qui le prit par les épaules et le poussa, non dans sa cabine, mais dans le carré, où il n'y avait personne.

— On va se séparer, mon petit…

Mittel fut tellement sidéré qu'il ne put rien dire.

— C'est difficile à t'expliquer… D'ailleurs, tu as peut-être compris… Tu m'as vu depuis que nous sommes ici…

Il bourrait une pipe, s'asseyait sur le coin de la table.

— Ne me regarde pas ainsi, ou alors je ne te dirai rien… Je ne pouvais plus !… Je…

Il s'interrompit, changea de voix.

— Tu sais ce qu'on appelle, dans les colonies, s'encanaquer ? C'est se coller avec une indigène. Au début, on croit que ça n'a pas d'importance. On la regarde comme un animal amusant. Puis on ne peut plus s'en

135

passer. On commence par se raser moins souvent, par ne plus sortir le soir, par éviter les amis. Après quelques mois, on mange à l'indigène. Un beau jour, on a envie d'un gosse. Et on finit par ne même plus avoir l'air d'un blanc !… J'en ai connu qui s'habillaient d'un pagne ! Il y en a pas loin d'ici, sur la rivière…

Mittel essayait de saisir le rapport.

— Eh bien ! j'étais en train, en quelque sorte, de m'encanaquer. Je traînais là-haut, en pantoufles, dans le sillage de Charlotte, dans son odeur, dans le désordre de ses vêtements, de ses objets personnels… Qu'est-ce que tu as ?

— Rien !

Il était bouleversé, simplement, sans savoir pourquoi.

— Je sentais bien qu'il fallait me secouer. Surtout, je ne te dis pas que je l'aime ! Je crois bien que je la déteste ! Il m'est arrivé plusieurs fois de la battre. Certains jours, je ne lui adressais pas la parole… Tu comprends ?

— Non.

Et encore, il comprenait peut-être ! Il y avait des jours où, quand il voyait Charlotte, là-haut, en négligé, et qu'il se souvenait de sa chambre à Paris, il se sentait un poids sur l'estomac. Et lui aussi nourrissait parfois contre elle une sorte de haine.

— Voilà ! c'est fini…

Et Mopps respirait un grand coup, calait sa pipe entre ses dents.

— Je la débarque et, par le fait, il faut bien que je te quitte… N'aie pas peur… J'ai pensé à tout… Demain, nous aurons un faux passeport pour vous deux… Vous serez M. et Mme Gentil… La police fermera les yeux…

Mittel avait la gorge trop serrée pour parler.

— J'ai besoin d'être moi-même, tu comprends ? La partie est perdue ! Il faut que je reprenne du poil de la bête…

— Qu'est-ce que vous allez faire ? put enfin questionner Mittel.

Mopps haussa les épaules.

— Vous rentrez en France ?

— Sûrement pas !

— Vous avez de l'argent ? osa le jeune homme.

— Pas un sou ! Hakim va arriver. Je lui ai demandé une nouvelle ouverture de crédit, mais je suis sûr qu'il refuse. Il a raison car, au point où on en est, nous ne ferons jamais rien de nos mitrailleuses.

Il ouvrit la porte, la referma, comme s'il avait voulu s'assurer que personne ne les écoutait.

— À toi, je peux dire la vérité… À trois ou quatre milles d'ici, dans deux jours, nous jetterons les armes à la mer, à un endroit déterminé où il y a tout juste deux mètres de fond à marée basse… Tu commences à comprendre ?

— Non.

— C'est Dominico qui a racheté tout le lot au rabais… Il s'arrangera, avec une barque de pêche, tiens, celle qu'on aperçoit là-bas, gréée en cotre, pour ramasser la camelote… Il y en a pour un million et demi… Sais-tu ce que ce salaud me donne ? Quelques tonnes de charbon, pour trente mille francs à peine, et pour quatre-vingt mille francs de café… Il m'a eu ! Un jour ou l'autre, quand j'aurai remonté le courant, je reviendrai vous voir tous les deux…

Mittel n'avait même pas pensé à demander ce qu'il allait faire dans ce pays inconnu. Ce fut Mopps qui s'en avisa.

— Dominico te prend à son service. Tu as le choix…
Ou bien tu travailleras à Buenaventura comme commis,
ou bien tu iras vivre sur la rivière, à trois ou quatre
journées d'ici, où il exploite une petite mine d'or…

Mittel se retenait pour ne pas pleurer et le capitaine
détournait la tête.

— Je ne peux pas laisser Charlotte seule ici… Je ne
veux plus la traîner avec moi…

— Je comprends.

— Je reviendrai, tu verras !

Et on le sentait sincère, on sentait qu'il avait la
volonté de revenir.

— Viens… Nous allons aller lui parler… Elle ne
sait encore rien.

Sur le pont, ils rencontrèrent Frédo qui arrivait.

— Je vous cherchais… commença-t-il. Mon frère…

— Ne veut plus donner d'argent…

— Comment le savez-vous ? Ce que je ne comprends
pas, c'est qu'on vous livre du charbon…

— Tu comprendras plus tard. Va m'attendre à l'hôtel.
Pour le moment, j'ai à faire…

Charlotte lavait du linge dans le lavabo. Elle regarda
les deux hommes qui entraient et devina tout de suite
que c'était important.

— Qu'est-ce qui se passe ?

— Tu débarques demain avec Mittel.

— Et la police ?

C'était sa hantise. Elle craignait un piège. Elle les
soupçonnait de Dieu sait quels desseins.

— Vous aurez un passeport en règle. J'ai trouvé du
travail pour Jef.

— C'est vrai, Jef?

— C'est vrai. Le capitaine a fait tout ce qu'il a pu.

— Pourquoi ne nous dépose-t-il pas dans un pays civilisé?

Mopps adressa un clin d'œil à Mittel. Que pouvait-il dire? Ils étaient deux hommes auprès d'elle. Elle les regardait avec une même méfiance. Peut-être avec une même haine. Et pourtant ils étaient prêts à tout pour elle!

Mittel était presque tremblant à l'idée qu'ils allaient revivre ensemble et Mopps, qui le sentait, s'efforçait de ne pas être jaloux.

— Tu dormiras encore ici cette nuit… Ou plutôt non… Vous irez à l'hôtel…

— Où est le passeport?

— On l'apportera ce soir…

Elle n'était pas encore rassurée.

— Comment allons-nous gagner notre vie?

— Puisque je te dis que Mittel a trouvé une place!

Et elle alla jusqu'au bout! Au point qu'ils ne purent s'empêcher de sourire.

— Une place de quoi?

— De président de la république! répliqua le capitaine en sortant. Viens, Mittel, que je te présente à Dominico…

— Alors, je m'habille?

— C'est ça! Fais tes paquets…

— Au revoir, Jolet… Je… je te remercie d'avoir été gentil pour moi… Napo aussi… Je ne savais rien faire…

C'était dans la pluie, dans le charbon, dans le vacarme.

— Tu restes ici ?

Mittel fit signe que oui. Il ne pouvait plus parler. Les rives se dessinaient à peine en gris dans le brouillard. Seul l'hôtel en béton émergeait, à cause de ses quatre étages.

— Au revoir…

Il serra la main des deux hommes, chercha Chopard des yeux.

— Au revoir, monsieur Chopard…

Et celui-ci, dont les yeux cherchaient aussi les berges, de grommeler :

— C'est malin, hein !

— Quoi ?

— Ce que vous avez fait tous les deux !… Si Godebieu était là… Enfin !… Bonne chance…

D'autres poignées de main encore, mais plus vite. Le canot attendait. C'était lugubre de voir Charlotte habillée de noir. Elle traversait le pont sans regarder personne, s'asseyait sur le banc mouillé de l'embarcation.

— Nagez…

De la boue jaune, des rails, des wagons à contourner. On les fit monter au troisième étage de l'hôtel, dans une chambre dont les deux lits étaient surmontés d'épaisses moustiquaires.

Mopps était resté en bas, mais il ne touchait pas à la machine à sous. Il discutait avec Frédo, non sans véhémence.

— Eh bien ! si tu y tiens, viens avec nous ! Tu te paieras sur le café, si on arrive un jour à le vendre.

— Il vaut mieux que je câble à mon frère.

— C'est ça, câble !

À huit heures, le cargo levait l'ancre, mais ce n'était pas encore pour quitter la rivière. Virant doucement dans le courant, il vint s'amarrer le long du quai où on alluma des projecteurs électriques.

Les docks furent ouverts. Une cinquantaine de nègres et d'Indiens commencèrent le chargement du café, tandis que des femmes et des enfants, mal abrités de la pluie, les regardaient avec des yeux vides. Peut-être était-ce pour eux une distraction ?

— Je m'occuperai d'eux comme de mes propres enfants, avait déclaré Dominico quand on lui avait présenté le couple, au bar de l'hôtel.

Il était gras, vêtu de tussor, et il avait les mains et les pieds très petits. Ce qui l'intéressait, c'était le travail que la barque de pêche allait avoir à accomplir. Dix fois, il alla jusqu'au port, revint trempé, chuchota à l'oreille de Mopps, qui s'était assis avec Mittel et Charlotte et qui buvait mélancoliquement.

— Vous avez de l'argent ? s'enquit le capitaine.

Ce fut Charlotte qui répondit

— Près de deux mille francs.

Elle ne s'aperçut pas que Mittel rougissait au souvenir de la petite impasse de Dieppe, de la maison obscure, de l'argent volé sous le matelas pendant que la jeune sœur criait de peur dans son lit.

Mopps prit des dollars dans son portefeuille.

— Vous me rendrez ça quand je reviendrai… Je ne sais pas ce que vous choisirez mais, si c'était à moi de faire, je crois que j'irais sur la rivière.

Le regard qu'il lançait à Mittel était significatif. C'était pour Charlotte qu'il conseillait l'éloignement de la ville.

— Qu'est-ce que j'y ferai ? questionna-t-elle.

— Le ménage. La popote…

Il ajouta avec une curieuse ironie :

— Pourquoi pas un enfant ?

— Merci bien !

L'hôtel était presque vide. Il n'y venait du monde que les jours de bateau. Le reste du temps, le hall était désert et il n'y avait pas cinq dîneurs dans l'immense salle à manger. Les garçons, des métis, portaient des chemises sales, des habits luisants. Ils allaient et venaient avec effronterie, regardaient Charlotte dans les yeux et lui adressaient des sourires.

Un petit coup de sirène rappela Mopps à bord.

— Quand je reviendrai… dit-il encore.

Puis, debout, en tapotant la joue de la jeune femme :

— Au revoir, ma petite garce de Charlotte… Tu es un drôle d'animal, je te jure…

Il hésita à prendre Mittel dans ses bras, mais il le fit enfin :

— Au revoir, toi… Bon courage !

Le couple était seul dans le bar où les garçons ramassaient les verres. Il ne restait qu'à monter se coucher.

— Je n'ai même pas de linge, pas de chaussures, rien, remarqua Charlotte en retirant ses bas.

Mittel pleura longtemps, sans bruit, seul dans son lit, avant de s'endormir. Presque aussitôt, il se dressa en entendant deux coups de sirène. Le jour se levait. Il courut à la fenêtre qu'il ouvrit malgré les bourrasques de pluie.

Le cargo, empanaché de fumée noire, gagnait lentement le milieu de la rivière. De loin, on ne devinait que deux ou trois silhouettes noires sur le pont. Chopard, sans doute, dont c'était la place, puis un des Bretons.

Mais peut-être Jolet était-il là aussi, à regarder la rive et à chercher Mittel des yeux ?

À un mille, un petit bateau de pêche descendait le courant…

— Qu'est-ce que tu fais ? questionna Charlotte encore endormie.

— Rien… Ils partent…

— Frédo est parti avec eux ?

— Je crois que oui.

Elle se tourna sur l'autre flanc et balbutia :

— Couche-toi… Ferme la fenêtre…

Un jet de vapeur, au-dessus de la cheminée, puis, avec un léger retard, le dernier coup de sirène…

L'adieu du cargo !

Personne dans la rue, parmi les rails, les terrains vagues… Mittel referma lentement la fenêtre, et après une hésitation, se recoucha dans les draps amollis par la sueur.

DEUXIÈME PARTIE

Charlotte lisait par-dessus l'épaule de Mittel, mais elle lisait plus vite que lui, ou bien elle passait des phrases car, de temps en temps, elle s'éloignait en attendant qu'il eût tourné la page.

Mon cher Joseph,
J'ai bien reçu ta lettre qui me donne ta nouvelle adresse. Comme tu me le demandes, j'ai mis M. Gentil sur l'enveloppe. Je suis contente de te savoir en bonne santé, ainsi que Charlotte, et je me suis hâtée de donner de vos nouvelles aux amis.
Le lendemain de votre départ, le pauvre B...

La mère de Mittel avait gardé, des temps tumultueux, l'habitude de ne jamais écrire que l'initiale des noms.

En l'occurrence, il s'agissait de Bauer, le libraire de la rue Montmartre.

... le pauvre B... a été emmené à la Police Judiciaire et il y est resté vingt-quatre heures. Heureusement que Marthe (la femme de Bauer) *a un bon caractère. C'est elle qui est venue me mettre au courant à l'imprimerie*

*et me dire de ne pas m'en faire. À la voir toujours rire,
on ne croirait pas qu'elle a un cancer au sein...*

Mittel faillit passer des lignes, lui aussi.

J'ai vu D... (un ancien ami de son père, devenu
directeur d'une feuille hebdomadaire). *Il dit que le cas
de Charlotte serait mauvais si elle était prise, surtout
qu'on a su qu'elle a volé de l'argent chez elle pour le
départ. À ce sujet, certains journaux ont l'air de croire
que c'est toi qui l'as entraînée et t'appellent du nom
que tu devines... Ils ne savent pas !*

Ce *Ils ne savent pas,* c'était tout Bébé, comme on
l'appelait encore, Bébé qui ne doutait de rien et qui,
comme Mme Bauer, ne se laissait pas impressionner.

*Est-ce que je t'ai dit que le gouvernement est encore
par terre et qu'il y a eu la semaine passée des manifestations dans les rues ? En sortant de l'imprimerie, j'ai
failli recevoir un coup de matraque. On attend ce soir
la constitution du nouveau ministère.*

*Tu vois que c'est toujours la même chose et qu'il n'y
a rien de nouveau à t'écrire. Si tu gagnes trop d'argent,
tu m'en enverras un peu, car il y a longtemps que j'ai
envie d'une fourrure et T. ne veut pas en entendre
parler.*

Soigne-toi bien. Je t'embrasse ainsi que Charlotte.

C'était signé *Bébé.* Ils avaient toujours été des camarades, en effet, et Bébé, traînée de meeting en complot
et de mansarde en meublé, ne s'était jamais habituée à
cette maternité de hasard. Mittel l'imaginait, à l'imprimerie, rédigeant sa lettre au milieu du cliquetis des
linotypes, entre les piles d'épreuves humides à corriger.

Il se tourna vers Charlotte qui avait lu les dernières lignes et qui haussa les épaules.

— Trop d'argent! ricana-t-elle. Tu as vu?

Ils étaient dépités, Mittel surtout. Il y avait trois mois qu'il attendait cette lettre-là et il s'en était fait un monde. C'était lui qui avait tort. Qu'espérait-il, en définitive? Il aurait voulu, en quelques pages, retrouver la vie, l'odeur de la France, de Paris, de ce quartier de la rue Montmartre où il avait tant rôdé. Il aurait voulu avoir des nouvelles de tous ceux qu'il avait connus, savoir ce qu'ils pensaient de sa fuite, de sa situation actuelle, de l'avenir possible.

Il aurait voulu…

Sa mère, pourtant, disait tout ce qu'il y avait à dire, simplement, en femme qui n'oublie rien, qui ne met rien de trop non plus.

Je t'embrasse ainsi que Charlotte…

Tout comme s'il eût été en vacances dans les Vosges ou en Normandie! Crise ministérielle! Manifestations place de la Bourse!

Il écarta le col de sa chemise kaki, allongea ses jambes bottées de gros cuir.

— Tu n'as pas encore vu Plumier?

— Il n'a pas ouvert sa porte ce matin.

Il pleuvait, évidemment! Depuis trois mois qu'ils étaient dans le Choco, il n'y avait pas eu trois jours sans au moins quelques heures de pluie, au point qu'on était dérouté quand s'arrêtait le crépitement des gouttes d'eau sur le toit de tôle ondulée.

La baraque en planches était bâtie sur pilotis et, dès qu'on avait descendu les quelques marches, il fallait patauger dans l'eau ou faire de l'équilibre sur les passerelles qu'on improvisait à travers les mares.

Mittel était vêtu comme tous ceux qui vivent dans la forêt colombienne : des bottes, des culottes et une chemise kaki ouverte sur sa poitrine. Quant à Charlotte, elle faisait ses robes elle-même, en cotonnade claire, et elle ne portait rien d'autre sur le corps.

Ils avaient maigri tous les deux, leurs yeux s'étaient cernés, leurs mouvements étaient devenus plus las. Pour tenir le coup, il fallait vivre au ralenti, calculer ses moindres gestes, faute de quoi on était aussitôt en nage.

En face du bungalow, quelques palmiers, puis des palétuviers sur les rives boueuses de la rivière. En se penchant, on apercevait, à cinquante mètres, une autre baraque portant la raison sociale : *Minière Anglo-Colombienne.*

C'était le bureau ! C'était là aussi que couchait sur un lit de camp Plumier, le géologue belge qui dirigeait les travaux.

Les indigènes vivaient plus loin, à cent mètres encore. Ils avaient des cases de boue couvertes de palmes. La plupart étaient des nègres descendant des anciens esclaves, mais on comptait aussi quelques Indiens presque purs.

Sur un kilomètre environ, les placers, c'est-à-dire les endroits d'où on retirait le sable pour le passer au sluice et en extraire la poussière d'or.

L'univers s'arrêtait là ! Mittel n'était jamais allé plus avant. Charlotte pas davantage, car ils savaient qu'au-delà de cet horizon il n'y avait rien que le marais, à l'infini, les palétuviers aux racines tourmentées et parfois un *esteros*, sorte de canal étroit entre les bras multiples de la rivière.

À trente, à quarante kilomètres peut-être, on trouverait les placers d'une autre compagnie, un ou deux blancs, cinquante ou soixante indigènes…

Mais pour aller à la ville, à Buenaventura, c'était un voyage si long et si pénible que Charlotte tremblait en pensant au retour.

— Tu es sûr qu'il n'y a pas d'autre moyen de rentrer ? avait-elle vingt fois demandé.

Il n'y en avait pas d'autre. Très loin vers les terres on devinait, quand il faisait clair, les contreforts de la cordillère des Andes, mais, jusqu'au pied de la montagne, c'était le même marais qui s'étendait, toujours plus broussailleux, souvent impénétrable.

Et vers l'océan, le marais toujours, les palétuviers, quelques bancs de sable.

Ils avaient quitté Buenaventura avec trois pirogues et tout le matériel que Dominico leur avait fourni, car le placer appartenait à une société anglaise dont il était le gérant.

— Vous trouverez sur place un blanc, un géologue qui y est depuis deux ans. Je crois qu'il commence à devenir fou. Vous vous mettrez au courant du travail. Vous verrez ce qu'il y a à faire. Tous les mois, Moïse passe là-bas pour ramasser l'or. Il le pèsera devant vous et vous donnera un reçu. C'est lui aussi qui vous portera le courrier et les vivres…

Les trois pirogues avaient descendu la rivière jusqu'à la mer et pendant cinq jours Charlotte avait vécu dans l'attente de la catastrophe. En effet, les étroites embarcations, munies de chaque côté d'un balancier de bambou, voguaient sur l'océan, à quelques centaines de mètres de la rive, dans les premières houles.

De temps en temps on découvrait un chenal latéral dans les terres, un *esteros*, et l'on entrait dans la forêt de palétuviers, on glissait quelques heures durant sur des eaux calmes mais boueuses.

Cinquante fois on avait aperçu des crocodiles flottant sur les eaux et les indigènes avaient fait signe à Mittel de ne pas tirer.

On dormait dans la pirogue même, assaillis par les moustiques, à guetter les bruits, les craquements, le souffle fétide de la forêt. On dormait ou on ne dormait pas et quand, après dix jours, on aperçut les deux baraques au toit de tôle ondulée, on crut un moment que c'était le paradis.

— Ah ! c'est vous l'espion ! avait déclaré Plumier quand Mittel était entré dans le bungalow.

Il n'avait guère qu'une trentaine d'années, mais ses yeux brillaient de fièvre et son corps était d'une maigreur effarante.

— Dominico m'a envoyé pour...

— Pour m'espionner, je sais, et au besoin pour me supprimer si je deviens trop gênant !

— Je vous jure...

— Je sais ce que je sais ! Est-ce que seulement vous avez apporté mon sirop antiscorbutique ? Et mes trappes à rats ? Et mes seaux hygiéniques ?

— Non... Je...

Le bureau était un taudis et Mittel aperçut sur le plancher deux cadavres de rats dont la tête avait été écrasée à coups de talon.

— Vous voyez ! Il y a trois mois que j'attends, trois mois que j'annonce que si on ne m'apporte pas le nécessaire je vais crever...

Dès qu'il s'animait, la sueur ruisselait sur son front, sur ses joues et ses yeux devenaient plus fixes.

— Alors, on ne vous a pas montré mes lettres ? Est-ce que vous avez apporté du sirop pour vous ?

— On m'a recommandé d'en prendre, oui. J'en ai six bouteilles. Je pourrais vous en céder…

— Merci bien ! Et des trappes ?

— Je ne savais pas…

— Où étiez-vous, avant ?

— En France.

L'autre ricana, entassa les papiers épars sur le bureau, déclama :

— Vous êtes ici chez vous ! Vous me permettrez, pour ma part, de n'avoir aucun rapport avec votre honorable personne. Faites ce qu'il vous plaira. Je vous annonce seulement une chose : je suis sur mes gardes ! J'ajoute que, s'il m'arrive un malheur, il y a des gens, à Buenaventura, qui sont au courant de tout ! J'espère que c'est la dernière fois que je vous adresse la parole.

Il y avait trois mois de cela. Mittel, les premiers jours, avait rôdé tout seul sur les placers et n'avait pas tardé à en comprendre le mécanisme.

Ils étaient une soixantaine de nègres et de métis à travailler, les uns nus, les autres vêtus d'un vieux pantalon, pieds nus pour la plupart.

Il s'agissait de choisir de la terre d'alluvion à un coude de la rivière. Cette terre était amenée sur une longue rigole en bois où elle glissait lentement, mélangée d'eau. L'or, plus lourd, restait au fond du sluice, où il était retenu par les rugosités du bois.

Après quelques jours, Mittel commença à adresser la

parole aux indigènes, s'essayant à parler l'espagnol à l'aide d'un dictionnaire qu'il avait apporté.

Mais, tant que Moïse ne fut pas passé, il ne put rien faire officiellement. Quand il entrait dans le bureau, qui servait de chambre à Plumier, celui-ci en sortait, ou encore en profitait pour se laver à grande eau. Comme il l'avait annoncé, il ne disait pas un mot, grommelait pour lui seul des syllabes inintelligibles, ricanait, gesticulait.

Moïse était un vieux bonhomme qui arriva avec trois Indiens dans une pirogue et plaisanta gaiement avec Charlotte.

— Comment va-t-il ? questionna-t-il en désignant le bureau.

— Il ne veut pas nous parler.

Ce jour-là, Plumier s'enfonça dans la forêt pour éviter Moïse. Celui-ci en profita pour mettre Mittel au courant des quelques écritures à tenir, de la façon de faire la paie et de la manière de reconnaître les terrains favorables et les autres.

— Ne vous occupez pas de lui. Nous ne pouvons rien faire. Il refuse de rentrer à Buenaventura et il faudrait venir le chercher de force…

— Depuis quand est-il fou ?

— Il n'est peut-être pas tout à fait fou, mais, à force de vivre seul, il s'est mis des idées fixes dans la tête. Il croit que la Compagnie lui en veut parce qu'il envoie des rapports défavorables. D'après lui, le placer ne vaut pas d'être exploité et il prétend qu'on se sert de sa présence pour monter je ne sais quelle escroquerie…

Mittel fronça imperceptiblement les sourcils. Moïse le présenta aux hommes en leur ordonnant de lui obéir. Le lendemain, il repartait en emportant un petit sac de poudre d'or. Il se chargeait aussi des lettres du couple pour la France. C'est par ce moyen que Mittel donna son adresse à sa mère et lui recommanda de lui écrire au nom de Gentil.

On en était au troisième passage de Moïse. La Compagnie avait d'autres placers et le vieux, qui avait été chercheur d'or pour son compte quarante ans plus tôt, en faisait régulièrement le tour avec sa pirogue et ses trois Indiens.

Pendant que Mittel lisait son courrier, il s'était dirigé vers le bureau où il devait vérifier les écritures.

Charlotte avait allumé du feu, car, le jour de Moïse, on faisait un repas presque européen et on mettait même une nappe sur la table.

Mittel se leva pour rejoindre le vieux, tendit le bras pour saisir son casque.

— Jef! dit soudain Charlotte en essuyant ses mains mouillées.

— Quoi?

— Ne pars pas tout de suite. Il faut que je te parle, tant que Moïse est ici…

Il s'étonna de la voir si grave, émue même.

— Voilà longtemps que je voulais te le dire… Ne me regarde pas comme ça… Je suis enceinte, Jef!

Il sursauta, car il s'attendait à tout, sauf à cette déclaration.

— Hein!… Toi! Tu es…

Jamais il ne lui était venu à l'idée que Charlotte pût avoir un enfant.

— Tu es sûre?

— D'autant plus sûre que c'est déjà le troisième mois.

Il ne savait que penser. Il avait posé son casque sur la table et regardait par terre.

— Un enfant...

Et soudain relevant la tête :

— De qui ?

Car trois mois, cela correspondait à leur arrivée en Colombie et il n'avait pas oublié Mopps, dont on n'avait jamais eu de nouvelles.

— Écoute... Je ne peux pas affirmer ce que je ne sais pas... Tu te souviens du premier jour, à Buenaventura ?

Il s'en souvenait. Il se rappelait même que c'était un dimanche... Après le départ du cargo, il avait essayé de se rendormir, mais il n'avait pas pu...

Il se sentait perdu dans le monde et, sans bruit, il s'était relevé, s'était glissé dans le lit de Charlotte, pour être au moins deux.

— Qu'est-ce que tu as ? avait-elle demandé dans son demi-sommeil.

Il pleurait d'attendrissement sur lui, sur elle. Il se demandait pourquoi il avait permis à Mopps...

C'était étrange, la façon dont ils s'étaient retrouvés, dont ils s'étaient aimés à nouveau tous les deux. Ils n'étaient descendus qu'à cinq heures de l'après-midi et Dominico leur avait lancé une œillade égrillarde.

Depuis lors, ils n'avaient plus parlé de ces choses. Le présent suffisait à les accabler. Ils essayaient de faire face à toutes les difficultés, de s'accoutumer. Le soir, c'était Charlotte, en chemise, qui tenait la lampe électrique, le *foco* comme on disait, pendant que Mittel faisait la chasse aux rats. Il leur arrivait d'en tuer dix, d'en tuer quinze, et pourtant ils étaient à peine couchés que le vacarme commençait derrière toutes les cloisons, puis sur le plancher, comme si un bal eût été organisé.

Mittel comprenait maintenant les cadavres de rats aperçus chez Plumier. Il comprenait la demande de trappes. Moïse venait justement d'en apporter.

Mais il y avait encore les punaises, les araignées !

Puis il avait fallu se soigner. Cela avait commencé par la dysenterie et pendant des jours tous deux s'étaient sentis vides comme des baudruches dégonflées, incapables de tenter un pas hors du bungalow.

— Ce que d'autres ont fait, nous pouvons le faire, répétait Mittel.

Il possédait des remèdes. Il surveillait leur alimentation, veillait à l'heure de la quinine, n'oubliait pas le sirop antiscorbutique.

Comment auraient-ils pensé à autre chose ? Ils avaient vécu l'un près de l'autre, unis comme ils ne l'avaient jamais été, et pas une seule fois ils n'avaient eu le loisir de parler d'eux-mêmes.

Car il y avait encore Plumier qui les effrayait. Il portait toujours à sa ceinture un énorme revolver Colt. Depuis qu'il avait aperçu Charlotte, il lui arrivait souvent de rôder autour du bungalow quand Mittel n'y était pas. Il entrait parfois, regardait la jeune femme en ricanant, jouait avec quelque objet et s'en allait en refermant violemment la porte.

— Tu crois ? balbutiait maintenant Mittel, qui ne parvenait pas à dominer son émotion.

Un enfant de lui ! Il se passait la main sur le visage. Il avait besoin de s'agiter.

— Déjà trois mois…

— J'ai préféré t'en parler, parce qu'il faudra sans doute prendre certaines précautions…

Il ne se faisait pas encore à cette idée. Il regardait Charlotte, amaigrie, le visage plus grave. Il répétait :

— Tu vas avoir un enfant…

Mais il ne pensait pas à la prendre dans ses bras. En somme, à part ce dimanche-là, dans leur chambre d'hôtel, ils n'avaient jamais eu d'effusions. S'ils étaient restés ensemble pendant deux ans, ils vivaient plutôt en camarades et leurs démonstrations de tendresse étaient réduites à leur plus simple expression.

— Bonsoir, Jef.

— Bonsoir, Lotte.

Il s'écria soudain :

— Je vais en parler à Moïse !

Il courut à travers les flaques d'eau, sous la pluie, et elle dut le rappeler parce qu'il avait oublié son casque. On ne voyait presque jamais le soleil. Le ciel restait bas et sombre, et pourtant la réverbération était telle que le casque de liège était indispensable.

Une fois, Charlotte était sortie sans le mettre et elle était restée deux jours au lit avec des maux de tête et du vertige.

— Écoutez, Moïse…

— Chut !… Trois et sept et quatre, quatorze… Je retiens un… Huit et neuf et…

Plumier n'était pas là, mais la pièce était en désordre, le lit de camp défait, une chemise sale par terre. La plupart du temps, le Belge fermait la porte au nez du jeune indigène qui lui servait de domestique, car il se méfiait de lui aussi et préparait lui-même ses aliments.

— Qu'est-ce que vous voulez ?

— Charlotte va avoir un enfant.

— Quand ça ?

— Dans… Attendez… Dans six mois…

Le vieux faillit pouffer de rire.

— Eh bien ? Vous avez le temps d'y penser, mon garçon !

— C'est-à-dire qu'il faudra prendre des dispositions… Il serait peut-être utile qu'elle voie un médecin… Pour l'accouchement, nous devrons aller à Buenaventura…

— Tout doux ! Tout doux ! D'abord, il n'est pas prouvé que les choses iront jusque-là…

— Que voulez-vous dire ?

— Sous les tropiques, il y a souvent des accidents… Dans trois ou quatre mois, nous en reparlerons et, si c'est nécessaire… Remarquez que j'ai connu des femmes qui se passaient très bien de médecin… Les indigènes s'y entendent à merveille…

L'œil de Mittel devint dur.

— Allons ! Ne vous fâchez pas… Vous êtes encore nouveau… Vous avez gardé vos idées d'Europe et même vos idées de jeune homme… Moi qui vous parle, j'ai eu sept enfants et, pour trois d'entre eux, j'ai servi moi-même de sage-femme, si je puis dire. Vous vous y ferez !

— Je ne crois pas.

— Ne pensons plus à ça… Dites donc ! Que devient notre camarade Plumier ?… Cette fois, je lui ai apporté son sirop antiscorbutique… Remarquez que, de notre temps, on ne prenait pas toutes ces drogues et que je n'en suis pas moins ici… Voici la bouteille… Vous lui direz ce que c'est… Pour les trappes, c'est trop encombrant dans la pirogue…

Ils ruisselaient tous les deux. On ruisselait toujours et la pluie se mêlait à la sueur. Moïse avait l'accent allemand ou alsacien, mais Mittel n'avait jamais osé lui demander d'où il était originaire.

— Qu'est-ce que vous avez ?

— Je pense au petit…

— Au petit qui n'existe pas encore ?… À propos, Frédo est rentré à Colon, mais il n'y est pas revenu avec le bateau de Mopps. Celui-ci l'a déposé dans un petit port du Mexique et depuis lors on n'a plus de ses nouvelles…

Mopps, Napo, Jolet, Chopard, la chauffe, le poste, là-haut, et les deux lits dans la cabine du commandant…

C'était déjà si loin que Mittel avait peine à imaginer que cela avait réellement existé. Il avait changé de monde, brusquement, et maintenant il n'y avait plus de vrai que cette mare de boue et de pluie où ils étaient cent à chercher de la poussière d'or que Moïse venait ramasser tous les mois.

Et pour Moïse, Charlotte et l'enfant possible, cela n'existait pas ! En quelques mots, il avait balayé ces préoccupations.

— Vous savez que, dans le placer de Timbiqui, ils ont trouvé du platine ? Il faudra ouvrir l'œil par ici aussi. Si Plumier n'était pas dans un pareil état, je lui en parlerais et il dénicherait peut-être un filon… C'est le même fleuve, le même terrain, les mêmes alluvions…

— Dites-moi… Vous qui avez de l'expérience… Vous ne croyez pas qu'il faille prendre certaines mesures, peut-être faire venir des médicaments ?…

— Vous en êtes toujours là ? Mais non ! Tenez ! Je vais lui parler, moi, à cette gamine…

Mittel préféra ne pas assister à la conversation. Moïse devait se servir de termes brutaux. Quand Jef rentra, Charlotte avait le visage plus défait.

— Qu'est-ce que je vous disais ? Elle est brave comme tout, cette petite… J'ai eu une femme — c'était la troisième ou la quatrième, car j'en ai eu sept en tout, et je ne parle que des légitimes — j'ai eu une femme, dis-je, qui a travaillé jusqu'à la dernière minute… J'étais absent… Quand je suis rentré, le soir, le petit était né, tout seul, comme un futur homme qu'il était…

Charlotte était si blanche que Mittel craignait qu'elle s'évanouît…

— Qu'est-ce que vous nous avez préparé pour dîner ? Vous avez vu que je vous ai soignés en fait de provisions. Cinquante boîtes de sardines et cinquante de bœuf… C'est pour le cas où je ne passerais pas le mois prochain…

— Vous ne comptez pas venir ?

— C'est-à-dire qu'un de mes fils se marie à Guaya-quil. Si Dominico n'est pas une brute, il me permettra d'aller à la noce, surtout que la famille de la jeune fille est tout ce qu'il y a de bien…

— Cela ferait deux mois sans…

Sans personne ! Sans aucun lien avec le monde ! Moïse avait beau être ce qu'il était, on l'attendait avec impatience et sa présence était un réconfort.

Mittel, maintenant, ne pouvait regarder Charlotte comme avant. Il aurait voulu la faire asseoir, la soigner, la nourrir de choses chères et réconfortantes.

— J'ai préparé des haricots au lard, dit-elle en ouvrant une marmite.

Mais l'odeur de cuisine lui donna un haut-le-cœur.

— J'ai mis aussi deux bouteilles de whisky, annonça le vieux. Tant pis si vous ne le buvez pas. Je suis là, moi! Tenez! Servez-m'en donc un grand verre...

Ce n'était pas une journée comme les autres. Mittel ne travaillait pas sur le chantier. Après le déjeuner, il y allait seulement avec Moïse, mais comme des promeneurs.

On devina Plumier derrière un rideau d'arbres et le géologue ne se montra pas.

— Ceux que j'ai connus, expliqua Moïse en désignant les nègres, étaient encore des esclaves libérés... Dire qu'on a amené tout ça d'Afrique, chargés de chaînes! Maintenant, il n'y a même pas de travail pour tous... Je me souviens du temps où on gagnait sa vie à chercher de l'écorce de quinquina dans la moyenne forêt... Quant aux Indiens, c'était des *arrieros,* comme nous disions... Ils servaient de porteurs... Pour traverser le pays, on se faisait porter d'un village à l'autre et on changeait de porteurs comme les diligences changeaient de chevaux...

Des Indiens, il n'y en avait presque plus. Pas même dix pour cent dans le placer. Les autres étaient noirs, ou mélangés.

Mittel leva la tête et regarda la grisaille de la montagne, qui avait l'air d'un nuage. Plus loin, d'autres montagnes encore, et des vallées, des fleuves... Un continent immense, avec seulement, par-ci par-là, séparés par des barrières, de petites poignées d'humains, des blancs venus d'Europe, des nègres amenés d'Afrique...

Et c'était là, dans un de ces terriers minuscules que

lui, qui était encore à Paris si peu de temps auparavant, allait avoir un fils !

On croit que le nouveau ministère sera constitué ce soir..., lui écrivait sa mère.

Ce soir, c'est-à-dire quatre semaines auparavant ! Jusqu'au temps qui n'avait plus la même valeur !

Moïse apportait toujours son hamac, qu'il accrochait dans un coin du bungalow. Celui-ci ne comportait qu'une pièce et un réduit pour les vivres.

On fit la chasse aux rats, comme d'habitude. On en tua seulement trois. Charlotte s'était déjà couchée. On entendait Moïse qui se hissait en soufflant dans son hamac, cherchait longtemps la bonne position.

— Bonne nuit, les enfants !

Comme lumière, rien, que le petit cercle blême du *foco* que Mittel éteignit au moment de se coucher.

Au lieu de s'étendre aussi loin que possible de sa compagne, à cause de la chaleur, il chercha son corps et, doucement, sans bruit, sans heurt, il glissa son bras sous la tête.

Charlotte ne bougeait pas. Il sentait ses cheveux contre sa joue, sa nuque déjà moite, ses bras repliés sur la poitrine.

La pluie avait cessé, comme cela arrivait souvent à cette heure. On entendait seulement l'eau qui dégoulinait encore le long des pentes et de temps en temps un heurt du côté de la rivière, un arbre qui, entraîné au fil du courant, rencontrait un obstacle.

Puis des pas furtifs... Encore une habitude qu'il avait fallu prendre ! Les nègres ne pouvaient se décider à dormir comme tout le monde. Tels des chats ou des fauves, ils se relevaient la nuit et rôdaient Dieu sait où. Certains pêchaient. Mais les autres ?

— Il ne faut pas y faire attention, avait affirmé Moïse lors de son premier passage. Ils sont tous comme ça ! En Afrique, c'est la même chose…

Il avait ajouté en riant :

— La plupart du temps, ils font le matou…

Le bruit était léger, à peine perceptible et d'autant plus crispant, car on essayait de savoir si les pas s'éloignaient ou se rapprochaient.

Un rat qui s'avançait vers le milieu de la pièce… Il grattait…

Charlotte ne bougeait pas et, insensiblement, Mittel la serrait davantage contre lui, collait sa joue à sa joue.

Il ne trouvait rien à lui dire. Il la plaignait. Il pensait qu'elle pouvait mourir.

Et si ça arrivait, qu'est-ce qu'elle aurait eu dans la vie ?

Doucement il leva une main et, ce qui ne lui était jamais arrivé, il lui caressa les paupières. Il n'avait pas fermé les yeux. Il ne voyait rien, mais il gardait les prunelles braquées sur l'obscurité.

Il avait chaud et n'en souffrait pas. Il restait là, à penser…

— Tu m'étouffes !… soupira-t-elle en se dégageant.

À quoi pensait-elle, de son côté ? En tout cas, après s'être reculée, elle chercha la main de Mittel, lui serra furtivement le bout des doigts.

Ce fut si court et elle reprit si naturellement sa position normale qu'il se demanda si elle avait fait ça par bonté d'âme, pour ne pas l'attrister, pour faire oublier son recul ou bien si, comme lui, elle se sentait différente des autres jours.

Puis il pensa à Mopps…

Un quart d'heure après, crispé, il tendit la main vers le *foco*, se leva et, à coups de botte, poursuivit le rat à travers le bungalow.

2

Deux mois encore, Plumier resta fidèle au serment qu'il avait fait de ne pas adresser la parole à Mittel. Pourtant, presque chaque jour, il devait pénétrer dans le bungalow du couple pour y prendre sa part de provisions. Il entrait sans frapper, une casserole d'émail à la main, entrait dans le réduit aux vivres, sans se presser, se chargeait de ce dont il avait besoin. Souvent, au lieu de repartir aussitôt, il restait là, comme s'il eût été chez lui, se penchant même sur des papiers empilés sur la table, soulevant le couvercle d'une marmite, examinant Charlotte de la tête aux pieds.

Depuis qu'elle était enceinte, surtout, cela semblait l'amuser d'observer la taille de la jeune femme.

Par Moïse, Mittel eut quelques renseignements sur son inquiétant compagnon. Il était originaire d'un petit village des environs de Liège. Ses parents étaient fermiers, là-bas, et il avait été envoyé au collège, chez les Jésuites.

Quand il avait terminé ses études, à vingt-cinq ans, il avait voulu partir au Congo, mais aucune place n'était libre à ce moment et, pendant trois ans, il avait travaillé aux usines de Cockerill. C'est là qu'un jour il avait lu une annonce dans un journal technique : *On demande très bon géologue pour mines d'or. Situation premier ordre. Caution nécessaire.*

Ses parents avaient versé cent mille francs pour lui, qui étaient théoriquement placés dans l'affaire.

Pour le décider à parler, il fallut des événements graves. Un mois après sa visite, Moïse avait dû aller au mariage de son fils à Guayaquil, car on ne le vit pas au placer. Quinze jours s'écoulèrent encore et soudain Charlotte donna des signes de lassitude.

On vivait pourtant une des rares périodes de l'année où il y eût parfois plusieurs jours sans pluie. Le ciel était plus clair. Le soleil découpait les palétuviers en ombres chinoises.

Deux, trois jours durant, Charlotte se traîna dans le bungalow et le quatrième jour, quand elle resta au lit, elle avait près de quarante de fièvre. Du matin au soir, Mittel ne la quitta pas et il s'effraya encore davantage quand, dans l'après-midi, elle commença à délirer.

Plumier entra sans frapper, comme d'habitude, alla remplir sa casserole de riz, s'approcha du lit et ouvrit la bouche de la jeune femme.

Mittel n'osa pas protester. L'autre avait des gestes flegmatiques, un visage indifférent. Ayant posé par terre sa casserole, il releva la couverture, écarta sans se gêner la chemise de Charlotte, montra, sur le ventre de celle-ci, de petites taches rouges qui disparaissaient un moment quand on y appuyait le doigt.

Mittel ne comprenait pas encore.

— Qu'est-ce que c'est ? questionna-t-il.

— Typhoïde !

Et il sortit après avoir repris sa casserole, laissant le ventre de Charlotte découvert. Deux minutes plus tard,

Mittel, qui était resté sidéré par cette révélation, se leva soudain, courut chez le Belge qui était occupé à préparer sa popote.

— Je crois qu'il faut que nous partions... haleta-t-il. Nous irons à Buenaventura, où nous trouverons un médecin. Dites-moi au moins comment je dois faire...

— Faire quoi ?

— Pour aller là-bas !...

— On ne va pas *là-bas*, comme vous dites, articula sentencieusement Plumier.

Le soleil se couchait et ses rayons obliques, d'un rouge violacé, pénétraient dans le bureau. Le Belge avait allumé un réchaud à pétrole et surveillait la cuisson de son riz.

— Avec les pirogues ?... murmura Mittel qui s'impatientait.

— Il y a deux pirogues, c'est vrai, mais pas d'hommes pour vous conduire à Buenaventura.

— Je ne comprends pas... Nos travailleurs...

— Ce sont de pauvres types qui n'ont jamais fait la route et qui seraient incapables de s'y retrouver dans les *esteros*...

Mittel écarquillait les yeux, se souvenait d'un de ses premiers étonnements. Il s'était demandé, en effet, pourquoi les Indiens qui l'avaient amené étaient retournés à la ville au lieu de rester avec lui.

— Vous saisissez, maintenant ? disait Plumier avec une sourde satisfaction. Ni vous, ni moi, ne sortirons d'ici, voilà ce que cela signifie ! Regardez bien le paysage et pensez que vous n'en verrez plus d'autre de votre vie !

— Ce n'est pas possible…

— Et pourquoi donc ? S'il existait seulement une chance sur dix de s'en aller, est-ce que je serais ici ?

Il ricanait, éteignait son réchaud et s'installait pour manger sur un coin de table.

— Je vous dis que nous sommes prisonniers tous les trois, même si vous faites partie de leur bande…

Mittel ne savait plus que penser. Parfois, il lui semblait que Plumier parlait comme un homme qui a toute sa raison, mais à d'autres moments il s'effrayait des expressions de physionomie de son compagnon.

— Qu'est-ce qui m'empêche de choisir six indigènes et de partir ?

— Ils ne vous accompagneront pas !

— C'est ce qu'on va voir.

Le travail de la journée était fini. Les hommes étaient dans le village, assis au pied des huttes, et Mittel avisa ceux qu'il connaissait le mieux. Quand il leur parla de gagner Buenaventura avec les pirogues, ils secouèrent la tête.

— Mais pourquoi ?

— Señor Moïse avoir défendu…

Il se fâcha, voulut exiger, mais les nègres continuaient à secouer la tête sans se troubler. Quand Mittel rentra dans le bungalow de Plumier, il avait les prunelles dures, le regard ardent.

— C'est vrai ! cria-t-il.

— Parbleu !

— Ils ne veulent pas m'accompagner. En réalité, ils n'obéissent qu'à Moïse !

— Qu'est-ce que je vous disais ?

— Mais pourquoi nous tiendrait-on prisonniers ici ?

— Je vous l'ai déjà expliqué… Il ne faut pas qu'on

sache que nous n'extrayons que pour quelques milliers de pesos d'or par mois... Ils ont lancé la mine à grand fracas... Ils ont ramassé et ils ramassent encore les millions des imbéciles... Voilà pourquoi mes lettres n'arrivent pas quand j'y parle de la mine, même les lettres à ma mère... Les vôtres sont ouvertes aussi et censurées !... Ha ! Ha ! On vous a raconté que je suis fou, n'est-il pas vrai ? Je sais bien qui, maintenant, va le devenir...

— Vous êtes sûr que c'est la typhoïde ? questionna Mittel après un silence.

— Prenez le livre de médecine qui est au-dessus de mon lit. Surtout, rapportez-le-moi !

Charlotte était calme. De temps en temps, seulement, elle avait un geste dans le vide, comme pour saisir un objet inexistant. D'autres fois, elle portait la main à son flanc gauche et gémissait.

La nuit commençait. Mittel avait déjà relu dix fois le texte consacré à la fièvre typhoïde et, les prunelles écarquillées, il revenait sans cesse aux dernières lignes.

Chez la femme enceinte, la typhoïde détermine l'avortement ou l'accouchement prématuré. La mortalité de la mère est de 10 % environ ; quant au fœtus, il est expulsé mort dans la plupart des cas. Ce n'est guère qu'à partir du huitième mois que l'enfant peut naître et survivre.

Charlotte avait soif. Il lui donnait sans cesse à boire, en se demandant s'il devait le faire. Le livre de Plumier, en effet, donnait la description des maladies, mais restait muet sur leur traitement.

*Après trois semaines environ, la température dimi-
nue...* lisait-il.

Mais que fallait-il faire pendant ces trois semaines ?
Devait-il continuer la quinine à la malade ?

Et les rats arrivaient, malgré le *foco* ! Rien ne les
effrayait ! Mittel n'avait pas pensé à manger...

Le mieux n'était-il pas de faire transpirer la malade ?
Il la couvrit jusqu'au cou et pendant une heure elle
garda la peau sèche, le visage congestionné. Elle étouffait, essayait de repousser les couvertures.

Alors, Mittel entendit un pas presque aussi furtif que
celui des indigènes. La porte s'ouvrit. C'était Plumier,
qui prenait un air indifférent en s'approchant du lit,
tâtait le pouls de Charlotte, lui ouvrait à nouveau la
bouche pour regarder sa langue.

— Vous voulez qu'on essaie quelque chose ?

— Quoi ?

— Vous la porterez avec moi. Nous la tremperons
dans la rivière, puis nous l'envelopperons de couvertures brûlantes. Si elle sue, elle aura au moins une
chance...

— Vous croyez ?

— Quand ma sœur a eu la même chose, pendant la
guerre, mes parents ont fait venir le plus grand médecin
de Bruxelles et c'est ainsi qu'il l'a sauvée... Reste à
savoir s'il est souhaitable que votre femme vive...

— Que voulez-vous dire ?

— Rien ! Au point où nous en sommes...

Mittel hésita. Ce fut Plumier qui découvrit la malade,
la souleva par les épaules.

— Prenez-lui les pieds... N'amenez pas le *foco*, car
nous serions assaillis par les moustiques...

On apercevait entre les troncs d'arbres le feu du

village indigène et quelques formes accroupies. Les deux hommes butaient, puis enfonçaient dans le sable de la berge.

— Il faut l'y tremper d'un seul coup, pour la saisir.

Il n'y avait pas de lune. C'est à peine s'ils devinaient, à peine laiteux, le corps qu'ils transportaient.

— Un, deux !... Allez-y !...

Et Plumier maintenait dans l'eau la malade qui se débattait soudain, commandait :

— Préparez les couvertures !

Quand Charlotte apparut dans la lumière du *foco*, Mittel dut détourner la tête. Des gouttes d'eau roulaient encore sur son visage. Les lèvres bavaient et les cheveux s'étaient collés au crâne, qui paraissait très petit.

— Bonne nuit ! prononça Plumier.

— Qu'est-ce que je dois faire ?

— Attendre !... Jusqu'à ce que nous soyons tous morts...

Et il sortit en ricanant.

Chez la femme enceinte... disait le livre de médecine.

Mittel s'assit sur un tabouret. Une heure plus tard, alors qu'il commençait à s'assoupir, il eut l'impression que de la sueur perlait au front de Charlotte.

Il ne pouvait plus se tenir éveillé. Il se coucha d'abord par terre, éteignit le *foco* et enfin, dans l'obscurité, il se releva, s'étendit sur le lit, près du corps brûlant de sa femme.

Après trois jours, il avait lu tout le livre et, entre autres, avec plus de soin, les chapitres sur les accouchements. Il ne quittait pour ainsi dire pas le bungalow.

D'abord, il se demanda pourquoi Plumier restait quarante-huit heures sans venir, puis un matin il le vit entrer, sarcastique :

— Pas encore morte ?

Était-il fou ? Ne l'était-il que par intermittence, avec des éclairs de raison, comme quand il avait conseillé de plonger Charlotte dans la rivière ?

Elle avait sué, en tout cas. La température était tombée en dessous de trente-neuf. Mais le délire persistait, et surtout les douleurs au flanc.

Mittel avait lu aussi les pages consacrées à l'appendicite. Il ne savait plus. Il ne s'y retrouvait pas dans toutes les maladies possibles.

— Il y a deux enfants morts ce matin au village ! annonça le Belge d'un accent joyeux.

— Morts de quoi ?

— Typhoïde, naturellement ! Ce serait la meilleure solution. Une bonne épidémie qui nous supprimerait tous… Une grande crue, après ça, qui emporterait les corps et les baraques, puis la nature reprendrait ses droits, et il ne resterait même pas trace de notre vermine…

Puis, après un moment de réflexion :

— Quand je pense que vous êtes venu ici pour m'espionner et que c'est moi qui…

Heureusement que cela ne durait pas. Plumier repartait, son vieux casque kaki sur la tête. Le cercle se refermait. Le monde s'éloignait. Il n'y avait plus de Choco, plus de palétuviers, plus de rivière et de placer.

Il ne restait qu'un homme et une femme. Mittel soignait Charlotte, lui donnait à boire, nettoyait tant bien que mal le bungalow et revenait s'asseoir auprès du lit.

Il faisait chaud. Il restait toute la journée en pyjama,

pieds nus. Comme il ne se rasait pas, sa barbe avait poussé.

Il pensait doucement… Il était trop harassé pour avoir encore des frayeurs et des révoltes… Ses pensées étaient de la couleur indécise du plancher, de la couleur des couvertures, de cette boîte dans laquelle ils étaient enfermés.

Si Charlotte mourait…

Il se demandait de quelles joies elle pourrait se souvenir au moment de quitter la vie. Oui ! Quel était le bilan de ses vingt-deux ans ?

À Dieppe, elle avait poussé, le nez sale, le derrière nu, au milieu de la marmaille, dans la ruelle en pente… Elle avait quitté l'école communale avant de passer son certificat d'études, et, sur les quais, elle avait aidé sa mère à charrier le hareng, quand elle ne restait pas à la maison pour garder ses petites sœurs.

Paris… L'appartement du boulevard Beaumarchais, la cuisine où M. Martin venait la rejoindre…

C'était tout, déjà ! À peine s'était-elle grisée du rôle qu'elle croyait jouer parmi le petit groupe de libertaires…

Le camion de Paris à Dieppe… Mopps qui…

Est-ce que cela valait la peine ? Et s'il venait à mourir aussi, lui ?

C'était pitoyable ! Il évoquait des gens comme Mrs White, par exemple… Des carrières longues et heureuses comme celles de certains artistes célèbres, de certains hommes d'État qui meurent à quatre-vingts ans après avoir connu tout ce qu'on peut connaître de l'existence…

Puis il imaginait l'enfant qui naîtrait peut-être. Non ! Ce serait un miracle, le livre de médecine le disait !…

174

Charlotte elle-même avait dix chances sur cent de ne pas survivre…

Et Plumier, qui n'avait pas trente ans !

Deux fois, il relut la lettre de sa mère et, à certain moment, sans savoir pourquoi, il la déchira.

Le dixième jour, amaigri dans son pyjama froissé, il balayait le plancher quand une voix prononça derrière lui :

— Qu'est-ce que tu fais ?

Il fut une seconde sans y croire puis il se retourna, les yeux écarquillés, se précipita vers Charlotte qui le regardait avec ses vrais yeux. Elle ne délirait pas. Elle essayait de comprendre et il se sentait si fou qu'elle dut gémir :

— Tu me fais mal…

— Écoute, Charlotte !… Tu es sauvée !…

Elle le regardait toujours, étonnée.

— Tu n'as pas eu la typhoïde, j'en suis sûr, maintenant ! Sinon, tu aurais encore quarante de fièvre… Veux-tu que je te dise ? Tu as fait de la colibacillose…

Il triomphait. Il riait. Il avait envie d'aller chercher son livre de médecine pour montrer du doigt la différence entre les deux maladies.

— Tu ne comprends pas encore… Je vais t'expliquer… Si tu avais eu la typhoïde, l'enfant serait mort. Tandis que maintenant…

Des larmes tremblaient à ses cils. Il embrassait les joues de Charlotte qui étaient encore chaudes. Et la jeune femme soupirait de lassitude.

— Recule un peu… Donne-moi de l'air…

— Tout ce que tu voudras !… Je te raconterai tout en détail.

— … Soif…

— Tiens ! Bois… C'est Plumier qui va être ahuri…

Car c'était son œuvre à lui ! Il se demandait, maintenant que l'espoir renaissait, comment il avait tenu bon, dix jours durant, dans cette atmosphère. Il avait envie d'ouvrir portes et fenêtres, de parler aux gens, à n'importe qui, de voir des hommes s'agiter et rire.

— Toi, il te restait neuf chances sur dix de t'en tirer, mais le petit n'en avait aucune…

Elle ne comprenait pas encore, fronçait les sourcils, puis fermait les yeux. Quelques instants plus tard, elle était assoupie. Mais qu'importait, maintenant ? C'est lui qui avait eu raison ! Il n'était pas possible que la vie de Charlotte se terminât ainsi avec un si pauvre bagage !

La sienne non plus ! Ils vivraient tous les deux, tous les trois…

Ce fut si fort qu'il éprouva le besoin de courir chez Plumier. Celui-ci faisait la sieste. Mittel le réveilla.

— Ce n'est pas ça ! cria-t-il.

— Ce n'est pas quoi ?

— La typhoïde ! Elle vient d'ouvrir les yeux, de me parler posément, avec toute sa conscience. D'après le livre, cela doit être de la colibacillose… Je connais ces choses-là par cœur… Encore huit jours à peu près…

Plumier se retourna sur l'autre flanc, poussa un grognement.

— C'est tout l'effet que ça vous fait ?

— Quel effet voulez-vous que ça me fasse ?

— J'avais cru que…

— Rien du tout ! Je déteste les espions.

— Mais je vous ai déjà dit que je…

— Laissez-moi dormir. Je ne peux pas vous mettre à la porte, puisque vous êtes dans le bureau de la Compagnie, mais respectez au moins mon sommeil.

Il devait y avoir une part de cabotinage dans son cas. À certains moments, on sentait nettement sa volonté d'être odieux.

— Surtout, rapportez-moi mon livre de médecine, lança-t-il comme Mittel s'en allait. Puisque ce n'est pas pour cette fois…

Le lendemain, Charlotte avait sa lucidité. Mais elle était si affaiblie qu'elle ne pouvait tenir elle-même un verre d'eau devant ses lèvres. Quand elle se découvrait, Mittel détournait la tête, car son corps amaigri à tel point était un effrayant spectacle.

Est-ce qu'elle allait pouvoir, malgré tout, mettre un enfant au monde ? Elle n'avait plus de chair ! Son corps était devenu un corps de gamine souffreteuse. Quand il la touchait, il la sentait molle…

— Demain, je m'occuperai un peu des écritures, ici, car Moïse ne va pas tarder à arriver… Je ne sais rien du placer. Tu comprends ? Je ne m'habillais même plus…

— Tu as laissé pousser ta barbe, remarqua-t-elle d'une voix de petite fille.

— Ah ! oui…

Il riait. Sa barbe et ses cheveux ! Il avait une tête à l'Alfred de Musset et il se regarda dans un morceau de miroir.

— Je te jure que j'ai eu le temps de penser à beaucoup de choses… Je ne peux pas te les dire toutes à la fois… Mais tiens ! Suppose que dans un pays où l'on parle français, un vrai pays, avec des villes, des rues, des tramways, des maisons en pierres ou en briques…

— Donne-moi à boire !

— Oui… suppose que dans un pays comme ça je trouve une place quelconque… Employé dans une banque, ou dans une maison de commerce… Je gagnerais juste de quoi vivre… On aurait un appartement de trois pièces… Tu viendrais me chercher au bureau avec le petit…

Elle ne devait pas comprendre, car elle ne manifestait aucun sentiment. Elle regardait le plafond, grimaçait parfois au passage d'une douleur.

— À Paris, nous aurions ri d'un pareil idéal… J'y ai pensé pendant dix jours… Je crois que je serais même capable, maintenant, de travailler dans une usine… Est-ce que je ne m'en tirais pas, à bord ?… Et pourtant, la chauffe est plus pénible que la plupart des autres métiers manuels…

— Je crois que j'ai faim, Jef.

— Le livre ne dit pas si tu peux manger… Écoute, je vais te donner un peu de lait condensé coupé d'eau…

Il le lui prépara. Il y avait encore du soleil, dont quelques rayons pénétraient obliquement par la fenêtre.

— Quand Moïse viendra, je lui poserai nettement la question.

— Quelle question ?

— Je lui demanderai si, oui ou non, nous sommes prisonniers… C'est vrai que tu n'es pas au courant… Quand tu es tombée malade, j'ai voulu te conduire à Buenaventura… Plumier m'a déclaré que c'était impossible.

— Il s'est décidé à parler ?

— Il est même venu m'aider à te soigner… C'est un

178

drôle de type… J'ai commandé aux nègres de nous accompagner et ils ont refusé… Ils ont des ordres de Moïse…

Il s'était promis de ne pas inquiéter Charlotte, mais, maintenant qu'il la considérait comme sauvée, il ne pouvait s'empêcher d'être repris par ses inquiétudes.

— Tu verras ! Je t'expliquerai tout en détail. La théorie de Plumier se tient. Il est évident que, si la Compagnie est dirigée par des escrocs, elle n'a pas envie de nous voir revenir en pays civilisé. Plumier prétend même que nos lettres sont censurées…

Il s'en voulut d'avoir tant parlé en la voyant s'assoupir à nouveau. Cette fois, elle eut des cauchemars, prononça des mots sans suite, poussa tout à coup un cri perçant.

Il dormit encore près d'elle, sans s'inquiéter de la contagion, et il omettait de prendre les précautions les plus élémentaires.

Le lendemain, les pluies recommençaient de plus belle, avec de l'orage par surcroît, et un arbre flamba à moins de cent mètres de la maison. Est-ce l'orage qui énerva Charlotte ? Comme il lui donnait à boire, elle lui saisit brusquement la main.

— Tu sais, Jef !… J'ai beaucoup pensé aussi… Je crois que l'enfant est à toi… J'en suis sûre !… Je le sens !…

— Mais oui.

— Tu en doutais, n'est-ce pas ? Et tu étais malheureux… Je t'aime bien, tu sais !… Un autre n'aurait pas fait pour moi tout ce que tu as fait…

— Chut ! Tu dis des bêtises…

Cela le troublait. Il avait presque peur des épanchements, car alors il se demandait quelle place exacte Charlotte tenait dans sa vie et il avait de la peine à répondre. Par exemple, il n'osait pas employer le mot amour. Il n'avait jamais aimé personne, dans l'acception qu'il donnait à ce terme.

S'il eût aimé, fût-il resté lucide et eût-il vu tous les défauts de sa compagne ?

Il l'avait abandonnée à Mopps et peut-être, si celui-ci l'eût voulu, eût-il laissé Charlotte à Panama pour suivre le cargo.

Souvent il l'avait méprisée. D'autres fois, il avait senti comme de la haine à son égard.

C'était fini, maintenant ! Il y avait autre chose entre eux, et surtout ces dix jours qu'ils venaient de passer dans une atmosphère de fièvre et de mort.

Il y avait surtout cette maternité prochaine, puis des choses inexprimables, leur solitude, l'hostilité des éléments et des hommes.

— J'ai rêvé de drôles de choses, Jef ! Je ne me souviens plus très bien, mais je sais que je pleurais sans pouvoir m'arrêter… Tu étais là…

Il tressaillit, courut à la fenêtre.

— Voilà Moïse, annonça-t-il.

Et il s'empressa de mettre de l'ordre dans la pièce.

— Donne-moi une serviette mouillée et un peigne…

Il dut la peigner, car elle en était incapable. Il l'arrangea tant bien que mal.

— Embrasse-moi ! dit-elle encore.

Moïse frappait ses chaussures contre les marches pour en faire tomber la boue.

— Ça ne va pas ? questionna-t-il en entrant.

— Ma femme a été très malade. Elle a fait de la colibacillose. Maintenant, elle va mieux…

180

— Moi, j'ai marié mon fils avec la plus belle fille de l'Amérique du Sud. Ils sont partis en Europe, où ils passeront six mois.

Mittel et Charlotte se regardèrent furtivement.

— Qu'est-ce que vous avez ? demanda Moïse à qui rien n'échappait. Vous ne m'avez même pas offert à boire…

Mittel prit dans le placard la bouteille de whisky qui ne servait qu'au vieux, lui en versa un plein verre, car il le buvait sans eau.

— Il faut que je vous demande quelque chose, monsieur Moïse. Pourquoi ne nous laisse-t-on pas ici d'Indiens capables de conduire les pirogues ?

— Tiens donc ! Tu ne comprends pas ?

— J'ai peur de comprendre.

— C'est pourtant bien simple… On ne récolte pas du cacao, ici, ni du café, ni même du caoutchouc, mais de l'or et, demain peut-être, du platine. Que quelqu'un se mette dans la tête de lever le pied avec la récolte…

— C'est pour ça ?

— Tout simplement !

— Et si on a besoin, coûte que coûte, d'aller à la ville pour trouver un docteur ?

— À quoi bon ? Si c'est si grave que tu le dis, on arrive quand même trop tard…

— Autre chose… La dernière fois, je vous ai parlé de l'accouchement… Vous avez fait ma commission à Dominico ?… Permet-il que nous allions passer deux mois à Buenaventura ?

— Nous avons le temps…

— Je demande une réponse maintenant.

— Sans doute… Je suppose…

— Mais ce n'est pas certain ?

Mittel, pour la première fois, avait une voix tranchante. Sa barbe, qu'il avait gardée, aidait encore à le changer et Charlotte le regardait avec étonnement.

— Il n'y a rien de certain dans la vie…

— Une dernière question. Est-il vrai qu'on ouvre nos lettres ?

— Quelles lettres ?

Mittel s'impatienta.

— Allons ! Ne faites pas l'idiot, monsieur Moïse. Vous savez très bien ce que je veux dire…

— Je constate, plus exactement, que vous vous laissez impressionner par les racontars d'un fou. J'espère, madame, que vous êtes plus raisonnable ? J'ai d'ailleurs une lettre pour vous et vous pourrez constater qu'elle n'a pas été ouverte.

Enveloppe et papier venaient de chez un petit épicier. L'écriture était maladroite, les fautes d'orthographe multiples.

Ma chère sœur,
Je t'écris pour te dire que je me porte bien et j'espère que la présente te trouvera de même…

C'était de Marie, une sœur de Charlotte, qui avait seize ans. Toutes les lettres de la famille commençaient par la même formule.

… Je viens seulement d'avoir ton adresse, mais papa ne veut pas qu'on t'écrive et il a même dit aux petites que tu étais morte…
Pendant quinze jours on a parlé de toi au marché aux poissons où je travaille avec maman. Il y a eu beaucoup de harengs. Mais les cours étaient trop bas

et le bateau de papa a désarmé trois semaines avant la fin de la saison.

Maman n'a presque pas pleuré, mais elle boit tout le temps. Avant-hier, papa l'a battue...

Charlotte laissa tomber la lettre sur le lit, écouta la conversation des deux hommes.

— C'est simple, pourtant. Avez-vous, oui ou non, signé un contrat de trois ans ?

— Peut-être. Je n'ai même pas fait attention, répliqua Mittel.

— Vous l'avez signé. Donc, vous devez l'exécuter. Ce n'est pas parce qu'il vous prend la fantaisie d'avoir un enfant que la Compagnie va bousculer son organisation...

Il se versa à nouveau à boire.

— Allons ! Ne nous disputons pas ! Je comprends que vous soyez nerveux. Je vous ai apporté une pleine caisse d'oranges, qui vont faire tout le bien du monde à notre malade...

Mittel ne répondit pas. Il restait méfiant. Il était fatigué lui aussi, et, pour la première fois, Charlotte lui vit avaler une gorgée d'alcool qui, d'ailleurs, le fit tousser.

— Allons voir les chantiers.

— Si vous voulez.

Elle resta seule avec la lettre de sa sœur qu'elle relut lentement.

Lucie est placée dans un café du quai, mais elle achète des robes et des bas de soie avec tout ce qu'elle gagne. Il n'y en a que pour elle. Papa lui laisse faire ce qu'elle veut.

J'avais un amoureux, qui est pendant l'été au casino.
Nous nous sommes fâchés au cinéma et...

Charlotte leva la tête, aperçut devant elle le visage de Plumier collé à la vitre.

3

— Dis-moi, Jef, trouves-tu que je suis un monstre d'égoïsme?

— Pourquoi demandes-tu ça?

— Je ne sais pas… Je pensais à Mopps… C'est lui qui prétendait que j'étais un monstre…

Elle passait ses journées dans un fauteuil-hamac, car elle n'avait pas encore la force de se lever. Sa voix était fluette et comme chancelante.

— Crois-tu, par exemple, que j'aurais été capable de te soigner comme tu m'as soignée?

— Je suppose que oui, répondit-il sans conviction.

Il pensait à autre chose. Depuis que Charlotte était convalescente, il lui arrivait souvent de parler ainsi d'elle ou de lui. Il est vrai qu'elle vivait des heures et des heures seule avec ses pensées.

— Eh bien! moi, j'en suis à peu près sûre. Je sais bien qu'on ne me croira jamais, et pourtant si, à Paris, j'ai fait ce que j'ai fait, c'était pour les camarades, pour qu'ils puissent publier leur journal…

Il achevait de s'habiller et ne l'écoutait pas. Quinze jours durant, alors que le bungalow restait clos sur eux deux, il aurait été capable, lui aussi, de s'interroger sur lui-même et sur elle. À présent que le danger était écarté, il s'évadait, marquait quelque impatience quand Charlotte essayait de recréer cette intimité.

— Est-ce que, si nous étions restés en France, tu m'aurais épousée ?

— Pourquoi pas ?

— Pourtant, tu ne m'aimais pas d'amour. Moi non plus. Je te considérais comme un ami. Maintenant encore, je me demande…

— Excuse-moi, il faut que j'aille au chantier…

Et il l'embrassa au front, posa un pot de limonade à portée de sa main, décrocha son casque d'un geste machinal. Son esprit, à lui aussi, tournait et retournait sans cesse autour d'un petit groupe de pensées, mais ce n'étaient pas les mêmes.

— J'en parlerai à Dominico, avait vaguement promis Moïse en partant.

De Charlotte, de l'accouchement, de la nécessité d'aller à Buenaventura ! Mais il disait cela mollement, avec l'air de ne pas y croire.

Des jours avaient passé et parfois Mittel se demandait s'il ne se laissait pas gagner par la maladie de Plumier. Car c'était une vraie maladie, il le comprenait enfin.

À l'instant même, par exemple, il sortait du bungalow ; il ne pleuvait pas, mais il avait plu toute la nuit ; la rivière était glauque, couleur de mercure ; les palétuviers s'égouttaient.

Eh bien ! de regarder l'eau, le ciel, la silhouette des arbres, Mittel était pris d'un malaise, d'une angoisse plutôt, comme on en ressent dans certains cauchemars, quand on veut courir et qu'on reste les pieds rivés au sol.

Il aurait voulu courir ! Il aurait voulu s'enfuir, voir

autre chose, n'importe quoi ! Sur le bungalow de Plumier tranchait le panneau blanc et noir avec le nom de la Compagnie. Dix fois par jour, il le regardait hargneusement et se demandait parfois s'il n'allait pas l'arracher.

La montagne, au fond de l'horizon, qui n'était pourtant qu'une grisaille dans la grisaille des nuages, lui donnait une sensation d'écrasement.

Il voulait partir ! C'était une idée fixe. Quand il arrivait sur le chantier, il regardait avec haine le visage des nègres, toujours les mêmes ! L'un d'eux avait l'habitude de saluer en ouvrant la bouche toute grande dans un sourire idiot et si Mittel avait eu une cravache en main il eût peut-être été capable de le frapper, d'énervement.

Quand on découvrira ces documents, je serai mort et on m'aura dépouillé. Peut-être mes ennemis, qui ne cessent de me guetter dans l'ombre, se croiront-ils sauvés parce qu'ils auront mis la main sur ce cahier. Qu'ils se détrompent. Je suis lucide et j'ai pris toutes mes précautions pour que les chacals soient punis un jour. Des copies de cet acte d'accusation se trouvent en lieu sûr...

Ainsi commençait le fameux journal que tenait Plumier et qu'il laissait traîner avec affectation sur le bureau. Chaque matin, ou presque, Mittel y trouvait des pages nouvelles et, à mesure qu'on les tournait, l'écriture devenait plus irrégulière et plus grande.

Plumier se relevait en pleine nuit pour écrire. Il y avait des lignes à l'encre rouge, d'autres à l'encre verte, d'autres encore au crayon.

Je me réjouis de voir s'il osera m'assassiner...

C'était de Mittel qu'il était question.

Il faudra bien qu'il finisse par là, car la Compagnie s'impatiente. Pour elle, je suis un danger permanent...

C'était étouffant. Mittel essayait de ne pas y penser et la vue d'un arbre, d'un travailleur métis, la silhouette des bungalows, tout le ramenait à cette hantise.

Plumier avait recommencé sa gageure de silence. Il venait sur les chantiers, mais ne s'occupait pas des hommes, ni même du travail. Il était là en amateur, en curieux, et de temps en temps il ricanait, ou bien faisait glisser entre ses doigts de la poudre d'or, en esquissant une moue méprisante.

Il lui arrivait aussi de se camper devant Mittel et de le regarder avec attention, comme un médecin, en hochant la tête. Il semblait penser :

— Il a une sale tête aujourd'hui. Il ne tiendra plus le coup longtemps.

Maintenant, il fallait à Mittel un effort considérable pour se mettre aux écritures, qui pourtant étaient fort simples. À quoi bon ? Il n'y croyait plus. Cela lui paraissait inutile, saugrenu. Pouvait-on penser que tout cela était réel, qu'il y avait vraiment quelque utilité à ce labeur d'une poignée de nègres et d'Indiens, dans la forêt, avec l'eau au-dessus de la tête et l'eau sous les pieds ? Et quel intérêt à ce que l'or s'acheminât d'abord jusqu'aux bureaux de Dominico, à Buenaventura, puis s'en allât en Angleterre où des milliers d'employés s'affairaient dans une grande banque en pierre de taille ?

— Nous ne partirons jamais d'ici, ni les uns, ni les autres !

Plumier en était si sûr qu'il ne faisait rien pour fuir. Il était résigné. Ou plutôt, il devait caresser des projets diaboliques, car les derniers jours il écrivait :

Les chacals en auront pour leur argent... Je leur promets une fin digne d'eux et de leur ignominie...

Que voulait-il dire ? Il était de plus en plus nerveux et surtout de plus en plus jaune. Parfois, tandis qu'il rôdait autour des chantiers, il était obligé de s'appuyer à un arbre, voire de s'asseoir par terre.

— Je deviendrai comme lui, pensait Mittel en le regardant.

Alors, il avait envie de crier, de se débattre, comme si le paysage eût été un monstre vivant qui le serrait à l'étouffer.

— Je ne veux pas ! Je reverrai l'Europe ! Je suis trop jeune !

Il avait pitié de lui-même.

— Est-ce que, à bord du cargo, je n'ai pas étonné Mopps par mon énergie ? Je n'avais jamais travaillé de mes mains et pourtant j'ai tenu bon dans la chauffe !

Il en était fier. Cette pensée le rassurait un peu.

— Je suis petit, je suis maigre, je n'ai pas de muscles et cependant je suis encore debout, après avoir passé quinze jours et quinze nuits à soigner Charlotte ! Je n'ai pris aucune précaution et néanmoins je n'ai pas attrapé son mal !

Tous ces efforts ne méritaient-ils pas une récompense ? Comme il avait fait le bilan de la vie de Charlotte, il établissait le bilan de la sienne. À treize ans, déjà, il s'attendrissait sur son propre compte en lisant des poésies où l'on parlait de la mort.

Qu'est-ce que le sort lui avait réservé ? Rien du tout ! Il voyait l'humanité divisée en catégories : les paysans, les ouvriers, les petits bourgeois, les riches, les marins, n'importe quoi... Mais des catégories ! Des gens qui avaient un monde à eux, une existence régulière, des règles, des habitudes…

Lui était tombé de travers, en dehors des casiers. Il n'était même pas anarchiste, comme son père. D'ailleurs, c'était fini, c'était une mode d'avant guerre, et, s'il ne le disait pas à ses compagnons, s'il feignait de partager leurs idées, c'est parce que là, au moins, dans la boutique de Bauer et dans les meetings, il avait l'illusion d'être quelque chose.

Le fils de Mittelhauser ! On applaudissait. Les jeunes le regardaient avec respect, les vieux avec tendresse.

Mais ce n'était pas un monde, ça ! Quel autre cadeau avait-il reçu ? À quel moment le hasard était-il intervenu en sa faveur, ou lui avait-il donné quelque chose gratuitement ? Une fois, une seule ! Il avait eu une femme, sans le vouloir, un dimanche de soleil…

Alors, à l'idée qu'il pourrait mourir là, comme Plumier le prétendait, il serrait les poings de rage, se mettait sur la défensive, comme si quelqu'un l'eût attaqué, et lançait autour de lui des regards hargneux.

Pendant ce temps-là, Charlotte s'amusait à lui demander s'il la trouvait égoïste ! Qu'est-ce que ça pouvait lui faire ? Qu'elle guérisse, qu'elle redevienne résistante et il ne s'occuperait plus que d'échapper à cette forêt ! Il conduirait la pirogue, s'il le fallait…

Parfois, quand il était tout seul, quand il avait trop pensé, qu'il était en sueur, que sa tête bourdonnait, il lui arrivait même de se dire que, si c'était tout à fait nécessaire, il partirait seul…

Oui ! Tellement la panique était lancinante. Surtout à la vue de Plumier ! Surtout à la lecture de quelques lignes de son journal…

Encore la ronde des rats qui semblent danser une

190

danse macabre en se réjouissant par avance de ma mort... Est-ce qu'ils oseront me manger?... Naturellement, Moïse ne m'a même pas apporté les seaux hygiéniques que je lui ai demandés... J'ai eu l'idée d'en voler un aux Mittel... Elle n'est pas morte, la petite! J'en suis presque content... C'est une distraction de suivre leur agonie...

Car ils ne s'en doutent pas mais ils sont déjà en agonie, une agonie qui durera des semaines, peut-être des mois... On pourra peut-être s'arranger pour crever ensemble, par exemple la veille de la tournée de Moïse... J'imagine la gueule du vieux en trouvant les trois cadavres...

Non! Il fallait coûte que coûte penser à autre chose! Sinon il en serait de lui comme du Belge. Pourquoi la Compagnie les laisserait-elle mourir? D'ailleurs, on le verrait bien au prochain passage de Moïse. Mittel avait posé nettement la question. Donc, on aurait la réponse de Dominico.

Au surplus, c'était sa faute à lui. Le Colombien lui avait proposé de rester à Buenaventura pour tenir les écritures.

Dire qu'à ce moment il n'avait pas accepté parce qu'il trouvait la ville lugubre! Il s'imaginait que rien ne pouvait être plus décourageant que cette grande construction de béton, la gare inachevée, la rivière sous la pluie, les quelques maisons de bois à l'écart!

Il avait été tout heureux de porter des bottes, des culottes kaki, un casque...

Eh bien! c'était simple: il irait à Buenaventura pour l'accouchement; une fois là, il communiquerait à Dominico sa volonté de rester à la ville. Puisque son contrat était de trois ans — dans la fièvre, il ne l'avait même pas lu avant de le signer — il ferait ses trois ans jusqu'au bout et mettrait de l'argent de côté.

Qu'est-ce qui l'empêcherait alors de gagner un autre pays, un pays civilisé comme le Canada, ou l'Australie ?

Il lui arrivait aussi de penser qu'il avait le droit, lui, de retourner en France… Il repoussait cette idée, à cause de Charlotte, à cause du gosse…

Mais, un jour qu'il aurait de l'argent, il pourrait par exemple aller embrasser sa mère, rester quelques semaines là-bas…

C'était fou ! Se dire qu'à la même heure des gens vivaient à Paris, traversaient la ville sur la plate-forme d'un autobus, entraient dans des bars, buvaient de la bière ou des apéritifs, lisaient tranquillement les journaux !

Même les plus pauvres qui avaient droit aux rues propres, aux étalages, à ces bouffées de musique… Et les cinémas se remplissaient, se vidaient pour se remplir encore ! Le long de la Seine, des hommes pêchaient à la ligne, passaient des heures calmes avec pour tout objectif la joie de tirer de l'eau de petits poissons qu'ils ne mangeraient pas.

Cela paraissait impossible ! On faisait un geste du bras, comme ça, et un taxi s'arrêtait, prêt à vous conduire n'importe où !

Et les chauffeurs se réunissaient pour déjeuner dans des bistrots qui sentaient le ragoût, servis par des filles dont l'accent trahissait la province !

Il y avait des moments où il hésitait à rentrer au bungalow, parce que là, c'était pire encore. C'était une boîte hermétiquement close. Charlotte parlait d'une voix mourante. Quelquefois il se demandait si elle ne le faisait pas exprès, pour se rendre intéressante, puis d'autres fois il s'en voulait, se replongeait dans l'attendrissement.

— Nous sommes de pauvres petits, deux pauvres petits…

Elle aussi, en définitive ! Si elle n'avait pas tué par dévouement pour le parti, elle l'avait fait par gloriole, parce qu'elle voulait être autre chose qu'une boniche.

Ce qu'il ne faudrait pas, désormais, c'était une nouvelle maladie. Il en avait si peur qu'il mangeait deux fois plus que son appétit, pour se donner des forces.

C'était une préoccupation de plus. Les vivres que Moïse apportait n'étaient pas très abondants. Tous les matins, Plumier venait faire un tour jusqu'au placard et maintenant Mittel l'épiait à la sortie, calculait les quantités de riz et surtout le nombre de boîtes de viande. C'était devenu sa principale gourmandise. À chaque repas, il ouvrait une boîte et la vidait entièrement, sans biscuit, tandis que Charlotte devait continuer son régime de lait coupé d'eau.

Qu'arriverait-il si, pour une raison ou pour une autre, Moïse ne venait pas ? Il lui en parlerait, la prochaine fois. Il exigerait des provisions plus abondantes, permettant de tenir pendant trois mois au moins.

C'était fatigant de penser tout le temps. Cela devenait comme un grignotement sous le crâne et la nuit il pensait tout en dormant, se tournait et se retournait, mal à l'aise, avec de brusques réveils effrayés.

Le gosse commence à perdre la boule…

Mittel trouva un matin cette phrase, à l'encre rouge, dans le cahier de Plumier, et l'effet fut tel qu'il courut se regarder dans la glace. Pourquoi l'autre avait-il écrit ça ? Il était maigre, évidemment. Sa barbe le faisait paraître plus maigre encore. Mais son regard restait un regard d'homme sensé.

— Tu trouves que j'ai quelque chose de changé? alla-t-il demander à Charlotte qui, pour la première fois, s'était transportée d'une chaise à l'autre.

— Non. Pourquoi demandes-tu ça?

— Pour rien.

— Au contraire! Moi, je t'aime mieux avec ta barbe. Tu te souviens? À Paris déjà je t'avais demandé de la laisser pousser…

Oui! Un jour d'été qu'ils se promenaient aux Tuileries et qu'ils atteignaient la place de la Concorde. Il s'en souvenait, parbleu! Il y avait même une exposition d'art flamand au Jeu de Paume. Ils avaient voulu y aller, mais l'entrée coûtait cinq francs et ils avaient préféré s'asseoir sur un banc.

Quel besoin avait-elle de lui rappeler ça? Ce Paris d'été, avec les rues presque vides, les taxis rares, les autocars pleins d'étrangers et, le soir, les concierges sur le pas des portes…

— Quel jour sommes-nous?

— Je ne sais pas.

— Je t'avais dit de marquer les jours. Tu n'as rien d'autre à faire.

C'était vrai! Il ne fallait pas qu'elle se complût dans son inaction! Il devait tout faire, car il ne voulait pas d'indigène dans la maison. D'ailleurs, Charlotte en avait peur et, quand elle restait seule, il fallait fermer la porte à clef.

Lui ne s'en préoccupait pas. C'est à peine s'il aurait pu dire comment vivaient ses travailleurs. Ça grouillait dans les huttes et c'était sale, ça mangeait des choses sales. Presque toutes les femmes étaient enceintes.

194

Une fois, il s'était arrêté devant une gamine qui le regardait avec de grands yeux doux et rieurs.

Mais aussitôt il avait haussé les épaules et il avait passé son chemin. Le plus curieux, c'est que la fille avait tout deviné et maintenant, quand elle le rencontrait, elle prenait des attitudes coquettes, avec un rien de moquerie dans le sourire.

Plumier, lui, entrait de temps en temps dans une hutte, en plein jour, devant tout le monde. Il avait l'air de préférer une matrone qui avait déjà trois ou quatre enfants et à qui il avait fait cadeau d'un châle espagnol.

— Si Dominico n'accepte pas, c'est moi qui conduirai la pirogue…

— Pourquoi n'accepterait-il pas ? s'étonna Charlotte.

Il y a des moments comme ça. Il s'était juré une fois de plus de ne pas l'inquiéter, puis soudain ça le prenait et il y mettait comme une sourde rancune.

— Pourquoi ? Parce qu'il ne doit pas avoir envie qu'on raconte partout que la mine est une des plus pauvres. Que diraient les actionnaires, qui croient que c'est une affaire magnifique ?

— Il ne peut pas nous retenir ici contre notre gré…

— Et Plumier ?

— Plumier est fou, ce n'est pas la même chose.

— Tu crois ça, toi ? Moi, je me demande s'il est si fou qu'il veut en avoir l'air. Quand tu as été malade, il est venu ici, tranquillement, et je te jure qu'il n'avait rien d'un aliéné. On pourrait presque dire que c'est lui qui t'a sauvée en te plongeant dans la rivière…

— J'étais déshabillée ?

— Parbleu !

— Ah !

Elle était gênée. Elle pensait à ces longs jours de maladie, aux soins que Mittel avait dû lui donner.

— Je n'étais pas poétique, hein !

Il haussa les épaules avec impatience. Elle en revenait toujours à elle, à des questions aussi futiles. Qu'est-ce que cela pouvait faire, qu'elle fût poétique ou non ?

— Tu devais m'en vouloir !

— De quoi ?

— D'être malade… De te donner tous ces ennuis…

— Tu es trop bête !

— Jef ! Pourquoi es-tu méchant, maintenant ?

— Ah ! Je suis encore méchant, par surcroît…

— Tu cries trop fort…

Il s'arrêta net. S'il s'était laissé aller, Dieu sait ce qu'il aurait raconté, sans raison, parce qu'il était inquiet, furieux. Et toujours la pluie sur la tôle ondulée du toit. Depuis deux ou trois jours, en outre, un rat avait dû crever quelque part, dans une fissure où on ne le trouvait pas, et il répandait une odeur répugnante. De temps en temps, Mittel le cherchait, fouillait les coins et recoins avec une baguette, mais il ne réussissait qu'à dénicher des araignées aux pattes velues.

— Araignée du matin…

Zut et zut ! Il se mettait à être superstitieux ! Et Plumier qui l'épiait, ravi de constater les progrès de la panique.

Car ce n'était que cela : la peur de ne jamais quitter cet enfer ! Il comptait les jours. Maintenant, c'était décidé et rien ne le ferait changer d'avis : il partirait dès le passage de Moïse. Tant pis si on essayait de le retenir. Il avait un revolver, que Dominico lui-même lui avait vendu, car il vendait de tout, cet homme, et il vous reprenait d'une main l'argent qu'il vous versait de l'autre.

Il avait même vendu des cartouches pour le crocodile ! Comme si Mittel allait s'amuser à tuer des crocodiles sur la rivière ! Trois cents francs de cartouches ! Avec l'humidité, ce serait un miracle qu'elles fussent encore bonnes.

Et tout ainsi ! Rien de bien ! Rien à quoi se raccrocher.

Impossible d'avoir de temps à autre une pensée agréable, quelques instants de détente. Il fallait gratter la moisissure sur les biscuits. Une petite blessure de rien du tout, que Mittel s'était faite avec une boîte de conserve, suppurait depuis deux mois, ce qui l'obligeait à porter un pansement sale à l'index de la main droite !

Pendant trois jours, il prit l'habitude d'avaler matin et soir une gorgée de whisky.

— Tu as tort, lui disait Charlotte en prenant un air triste.

— Évidemment, j'ai tort ! Mais si tu étais à ma place…

Le quatrième jour, il toussa à en perdre haleine, retrouva du sang sur son mouchoir, rentra au bungalow et alla jeter les deux bouteilles d'alcool dans la rivière.

Quant à Plumier, il buvait, lui, de la *chicha*. Il y en avait toujours un verre sur le bureau et Mittel ne pouvait le regarder sans un haut-le-cœur. Il avait vu faire la boisson. De vieilles Indiennes, des heures durant, mâchaient du maïs qu'elles crachaient ensuite dans un pot de terre. Ce maïs imprégné de salive fermentait dans de l'eau…

Plumier n'avait pas de dégoûts ! Au contraire ! Il le faisait exprès d'abandonner les cadavres des rats qu'il avait tués. Et il fallait que Mittel les emportât dehors, après avoir chassé des nuages de mouches violettes.

— Si jamais Moïse refuse…

Cela tournait à l'idée fixe et le plus terrible c'est que Mittel s'en rendait compte, s'efforçait de penser à autre chose. Quelle candeur que celle de sa mère, qui lui demandait une fourrure !

Elle méritait bien son nom de Bébé. À cinquante ans, le visage ridé, le corps déformé, elle continuait à s'habiller comme une jeune fille et à se maquiller. Elle le faisait naïvement, sans souci du ridicule. Elle avait envie d'une fourrure et elle l'écrivait à son fils !

Est-ce qu'il n'aurait pas pu avoir une famille comme tout le monde ? Devant les gens, il faisait le malin, se moquait des ménages bourgeois et se vantait d'avoir eu un père mort en prison.

— Reste tranquille ! cria-t-il soudain à Charlotte.

— Qu'est-ce que je fais ?

— Tes doigts… Reste tranquille, de grâce !

Elle pianotait simplement sur le bras du fauteuil.

— Pardon… Je ne savais pas…

— Ce n'est pas la peine de me regarder ainsi, toi aussi !

— Comment, moi aussi ? Que veux-tu dire ?

— Rien !

Il le savait, ce qu'il voulait dire. Quand il cédait à un mouvement d'humeur, elle avait juste le même regard que Plumier. Un peu ce regard de médecin. Elle essayait de se rendre compte. Elle se demandait s'il était malade à son tour.

Il enrageait. Les jours étaient plus lents, plus lourds que jamais. C'était encore plus supportable quand il pleuvait, car alors au moins on pouvait grogner en pataugeant dans la boue. Mais non ! Trois ou quatre jours se passaient sans pluie, avec un ciel bas qui accrochait la cime des arbres et une atmosphère étouffante. Il poussait des champignons sur les valises en cuir ! De vrais champignons ! À l'intérieur du bungalow !

Et les hommes travaillaient comme toujours, au ralenti, l'air indifférent ou résigné. C'étaient des dégénérés, un mélange de races pourries qui n'avaient même plus l'instinct de l'indépendance.

Ils obéissaient comme des bêtes, se protégeaient le visage du bras à la façon des enfants quand ils voyaient le blanc en colère. Ils étaient laids, malingres pour la plupart, et Mittel en avait repéré dix au moins qui donnaient des signes évidents de tuberculose.

Sous les tropiques ! Avec quarante degrés de chaleur ! Encore une chose qui le déroutait, l'indignait. Il y avait un vieux atteint d'éléphantiasis qui se mettait toujours sur son passage, peut-être exprès, Mittel n'était pas loin de le croire.

Charlotte marchait un peu. Elle lui préparait maintenant ses repas, mais elle ne faisait elle-même que grignoter un biscuit trempé dans du lait de conserve.

— Il n'en reste plus que deux boîtes, annonça-t-elle. Plumier en prend presque tous les jours. Je n'ose rien lui dire.

— Je le lui dirai, moi !

— À quoi bon ? Moïse doit arriver après-demain.

— S'il vient !

— Pourquoi dis-tu ça ?

— Parce que !

Il avait lu le matin dans le cahier de Plumier :

L'heure approche et les jours des chacals sont comptés. Il y a déjà des signes dans le ciel et sur la terre. L'espion, qui le sent, commence à se débattre, mais il n'échappera pas à son sort, ni lui, ni les autres, ni l'enfant que la femme porte en son sein...

Est-ce que le cas du Belge s'aggravait ? En tout cas, il était plus faible que d'habitude. Pourquoi, toute la nuit, avait-il gardé son *foco* allumé ? Mittel s'était relevé trois fois. Les trois fois il avait vu la fenêtre du bungalow éclairée.

Plumier avait dormi jusqu'à onze heures, malgré la présence de Mittel qui, assis devant le bureau, mettait la comptabilité à jour.

Dans quelques heures, sans doute, ils passeront à l'action, sans savoir que leur geste criminel assurera ma vengeance...

C'était hallucinant, à la fin. On finissait par douter de son propre bon sens. Plumier avait de petits yeux fiévreux et parlait tout seul, à mi-voix, sans qu'on distinguât un mot intelligible.

— Syphilis... avait dit Moïse.

Était-ce vrai ? Mittel se le demandait avec angoisse, cherchait à comprendre.

Encore une nuit, deux nuits... Et toujours cette fenêtre éclairée chez le fou. À quel travail pouvait-il se livrer ?

L'heure approche et les chacals sentent déjà le vent de la débâcle...

Enfin, un matin, un coup de sifflet prolongé, Charlotte debout, Mittel courant à la porte, les yeux brillants. C'était le signal de Moïse ! Il arrivait avec deux pirogues. Il débarquait sur le dos d'un des Indiens, afin de ne pas se mouiller les pieds dans la rivière.

— Eh bien ? lui cria Mittel.

L'autre le regarda dans les yeux, fit la moue, grogna :

— Ta femme ?

— Elle est là… Vous allez la voir… Qu'est-ce que Dominico a dit ?

— Que voulez-vous qu'il dise ? Ce n'est pas une brute. Vous partirez dans quelques jours, dès que le remplaçant sera arrivé…

Ce fut une délivrance. Mittel avait envie de bondir. Il hurla :

— Lotte !… Lotte !… Nous partons !…

Il avait fini par ne plus y croire. Il s'était laissé impressionner par un fou ! Car, maintenant, c'était clair ! Dominico ne faisait aucune difficulté pour lui donner l'autorisation demandée !

— Venez !… Par exemple, je ne vais pas pouvoir vous offrir de whisky…

Il riait presque. Il était ému. Il s'excusait.

— Tu l'as bu ?

— Non… Mais je commençais… J'ai voulu éloigner la tentation et j'ai jeté les deux bouteilles à la rivière…

Moïse haussa les épaules et grogna :

— Heureusement que j'en apporte d'autres… Tu parais bien agité, dis donc… Et ta femme ?

On apercevait Charlotte derrière la vitre.

— Elle a été malade ?

— Non… C'est fini… Entrez… Charlotte, nous partons, tu entends ?

Il aurait voulu s'en aller tout de suite et il avait peur que quelque chose vînt empêcher le départ.

— Plumier ? questionna Moïse, qui était soucieux.

— Il ne va pas mieux… Plutôt plus mal… La nuit, il garde de la lumière dans le bungalow…

— Je me demande comment il s'y est pris…

— Que voulez-vous dire ?

— Que les autorités colombiennes et le consul de France ont reçu des tas de documents invraisemblables. On a été obligé d'ouvrir une enquête. Heureusement que tout le monde sait qu'il est atteint de la folie de la persécution.

Mittel devenait soudain réfléchi. Ainsi donc, Plumier ne se vantait pas quand il écrivait dans son cahier que les documents étaient en lieu sûr et que, coûte que coûte, sa vengeance s'accomplirait !

— Ce qui est invraisemblable, grondait Moïse, c'est que ces papiers aient fait le chemin d'ici à Buenaventura… Ce n'est pas un des travailleurs qui a été capable d'aller là-bas. Il n'est passé personne les derniers temps. Mais j'éclaircirai ce point ici même… Sais-tu ce que je pense ? C'est qu'il s'est servi d'un de mes Indiens ! Je ne vois aucune autre explication possible…

— Dominico… commença Mittel.

— Dominico s'en moque, bien sûr ! C'est un des hommes les plus riches de Colombie. S'il le veut, on ne donnera même pas suite à la plainte. Seulement…

— Quoi ?

— Je ne comprends pas encore. Dans ses lettres, Plumier annonce qu'il sera assassiné, que l'assassin est déjà en route. C'est tout juste s'il ne précise pas la date… *Ils en veulent aux papiers qui sont dans le coffre*, annonce-t-il.

Un petit coffre-fort portatif que Mittel connaissait bien et où l'on mettait la poudre d'or, ainsi que la paie des ouvriers.

— Tu l'as vu, aujourd'hui ?

— Il ne doit pas être levé. Il a pris l'habitude de dormir toute la matinée.

— Il faudra que nous le tenions à l'œil. Je ne sais pas ce qu'il mijote…

Et Moïse ouvrit la fenêtre, cria à ses hommes qui apportaient les vivres :

— Les bouteilles d'abord !

Il ajouta en se laissant tomber sur une chaise :

— J'ai une de ces soifs !

4

On eût dit que Mittel pressentait l'importance qu'allaient prendre les moindres incidents de ces deux journées : inconsciemment, il les enregistra avec une précision telle qu'ensuite il retrouva dans sa mémoire jusqu'aux détails les plus mesquins.

La hutte nègre, par exemple !… Il était à peu près quatre heures de l'après-midi. Moïse et Mittel s'acheminaient lentement vers le chantier pour y jeter un coup d'œil. Ils avaient fait le détour par le village. Mittel avait remarqué que la hutte de la commère à qui Plumier rendait parfois visite était fermée. Moïse devait être au courant, car il avait noté le fait aussi et il avait adressé une œillade à son compagnon.

Un peu plus tard, ils étaient au placer. Le mari de la négresse y travaillait et Moïse s'était amusé à lui lancer :

— Alors, tu vas avoir un bébé ?

L'autre sourit d'un air stupide, fit comprendre par sa mimique qu'il n'en savait rien.

— Eh bien ! moi, je t'annonce que tu vas en avoir un, avait répété Moïse.

Ni l'un, ni l'autre, ne se doutait alors que ces plaisanteries allaient prendre les allures d'une hantise. Le temps était sec mais, ce qui était plutôt rare, un vent assez fort se levait et les nuages glissaient à vive allure au-dessus des palétuviers.

Une heure plus tard, Moïse et Mittel traversaient à nouveau le village, s'y arrêtaient en continuant à bavarder et remarquaient que la hutte était toujours close. Des enfants, comme d'habitude, jouaient dans la poussière. Des femmes, assises par terre, triaient des graines ou mâchaient du maïs pour faire de la *chicha*.

À cet instant, précisément, Mittel se demandait comment il avait pu regarder de sang-froid ce monde hallucinant. Car il n'y avait rien à quoi se raccrocher, pas même du pittoresque ou de l'exotisme. C'était pauvre et laid, sordide. Des êtres dégénérés les regardaient avec des yeux vides de pensées. Les huttes elles-mêmes n'avaient pas plus de poésie que les cabanes de la zone, autour de Paris, et ici aussi on se servait de vieilles caisses, de carton bitumé, de boîtes à conserves…

— Tiens ! Tiens ! fit Moïse.

Mittel se retourna et vit la porte de la hutte qui s'ouvrait. De Plumier, il ne devina qu'une tache claire dans la pénombre. Par contre, la petite indigène qui le regardait toujours avec un sourire moqueur sortait, toute fière, eût-on dit, d'avoir été choisie par le blanc. Elle tenait la main droite fermée, sans doute sur une pièce d'argent, et, en passant, elle montra toutes ses dents à Mittel.

— Notre gaillard se livre à des excès, ironisa Moïse.

Quant au mari, qui revenait du travail, il s'arrêta en voyant la porte fermée et alla s'asseoir un peu plus loin avec des voisins.

Qu'est-ce que tout cela pouvait faire ? Mittel allait

partir. Il ne verrait plus les palétuviers aux racines tordues, ni ces cent visages qu'il connaissait trop.

Charlotte avait mis une robe propre et déployé une nappe sur la table. La bouteille de whisky trônait au milieu. Juste avant le repas, Moïse marcha jusqu'au seuil pour donner des ordres à un de ses pagayeurs. Cela n'avait rien d'extraordinaire. Cela lui arrivait souvent.

On mangea du riz aux piments et, comme Moïse avait apporté des oignons, Charlotte fit mijoter le corned-beef, ce qui répandit dans le bungalow une forte odeur de cuisine, rappelant certaines loges de concierge à Paris…

Mittel se souvenait de tout, même de détails saugrenus : par exemple, une dent de sa fourchette était tordue. Moïse, qui était de mauvaise humeur, buvait beaucoup et avait la nuque rouge.

À neuf heures environ, il se leva en soupirant et accrocha lui-même son hamac aux deux pitons qui avaient été placés à cet effet. Tel quel, le hamac barrait la porte et on ne pouvait sortir de la pièce sans déranger le dormeur.

À cette heure-là, Moïse avait toujours de gros yeux, car il buvait près d'une bouteille de whisky par jour et le soir il était lourd, maladroit, méchant.

Il sortit une minute et s'arrêta près d'un arbre. Mittel, qui en profita pour sortir aussi, remarqua qu'il n'y avait pas de lumière chez Plumier.

Il ne prévoyait encore rien. Au contraire ! Depuis qu'il savait qu'il pourrait partir, il se désintéressait de ce qui l'entourait, gens et choses, et c'est machinalement qu'il regardait les fenêtres du bungalow voisin.

— Bonne nuit, les gosses…

Et Moïse se couchait en soupirant, se tournait deux ou trois fois avant de s'endormir. Il était un peu moins de dix heures. Charlotte s'était assoupie tout de suite. Mittel tendit la main et éteignit le *foco* en notant bien la place où il se trouvait. La nuit, en effet, il lui arrivait de tâtonner longtemps quand il se réveillait en sursaut, surtout quand un cauchemar l'arrachait au sommeil.

Mais il n'eut pas de cauchemar. À certain moment, il lui sembla qu'il entendait marcher dehors, mais il n'y prit pas garde. Charlotte était toujours près de lui. Il se rendormit.

Lorsqu'il ouvrit à nouveau les yeux, il faisait clair et Moïse était debout, le torse nu, occupé à se raser, tandis que Charlotte préparait le café. Le hamac était déjà dépendu. La cuvette pleine d'eau savonneuse se trouvait sur la table.

— Il pleut ? demanda-t-il.

— Pas encore.

Le vent, plus violent que la veille, faisait entendre un sifflement régulier en passant sur la tôle ondulée du toit et les arbres s'agitaient sur le ciel gris.

La porte de l'autre bungalow était fermée. Un nègre passait. Et tout à coup on entendit des pas précipités. Cela venait de la rivière, de l'endroit à peu près où les pirogues étaient amarrées. Un des pagayeurs de Moïse montait l'escalier, poussait la porte, montrait un visage défait, des yeux pleins d'effroi, essayait de parler sans reprendre son souffle.

— Qu'est-ce que tu dis ? grommela Moïse, son rasoir à la main, une joue encore savonneuse.

— Le blanc… Là… Là…

On ne put rien en tirer d'autre. Moïse s'essuya la

joue, prit son casque, sortit comme il était, vêtu de son seul pantalon, et Mittel le suivit, en pyjama.

— Ton casque ! lui rappela Charlotte.

Il était mal réveillé. Le nègre, qui avait envie de courir, se retournait sans cesse, impatienté par la lenteur de ses compagnons. Il n'y eut pas à aller loin. À cent mètres, la rivière faisait un coude et, dans la grande courbe, s'étalait un banc de vase que les eaux recouvraient à chaque pluie. On y vit d'abord un nègre accroupi, encore un des compagnons de Moïse, puis seulement on distingua une forme étendue.

C'était Plumier ! il était le seul à s'habiller en blanc. Il était étendu sur le ventre et son corps s'était enfoncé de quelques centimètres dans la vase.

— Tonnerre de Dieu ! hurla Moïse.

Il regarda autour de lui avec colère, comme si tout le monde eût été responsable de l'événement. Au même moment, il bondissait sur le nègre accroupi, lui arrachait des mains le revolver que l'autre contemplait avec hébétude.

— Imbécile ! Où as-tu pris ça ?

L'indigène montra le sol, près de la main du cadavre. Le sentiment dominant de Moïse était la fureur.

Quant à Mittel, il contemplait la nuque du mort et il se sentait l'estomac barbouillé. C'était terrible ! La boîte crânienne avait sauté et on trouvait des débris de cervelle à un mètre de là, sur le sol.

On apercevait Charlotte, sur le seuil du bungalow, qui essayait de deviner ce qui se passait.

— Qu'est-ce qu'on va faire ? questionna machinalement Mittel.

— Oui, qu'est-ce que nous allons faire ? Pour ma

part, je donnerais cher pour qu'il y ait ici un policier quelconque qui puisse faire les constatations…

— Pourquoi?

— Parce que ce serait la preuve que cet animal s'est suicidé!

Mittel ne comprit pas tout de suite. La phrase flotta un bon moment dans son esprit et soudain il regarda son compagnon en fronçant les sourcils.

Il se souvenait de ce que Moïse lui avait dit, de l'enquête en cours, des révélations de Plumier. Et voilà qu'il ne pouvait chasser une idée gênante…

Est-ce que le Belge s'était vraiment suicidé?

— On va commencer par le laisser ici, pour que tout le monde le voie bien…

Il donna des ordres à ses hommes afin qu'on ne touche pas au cadavre. Il allait emporter le revolver quand il se ravisa et le déposa sur le sol, près de la main du mort.

— Il a même pris le soin de tirer par-derrière, grogna-t-il. Au point que je me demande comment il a fait! Il a dû se contorsionner comme un acrobate pour s'atteindre ainsi à la nuque! Tonnerre de tonnerre!

Un moment plus tard, il rentrait dans le bungalow et passait sa chemise en répondant à Charlotte qui le questionnait:

— Ce qu'il y a? Il y a que cette crapule de Plumier s'est tué exprès pour nous faire enrager…

Mittel était tellement impressionné qu'après avoir bu une demi-tasse de café, il dut la vomir.

— Je te défends d'aller voir… dit-il à Charlotte.

— Il s'est tué cette nuit?

— Cette nuit ou ce matin… Ou hier au soir…

Et Moïse, pestant et soufflant, enfonçait les pans de

sa chemise dans son pantalon, buvait son café arrosé de whisky, se campait devant la fenêtre et fixait droit devant lui un regard glauque comme le ciel.

— Il a peut-être laissé une lettre, insinua Mittel, qui en profitait pour s'habiller.

— Nous allons voir… Tu es prêt ?

Il soufflait toujours. Il souffrait. On le sentait en proie à des idées pénibles.

Quand ils arrivèrent au bungalow, ils constatèrent d'abord que, non seulement la porte n'était pas fermée à clef, mais que la serrure avait été arrachée. Mittel écarquillait les yeux. L'autre n'était pas moins stupéfié que lui.

— Ouvre !

Et ils restèrent immobiles devant un spectacle effarant. On aurait pu croire qu'une bataille s'était déroulée dans la pièce.

Le coffre-fort, renversé sur le sol, était béant, et il y avait des papiers partout.

— C'est impossible !… impossible !… soupirait Moïse pour lui-même.

Oui, il était impossible d'admettre que Plumier eût été assailli, que quelqu'un eût fouillé le bungalow ! Pour y trouver quoi ?

— L'or… remarqua Mittel en regardant tout autour de lui.

Il y en avait, la veille encore, un sac d'une livre à peu près. Le sac n'était plus là ! Le cahier non plus, ce fameux cahier dans lequel Plumier écrivait chaque jour !

Moïse, brusquement, se prit la tête à deux mains, se frotta les cheveux en grimaçant comme un homme qui veut reprendre ses esprits.

— Je ne suis pas fou, sacrebleu ! C'est au point que, si je n'avais pas dormi en travers de la porte, je crois bien que je te soupçonnerais... Il n'y a pas un nègre, pas un métis capable de faire ça...

Et, entre les dents :

— Salaud !

— Qui ?

— Le Belge, tiens ! Il n'y a que cette explication-là... Tu ne comprends pas encore ? Il a toujours prétendu qu'il nous aurait... Et il nous a, je te jure !... Qu'est-ce que tu veux que j'aille raconter, à cette heure ?... Il a eu soin d'attendre mon passage... Quant aux documents, je parie qu'on n'en retrouvera pas un...

— Je ne vois pas ce que...

— C'est clair, pourtant !... Il a tout arrangé pour faire croire que son assassin l'a cambriolé. N'a-t-il pas toujours affirmé qu'il détenait des papiers compromettants pour la Compagnie ?... Ces papiers, on ne les retrouvera pas. Donc, on l'a tué pour lui prendre ces pièces ! Tu ne feras croire le contraire à personne.

Et si c'était vrai ? Mittel évitait de regarder Moïse, par crainte de lui laisser voir ses doutes. Le vieux avait couché au bungalow. Mais qu'est-ce qui prouvait qu'il ne s'était pas relevé au cours de la nuit ?

— Non, ce n'est pas possible... dit-il à haute voix.

— Qu'est-ce qui n'est pas possible ?

— Rien... Qui est-ce qui va faire l'enquête ?

— Il n'y aura pas d'enquête ! Tu imagines bien qu'ils ne vont pas envoyer la police et les juges à dix jours de pirogue de Buenaventura... De la sorte, les gens croiront ce qu'ils voudront croire, ce qui leur semblera le plus plausible...

Il retournait les papiers qui étaient des papiers sans importance. Quant au cahier, il avait bel et bien disparu, ainsi que le sac d'or.

— Je suis persuadé que, si on pouvait draguer la rivière, on retrouverait l'un et l'autre…

Tout le village, maintenant, était au bord de l'eau. Les deux hommes y retournaient, tête basse, chacun suivant le fil de ses pensées. Mittel sursauta en apercevant tout près de lui la gamine de la veille qui regardait le cadavre avec indifférence.

Il se souvenait… La porte de la hutte qui demeurait close des heures durant… La jeune négresse qui en sortait toute fière et qui serrait quelque chose dans sa main…

À ce moment-là, Plumier savait déjà, c'était sûr ! Sa décision était prise. Cette visite aux deux femmes, c'était comme un adieu à la vie…

Le courant n'étant pas trop violent, Moïse donnait ordre à ses hommes de plonger et de rechercher le sac de poussière d'or. Il n'espérait pas trop réussir, mais il faisait ce qu'il avait à faire, lourdement, sans entrain.

Il paraissait son âge, tout à coup, et les poches, sous ses yeux d'alcoolique, étaient plus accentuées que d'habitude.

— Il n'y a qu'à l'enterrer, murmura-t-il comme s'il discutait avec lui-même. Je ne vois pas…

Que faire, en effet ? Pour avertir les autorités, il fallait gagner Buenaventura, soit dix jours de pirogue. Autant pour revenir…

— Allons !… Enterrez…

— Comme ça ? Sans cercueil ?

Il haussa les épaules.

— Et après ? Toutes les caisses sont trop petites. À moins de le plier en deux…

Il ne plaisantait pas. On sentait qu'il hésitait à le faire.

— Non, ça va bien ainsi… Qu'on creuse seulement la fosse un peu plus loin, sous les premiers arbres…

Mittel donna des ordres et les nègres allèrent au chantier chercher des pelles. Parfois on voyait passer Charlotte derrière la fenêtre du bungalow.

Quant aux négresses, elles s'étaient assises à quelques pas du cadavre et elles bavardaient en attendant de voir ce qui allait se passer. Les gosses jouaient comme au village. Ce fut Mittel qui alla chercher un drap (il ne trouva qu'une serviette de toilette, celle-là qui avait servi à Moïse le matin) pour recouvrir la tête du mort.

Moïse, lui, les pieds dans l'eau jusqu'aux genoux, surveillait ses plongeurs, qui n'avaient encore rien trouvé.

— On partira quand même ? questionna Charlotte comme Jef rentrait un instant dans le bungalow pour se reposer.

Ses jambes étaient molles. Là-bas, il était resté tout le temps debout. En outre, il avait besoin d'échapper un instant au spectacle qui l'écœurait.

— Je l'espère, répliqua-t-il.

Il s'était juré de ne rien dire à Charlotte, mais il ne put s'en passer.

— Tu as dormi toute la nuit, toi ?

— Je crois que oui.

— Tu n'as rien entendu ?

— Que veux-tu dire ?

— Je ne sais pas. Par exemple, Moïse aurait pu sortir…

— Tu crois qu'il aurait été capable ?

— Puisque je te dis que je n'en sais rien… Je pense… Je pense… J'en ai la tête qui me tourne…

Dès qu'on regardait par la fenêtre, on apercevait les plongeurs, la foule autour du corps, les hommes qui creusaient le sol au pied d'un palétuvier.

— Non, il n'a sûrement pas fait ça… Ce qui m'affole, vois-tu, c'est que nous retombons sur un cadavre…

Elle sursauta, le regarda dans les yeux.

— Jef !

— Je n'ai rien dit… Je te demande pardon… C'est une fatalité, évidemment !… Je revois la petite qui sortait, hier, de la hutte…

— Quelle hutte ?

— Tu ne peux pas comprendre… Alors, j'essaie d'imaginer ce qu'a été sa nuit… Il était seul… Il a dû tout préparer… Sans doute a-t-il jeté son cahier à la rivière ou l'a-t-il enterré avec le sac de poudre d'or…

— On ne retrouve pas l'or non plus ?

— On cherche… C'est pour ça qu'ils plongent…

Et Plumier était passé près du bungalow où ils étaient trois à dormir ! Il devait ricaner ! Il poursuivait son idée fixe ! Il tenait sa vengeance…

— Il n'avait même pas trente ans…

De quelque côté qu'il tournât la tête, son regard rencontrait des choses qui lui faisaient mal. La montagne, surtout, cette grisaille qui barrait l'horizon… Des semaines durant il l'avait contemplée tous les jours avec haine et maintenant sa panique le reprenait. Pour

214

rien au monde, il ne voulait rester là. Il lui fallait sortir du cercle tout de suite. L'angoisse était tellement forte qu'il marcha vers la rivière, dit à Moïse :

— Quand partons-nous ?

L'autre avait ses gros yeux les plus ternes. Il haussa les épaules.

— Je voudrais d'abord retrouver l'or… Sinon, Dominico sera furieux…

— Et si on ne le retrouve pas ?

— Nous partirons dès que l'autre arrivera.

C'était vrai qu'il allait en venir un autre ! Un homme qu'on laisserait seul à son tour dans ce coin de forêt ! Tant pis pour lui ! Mittel n'était plus capable de s'apitoyer. Qu'il parte, lui, et il se moquait du reste.

— On ne fait rien de spécial ? questionna-t-il encore en désignant le cadavre.

Car la fosse était prête.

— Que veux-tu dire ?

— Je ne sais pas… Une cérémonie… Quelque chose…

Cela lui semblait indécent de mettre tout simplement le corps dans le trou.

— Tu veux peut-être chanter la messe ? railla Moïse.

Évidemment, il n'y avait rien à faire. Pourtant il alla chercher Charlotte.

— Portez-le, dit-il aux noirs.

Et il fallut un effort de trois hommes pour décoller le corps de la vase. Moïse s'approchait, son casque sur la tête, la mine lugubre.

— Si tu t'attends à ce que je fasse un discours pour cette crapule… grommela-t-il.

Mais il fut gêné par ses propres paroles et, au moment où on laissait tomber le cadavre dans la fosse, il retira machinalement son casque. Charlotte avait les yeux secs, mais ses lèvres tremblaient. Quant aux indigènes, ils se bousculaient pour regarder dans le trou et Mittel dut les repousser.

Qu'est-ce qu'on pouvait faire d'autre ? Il n'y avait même pas une fleur…

— Il était croyant ? demanda-t-il à Moïse.

— Est-ce que je sais, moi ?

Un signe aux hommes, qui lancèrent des pelletées de terre.

— Si seulement on avait eu un cercueil !

Et toujours le même décor, les deux bungalows, le panneau avec en noir sur blanc le nom de la Compagnie, le village derrière les arbres…

Seule la grosse négresse pleurait et son mari était de ceux qui lançaient de la terre. La gamine, elle, restait là comme à un spectacle quelconque.

— Rentre, maintenant, dit Mittel à Charlotte.

Et elle, tout bas :

— Quand est-ce qu'on part ?

Le soir, on n'avait pas encore retrouvé le sac d'or. Dans l'après-midi, Mittel avait rôdé deux ou trois fois près de la terre remuée et, lui qui avait eu une éducation antireligieuse, il s'avisa de faire une croix, avec le bois d'une caisse, et de la planter dans le sol. Il le fit de ses propres mains, comme pour s'astreindre à des gestes précis, et il découvrit même un pot de goudron, peignit maladroitement : *Plumier*.

Il ne connaissait pas le prénom ! Que mettre encore ? Il aurait bien voulu aussi envoyer quelque chose aux parents, des objets personnels, une dernière lettre de leur fils. Il ne trouva dans le bungalow qu'un fume-cigarette tout brûlé et le portrait d'une petite fille, sans doute la sœur du mort.

Pas une adresse, rien ! Il avait tout saccagé avant de se tuer.

Maintenant, on mangeait sans appétit. Moïse buvait de l'alcool pur avec son repas. Charlotte avait dû se coucher, car elle succombait à la lassitude. Mais elle ne dormait pas. Elle regardait les deux hommes. Elle les écoutait.

— Qui est-ce qui va venir ? demandait Mittel pour dire quelque chose.

— Un Italien, qui est arrivé voilà un mois à Buenaventura. Il a déjà vécu en Afrique équatoriale. Quand il a débarqué, il avait trois dollars en poche et, depuis Panama, il a vécu sur le pont, faute de pouvoir se payer une cabine de troisième classe…

Les nègres, excités par l'événement, ne se décidaient pas à se coucher et on les entendait chanter autour du feu, en buvant de la *chicha*. Ils s'accompagnaient d'une sorte de tambourin en bois dont le rythme emplissait la forêt, bourdonnait aux oreilles, pénétrait dans la poitrine…

On se demandait la cause du malaise qu'on ressentait et on s'apercevait enfin que c'était le rythme lancinant du tambourin.

Quand Moïse s'en avisa, il se leva, cria :

— Je vais les faire taire…

Mittel l'accompagna. Ils s'approchèrent du feu. Moïse donna quelques coups de pied dans les formes étendues, et hurla :

— Plus de musique, compris ?

Et tous se taisaient, effarés. Ceux qui avaient reçu des coups se tassaient sur eux-mêmes.

Les deux hommes, en revenant, passèrent devant le bungalow où, la nuit précédente, Plumier était encore en vie.

— Il n'y a que les fous pour mener aussi loin une idée fixe, articula Moïse.

— Était-il vraiment fou ?

— À lier, parbleu ! Tu ne vas pas croire à toutes ses histoires de chacal et autres, au moins ?

— Non.

Mais il disait non mollement et Moïse en était effrayé à son tour.

— Attention, mon petit… Pas de bêtises, hein !… Avoue que c'est assez comme ça…

— Que voulez-vous dire ?

— Je veux bien vous emmener tous les deux à Buenaventura… Remarque que je ne devrais pas le faire, mais j'ai pitié de ta femme… Du moins faut-il que, là-bas, tu m'aides à sauver la situation…

— Qu'est-ce que je devrai faire ?

— On nous interrogera… Car on procédera malgré tout à un semblant d'enquête… Si tu n'as pas l'air sûr de toi, il y aura des attaques dans la presse et Dieu sait jusqu'où cela pourrait aller…

Ils rentraient tout en parlant, gravissaient les marches du bungalow.

— C'est toi ? murmura Charlotte dans son sommeil.

— C'est nous, oui !… Dors !…

— Tu comprends, vieux ?… D'ailleurs, pour plus de sûreté, nous nous mettrons d'accord sur ce que nous dirons là-bas… C'est inutile de compliquer les choses… Tiens ! Par exemple, si nous racontons l'histoire du coffre ouvert et des papiers dispersés, du cahier introuvable, les gens penseront qu'il y a quelque chose d'anormal.

— Vous ne le direz pas ?

— À Dominico, oui !… Quant aux juges, ce n'est pas leur affaire.

Mittel, à nouveau, aimait mieux ne pas le regarder. Pourquoi ces précautions ? Et cette menace déguisée ? Car le vieux avait fait allusion à la possibilité de ne pas l'emmener…

— Tu comprends ?

— Je comprends…

Non ! Il ne comprenait pas encore. Il restait inquiet, tourmenté. Il se déshabillait pendant que Moïse préparait son hamac et buvait un dernier verre de whisky.

Il n'était peut-être pas sorti la nuit… Plus Mittel y pensait et plus il croyait improbable le meurtre de Plumier par son compagnon.

Mais les *chacals*…

Le Belge était peut-être fou… L'était-il au point d'inventer de toutes pièces ses accusations ?

— La Compagnie a d'autres chats à fouetter… grondait Moïse.

Eh oui ! La Compagnie. Toujours la Compagnie !…

Plumier en était mort, de la Compagnie ! Charlotte avait failli en mourir, et en même temps l'enfant qu'elle portait en elle. Un autre allait arriver, qui…

— Tu verras que Dominico te revaudra ça… C'est un chic type.

— Avec l'enfant, il faudra que je reste à Buenaventura, dit Mittel, presque honteusement.

Tant pis ! Il était lâche ! Il s'en rendait compte. Mais il fallait partir coûte que coûte ! Si on lui avait demandé

219

de mentir, de dire n'importe quoi, de raconter qu'il avait vu Plumier se tuer, il l'aurait fait pour échapper à la forêt.

— Bonne nuit, fiston… J'espère que demain nous retrouverons l'or… Si on ne le repêche pas, c'est qu'il l'a enterré et nous ferons fouiller le bois…

Charlotte grogna, parce que Mittel la repoussait un peu en se couchant. Elle était déjà en sueur. Un rat grignotait quelque part…

On retrouva l'or ! Moïse ne s'était pas trompé. Il devait d'ailleurs se tromper rarement. Il allait toujours droit devant lui, grommelant, pestant, s'obstinant, l'air plutôt bête mais sachant en réalité ce qu'il faisait, le sachant peut-être un peu trop. C'est ainsi en tout cas que Mittel le jugeait et, pour l'instant, il se mettait carrément à sa remorque, dans la crainte que l'autre refusât au dernier moment de l'emmener.

Il allait jusqu'à le flatter, jusqu'à prévenir ses désirs.

Ce fut lui, par exemple, qui proposa :

— Il est peut-être inutile de dire que la balle est entrée par la nuque ?…

Le vieux le regarda d'un œil satisfait.

— Pas bête ! On en reparlera…

Mittel avait honte de lui, mais il était à bout. Il pleuvait à nouveau. Le creux que le corps de Plumier avait dessiné dans la vase se déformait et ne tarderait pas à disparaître.

Le sac d'or avait été repêché à moins de vingt mètres de là et Moïse l'avait placé dans son hamac. Le travail avait repris sur le chantier, mais les hommes restaient distraits par l'événement et ce fut le surlendemain seulement que la vie reprit à peu près son rythme.

Il se produisait chez Charlotte un phénomène étrange. On aurait dit que le drame avait achevé sa guérison. Pendant quarante-huit heures, on n'avait plus pensé qu'elle n'était encore que convalescente et maintenant elle n'y pensait plus elle-même, restait debout toute la journée, travaillait comme d'habitude. Par contre, elle partageait soudain l'angoisse de Mittel et dix fois elle demanda :

— Tu es sûr que nous partons ?

— Il l'a promis !

Ils se méfiaient l'un comme l'autre. Moïse était devenu pour eux un être tout-puissant dont ils dépendaient. Charlotte, ainsi que Jef, se faisait aimable et flattait ses manies.

Le troisième après-midi, comme Mittel revenait du chantier, il vit le vieux entrer dans une hutte derrière la petite négresse et cela lui fit un effet étrange.

Ce n'était rien, en somme. Moïse avait des habitudes de paillardise. Mais celle-là ! Et à ce moment-là !

Il rentra chez lui tout retourné. Charlotte arrangeait ses robes dans le coffre qu'on apportait.

— Il n'est pas avec toi ?

On disait *il* comme s'il n'y eût plus eu que lui au monde. Lui seul comptait ! Lui seul occupait toutes les pensées.

— *Il* est resté au village.

— Ah !

Et soudain Mittel étendit ses bras sur la table, pleura, sans savoir pourquoi, éperdument, comme un enfant.

Il y avait des jours et des jours que ces larmes-là ne voulaient pas sortir.

5

Lluvia... Llueve... El viento...

Mittel, maintenant, s'exprimait tant bien que mal en espagnol, mais il y avait des mots qu'il ne prononçait qu'à contrecœur, ceux qu'il avait entendus les premiers en débarquant en Colombie et qu'il n'avait cessé d'entendre depuis :

La pluie... Il pleut... Le vent...

Pourquoi ces mots-là furent-ils articulés ? On en était au cinquième jour de pirogue. Le temps était clair. Mittel et Charlotte sommeillaient dans la même embarcation et la pirogue de Moïse glissait près de la leur. C'est le vieux qui dit :

— *Deme mi fusil !*

Passe-moi mon fusil !... Le coup de feu partit aussitôt. Mittel se retourna, aperçut sur la rive, à moins de trente mètres, un crocodile qui se débattait.

Un second coup de feu claqua et la bête s'immobilisa tandis qu'un nègre sautait à l'eau en poussant un hurlement de joie.

Pourquoi ? Oui, pourquoi avoir tiré l'animal ? Pourquoi nager ainsi vers son cadavre ? Mittel était péniblement impressionné chaque fois qu'il entendait des coups de feu. Il suivait le nègre des yeux. Moïse rechargeait son fusil.

Le drame ne dura pas dix secondes. Le nageur, soudain, s'arrêta, battit l'eau, disparut, revint un instant à la surface, la bouche ouverte, puis coula définitivement.

Alors, Moïse remarqua :

— Il y en avait deux !

Deux crocodiles, un sur la rive et l'autre dans la rivière.

Mittel ne dit rien. Il parlait de moins en moins, mais il y avait en lui toute une fermentation d'idées et de sentiments.

Ce qui n'avait pas été sans l'impressionner, c'était l'arrivée du remplaçant, Garcia, comme on l'appelait. Un garçon qui n'était pas très fort, qui n'était pas vieux non plus. N'empêche que, du moment où il avait sauté de sa pirogue, il avait semblé prendre possession du paysage.

Pas une hésitation ! Il pénétrait dans le bungalow, serrait les mains et son premier coup d'œil faisait déjà l'inventaire de la pièce. Le second coup d'œil était pour la taille de Charlotte et il remarquait :

— Je vois pourquoi vous partez.

Il n'aurait certainement pas compris qu'on partît pour une autre raison. Le décor ne le faisait pas sourciller. En une heure, il avait arrangé le bungalow à sa manière et mis en place le matériel qu'il amenait dans deux pirogues.

— Beaucoup de rats ?

Cela ne l'étonnait pas, au contraire, et il posait déjà

ses pièges aux bons endroits. À son premier contact avec les indigènes, il en bottait deux au derrière, négligemment, pour affirmer son autorité.

Et maintenant, il était là-bas, tout seul, pour des mois, pour des années peut-être ! Et Mittel était persuadé qu'il tiendrait le coup !

Comme Charlotte, d'ailleurs. Est-ce que la typhoïde n'aurait pas dû l'abattre, dans l'état où elle se trouvait, sous un pareil climat, sans soins, sans hygiène ?

À présent, il n'y paraissait même plus. On naviguait douze heures par jour. On dormait sous une tente étroite, au bord de la rivière, après avoir mangé sommairement, ce qui ne l'empêchait pas de se rétablir.

— Pauvre type, avait-elle murmuré après la mort du nègre.

Tandis que Mittel, lui, en était presque malade. Il avait tort. Il se souvenait qu'à bord du cargo, entre autres, Jolet, qui n'était pas une brute, lui avait déclaré tranquillement :

— Il faut compter un accident grave ou un mort à chaque traversée importante... Un tuyau qui éclate dans la chauffe. Plus souvent un homme qui, au chargement ou au déchargement, tombe du pont dans la cale... Un membre happé par le cabestan... Mais, à certains voyages, c'est la série noire et on s'en aperçoit dès le départ...

Un que la question n'avait jamais troublé, c'était Moïse. Il était extraordinairement organisé, surtout pour la question boisson.

Dès le matin, il mettait une ration de whisky dans son café et, à dix heures, sans avoir besoin de consulter sa montre, il prenait son premier verre d'alcool pur.

Au déjeuner, il en était au troisième, mais rien ne

permettait encore de s'en apercevoir. C'était son meilleur moment. Il était de bonne humeur, volontiers familier.

Deux heures durant, après le repas, il sommeillait au fond de la pirogue et son premier geste était ensuite pour déboucher la bouteille.

Alors seulement, petit à petit, il commençait à avoir de gros yeux, le regard fixe, à commander brutalement aux indigènes, à parler d'une voix menaçante, avec un air maussade.

Après le dîner, il se levait avec peine, butait, s'étendait en grognant sous sa tente, mais le lendemain matin il n'en restait plus trace.

N'était-ce pas un peu le cas de Mopps ? Moïse parlait de naissances ou de morts avec une égale indifférence.

— Je me souviens d'en avoir accouché une… commençait-il.

Et il était question de sa troisième ou de sa quatrième femme !

Dans le tas, il y en avait de mortes. D'autres avaient divorcé et il ne s'inquiétait pas de savoir ce qu'elles étaient devenues.

— C'est lui qui a raison, pensait parfois Mittel.

Puis il se raidissait, rejetait cette idée qui le désespérait.

Le soir de la mort du nègre, il était plus anxieux que d'habitude et Charlotte, couchée près de lui sous la tente, sentit qu'il ne parvenait pas à s'endormir.

— Tu ne digères pas ? souffla-t-elle dans l'obscurité.

Il faillit faire un jeu de mots atroce, lui dire qu'il ne digérait pas le nègre. Au lieu de garder pour lui ses pensées, comme il aurait voulu avoir la force de le faire, il éprouva le besoin de parler.

— Tu ne crois pas que c'est une sorte de fatalité ? murmura-t-il, les yeux ouverts sur la nuit.

— Quoi ?

— Depuis Martin !... Plumier s'est tué... L'indigène, tout à l'heure...

— Je ne vois pas le rapport.

— Et s'il y en avait un ? Si le sang appelait le sang ? Non ! Tu ne peux pas comprendre... Dors...

Elle s'endormit comme un enfant ! Cinq minutes suffirent. Elle n'était pas troublée par ce qu'il avait dit.

C'était vague, évidemment ! Mais pourquoi pas ? Il sentait fort bien la possibilité d'un lien entre la mort de Martin, dans son appartement du boulevard Beaumarchais, et les drames qu'ils vivaient maintenant...

Martin avait commencé la série. Puis Plumier. Puis le nègre qui nageait triomphalement vers la dépouille du crocodile...

Mais c'était justement Charlotte, qui avait tué le mandataire aux Halles, qui jouissait d'une sorte d'immunité ! Elle attrapait une des maladies les plus graves et elle en réchappait ! Mittel était presque sûr, maintenant, qu'elle accoucherait sans peine, presque sans effort... Et qu'il en serait ainsi de toute sa vie !...

La rivière clapotait à leurs pieds. Moïse ronflait dans la tente voisine. De temps en temps Mittel écrasait un moustique sur sa joue et Charlotte grognait dans son sommeil.

Lors de son premier séjour, Mittel eût juré que la ville en bois ne pouvait abriter qu'une population sordide, des nègres et des métis comme on en voyait errer dans les ruelles en pente de Buenaventura.

Or, voilà que peu à peu il découvrait un monde insoupçonné. Sur la côte du Pacifique, la saison des grandes pluies était passée et le soleil brillait tous les jours, un soleil lourd, il est vrai, sans scintillement et sans gaieté.

Dominico, qui avait le teint jaune, devait souffrir du foie et souvent, en parlant, il esquissait une grimace de douleur.

— Moïse m'a expliqué… dit-il à Mittel quand celui-ci vint le voir à son bureau, au quatrième étage de l'hôtel. C'est très ennuyeux, parce que cela fait des frais inutiles. Je ne laisserai plus partir de femmes. Tout à l'heure, nous irons à la police…

Il n'y avait que trois cents mètres à parcourir, mais on prit la grosse voiture américaine de Dominico, qui passait la plus grande partie des journées devant l'hôtel.

Une maison de bois pas plus grande, pas plus propre que les autres et c'était la direction de la police. Au rez-de-chaussée somnolaient quatre ou cinq agents indigènes qui ne se dérangèrent pas quand Dominico, le premier, s'engagea dans l'escalier, suivi de Moïse, puis enfin de Mittel.

On atteignit un palier où, sur une selle d'artiste, trônait un petit palmier dans un pot de faïence bleue et jaune. Une petite table couverte de napperons supportait des bibelots en porcelaine et en verre filé comme on vend dans les foires.

Un domestique indigène sans veston, la chemise ouverte, introduisit les visiteurs avec nonchalance, les laissa dans le couloir et alla frapper à une porte tandis qu'on devinait, dans la cuisine, une négresse occupée à laver de la vaisselle.

Des rideaux, des tapis à fleurs, des broderies, des

portraits dans des cadres, des portraits encore sur un piano… Une atmosphère de petite bourgeoisie d'avant 1900, en plus sale, en plus déjeté.

Comme dans la plupart des maisons colombiennes, les murs n'allaient pas jusqu'au plafond. C'étaient de simples cloisons de bois et on entendait distinctement un homme se laver les dents, aller et venir pieds nus…

— Je suis à toi, Dominico !

Le chef de la police, qui avait un œil de verre, vint en pyjama fripé et, en guise de petit déjeuner, alluma une première cigarette.

— Asseyez-vous, messieurs. Ma femme est à Lima, pour l'Exposition, si bien qu'il y a un peu de désordre…

— Je suis venu te voir pour ce que tu sais. Ce jeune homme qui s'appelle…

Il hésita. Mittel souffla :

— Gentil !

— Oui, c'est ça… Gentil…

Et le chef de police lui adressa un clin d'œil prouvant qu'il était au courant de la véritable identité du Français.

— … Il pourra affirmer que Plumier s'est bien suicidé…

— Il s'est suicidé, dit Mittel.

— Vous l'avez vu ?

— Je ne l'ai pas vu, mais…

— Vous ne pourriez pas dire que vous l'avez vu ? Pour vous, c'est la même chose. Pour l'enquête…

C'était le chef de la police lui-même qui sollicitait ce faux témoignage !

— Ce n'est pas ton avis, Dominico ? Ou alors, ils pourraient déclarer tous les deux qu'ils ont entendu le coup de feu… C'est plausible…

Dominico souriait en regardant Moïse et Mittel.

— Je crois aussi que c'est ce qu'il y a de mieux à

faire. Ils sont déjà tous à s'agiter… Boitel parle d'exiger l'exhumation…

Puis ils s'entretinrent d'autre chose, de gens que Mittel ne connaissait pas et on quitta l'appartement une demi-heure plus tard.

— Voilà! C'est convenu ainsi. Quand le juge vous convoquera vous direz que vous avez entendu la détonation… Vous lui cherchez un logement, Moïse?

Dominico les laissa dans la ville en bois où Moïse connaissait tout le monde. Bien entendu, on commença par le bar, où il prit un whisky et questionna le nègre.

— Tu ne connais pas un petit logement libre?

L'autre réfléchit, alla interroger des gens dans un coin et revint en donnant une adresse. À midi, la question logement était réglée.

Au rez-de-chaussée, il y avait une boutique de comestibles tenue par des Italiens. Le premier étage, qui ressemblait à l'appartement du chef de la police, en moins aéré, était occupé par une vieille Colombienne et sa fille. Le père était mort quelques mois auparavant et les deux femmes louaient leur plus grande chambre, toute meublée, refusant de retirer les portraits de famille accrochés aux murs.

— Nous voulons des locataires tranquilles, sérieux, insistait la vieille, qui était une femme du genre triste, capable de se lamenter sans raison des heures durant.

— Je vais ramener ta femme avec la voiture, proposa Moïse.

Et Mittel, qui n'avait rien à faire, erra par les rues qui ressemblaient un peu aux rues italiennes, en ce sens que toute la vie se déroulait dehors. Il constatait maintenant que ces maisons n'étaient pas habitées seulement par des nègres. Par-ci, par-là, une plaque de cuivre, sur une porte, annonçait : *médecin*, ou *avocat*, ou *dentiste*.

Quand il passa devant le bar, qui était comme le centre de la ville, il eut l'impression que quelqu'un se levait et lui emboîtait le pas. Il avait à peine parcouru cent mètres dans la direction de la rivière qu'un homme marchait à sa hauteur et murmurait en français, sans le moindre accent :

— Ne faites pas attention… Tournez à droite… J'ai à vous parler…

À droite s'amorçait une ruelle déserte et les dernières maisons étaient bâties sur pilotis à même la rivière. C'est là que l'inconnu rejoignait à nouveau Mittel.

— Vous êtes français, n'est-ce pas ? Moi aussi. On a déjà dû vous parler de moi…

— Quel est votre nom ?

— Boitel… Julien Boitel… J'ai tenu à vous prévenir… Ces gens-là se sont jetés sur vous et ils feront tout pour vous aveugler…

C'était étrange d'entendre parler français avec une pointe d'accent méridional. L'interlocuteur de Mittel était jeune, vêtu d'un complet de tussor assez élégant, finement chaussé. Il ne cessait, tout en parlant, de jeter des regards anxieux autour de lui.

— Vous comprendrez tout à l'heure qu'il vaut mieux qu'on ne nous aperçoive pas ensemble… Mais dites-moi d'abord… Plumier ne s'est pas tué, n'est-ce pas ?

Ahuri, Mittel ne savait que dire.

— Mais…

— Avec moi, vous pouvez être franc ! Vous allez

230

savoir tout de suite qui je suis. C'est à moi que Plumier envoyait ses documents... L'ami sûr dont il a dû vous entretenir, c'est moi. Vous ne me connaissez pas encore. Vous ne connaissez rien du pays et c'est pourquoi j'ai tenu à vous avertir. Ils vont essayer de vous avoir de leur côté. Dominico et sa bande ! Un ramassis de fripouilles et d'assassins ! Seulement, comme ils paient les élections, ils sont les maîtres...

Est-ce que, le matin même, le chef de la police n'avait pas conseillé à Mittel un faux témoignage ?

— J'ai épousé une Colombienne. La mine dont vous venez appartenait à ma belle-famille. Ce serait trop long de vous expliquer comment Dominico s'en est emparé... Mais j'aurai la preuve qu'il a fait tuer Plumier comme il en a fait tuer d'autres. Comment cela s'est-il passé, là-bas ? Moïse était sur place, n'est-ce pas ?

— Oui.

Il s'en repentit aussitôt. Les yeux brillants, Boitel s'écriait :

— Parbleu ! C'est leur homme à tout faire, leur tueur, comme on dit aux États-Unis. Où couchait-il ?

— Chez moi.

— Et il est sorti la nuit ?

— Je ne sais pas.

Encore une faute ! Il s'en mordait la langue, mais c'était plus fort que lui.

— Il est sûrement sorti ! Et je parie qu'il a fait découvrir le corps par un de ses hommes... Est-ce vrai ?

— C'est vrai !

— Vous voyez ! De même qu'il a retrouvé le sac d'or...

Mittel, épouvanté, se passa la main sur le front.

Comment connaissait-on déjà ces détails à Buena-ventura ?

— Je sais aussi qu'il y a eu un accident en route… Un nègre que Moïse a forcé à sauter à la rivière…

— Non !

Boitel exagérait ! Moïse n'avait à aucun moment ordonné à l'indigène de sauter à l'eau. C'était le contraire, et Mittel se souvenait encore du hurlement de joie du nègre en voyant s'abattre le crocodile.

— C'est l'homme qui a sauté…

— Vous êtes naïf ! Écoutez-moi. Il faut que je vous parle plus longuement. Nous sommes français tous les deux. Nous devons nous soutenir. Vous ne me connais-sez pas, c'est vrai, mais vous pouvez parler de moi au consul de France et à n'importe qui qui n'appartienne pas à la bande… Tenez ! Vous avez entendu parler des Villers d'Avon, une grande famille du Berry ? Le comte de Villers d'Avon est ici. Il vous dira si vous pouvez avoir confiance…

Mittel avait hâte de s'en aller, de réfléchir. Boitel paraissait sincère, mais en même temps il effrayait par son ardeur, par la fièvre qu'il mettait dans ses gestes et dans ses paroles.

— Où habitez-vous ?

— Là-bas, dans la deuxième rue à gauche, chez une vieille dame en deuil et sa fille…

— Je les connais. Il vaut mieux que je n'y mette pas les pieds. C'est vous qui viendrez me voir, ce soir, après dîner… Vous trouverez facilement la maison… C'est là… attendez !… la dixième à droite à partir de chez vous… Vous frapperez de petits coups à la porte…

Il était toujours crispé, les yeux trop mobiles, le regard inquiet.

— Vous lirez les lettres de Plumier… Vous comprendrez tout…

Mittel préféra n'en pas parler à Charlotte, qu'il trouva dans la chambre en train de ranger en compagnie de Moïse. Ils avaient déjà apporté tous les bagages. On entendait la vieille rôder dans le couloir, à épier sans doute les mouvements de ses nouveaux locataires. Elle avait surtout recommandé de ne pas planter de clous dans les murs et elle avait interdit de cuisiner.

— J'ai des nouvelles, annonça Moïse. Nous serons entendus demain matin par le juge. C'est un ami ! Pour déjeuner, vous avez le choix : ou bien l'hôtel, qui est cher, ou le bar qui est à cent mètres et où la nourriture n'est pas mauvaise. Si vous y mangez tous les jours, on vous fera des prix.

Du soleil, du soleil, du soleil ! Il y avait longtemps que Mittel n'en avait vu autant. Le bloc de béton de l'hôtel, là-bas, semblait prêt à éclater, et les rails lançaient deux feux aveuglants.

Un bateau était à quai, mais le pavillon était caché par le bâtiment de la gare. Un bateau américain, sans doute, comme il en venait tous les quinze jours.

— Qu'est-ce que tu dis des deux femmes ? murmura Charlotte, après avoir écouté à la porte.

— La vieille n'est pas gaie.

— La jeune doit être sale ! Tout ça sent le renfermé. Si je ne me retenais pas, j'arracherais les tentures et les tapis et je ferais une bonne lessive… On va manger ?

— Oui. Après, nous irons chez le docteur. Il y en a un tout près d'ici, un Américain, je me suis renseigné.

— Pour quoi faire ?

— Pour nous rendre compte de ton état.

— Si tu y tiens !

Elle n'était pas inquiète, elle ! Elle paraissait même ne pas souffrir le moins du monde de sa grossesse.

— Il paraît que Dominico t'a trouvé mieux qu'il s'y attendait. C'est Moïse qui vient de me le dire. Maintenant, a-t-il ajouté, cela ne dépend que de toi d'avoir une situation excellente !

Ils mangèrent dans cette espèce de hangar dont le bar occupait tout un côté. Il y avait trois ou quatre blancs à manger de même, sans parler, chacun à une petite table. Toujours le même menu : salade de fruits, poisson frit, ragoût de mouton et d'aubergines...

— La ville est plus grande que je le pensais, remarqua Charlotte. La première fois, elle m'avait fait l'effet d'un village.

Il observait, lui, un homme d'une cinquantaine d'années qui occupait la dernière table. Il avait les cheveux blancs, des moustaches blanches et il était seul à porter un faux col empesé, si haut qu'il lui maintenait la tête immobile.

Il mangeait en regardant la nappe et ses paupières étaient cernées de rouge, ses mains agitées d'un tremblement continu.

— Tu le connais ? questionna Charlotte.

— Non. Pas encore...

Mais il était presque sûr que c'était le Villers d'Avon qu'on lui avait annoncé. Que faisait-il à Buenaventura ? Quel était son vice ? Car il en avait un. Son faux col l'obligeait encore à porter la tête droite et son complet blanc était amidonné, certes, mais on sentait que ce n'était plus qu'une façade. Le garçon métis lui-même le servait avec une familiarité gênante.

Le docteur fut une nouvelle désillusion. Au début, les choses se passèrent exactement comme chez le chef de la police. Même escalier, même palier, même cordon de sonnette et, pour ainsi dire, même domestique débraillé.

— Vous voulez voir le docteur ?

Le métis faisait la moue, mécontent. On chuchota dans la pièce voisine. Une voix lança un juron en anglais. Quand le docteur se montra, il n'avait sur le corps qu'un pantalon et une chemise et ses cheveux étaient embroussaillés.

Le matin, les gens dormaient ! L'après-midi, les gens dormaient !

— Vous êtes à bord du bateau ? questionna-t-il en les examinant sans bienveillance.

— Non. Nous venons d'arriver du Choco. Ma femme a été très malade…

Il la regarda des pieds à la tête.

— Maintenant, elle ne va pas mal.

— Je voudrais, dit Mittel, que vous l'examiniez. Comme vous le voyez, elle est dans un état intéressant. Dans la forêt, elle a fait une fièvre typhoïde et je l'ai soignée comme j'ai pu…

— Vous permettez cinq minutes ?

Il rentra dans sa chambre, but un verre d'eau et les laissa seuls un bon quart d'heure dans un salon rouge et jaune où pas un objet ne datait de moins de vingt ans. Quand il revint, ses cheveux sentaient l'eau de Cologne et il portait une chemise propre sous son veston de toile.

— Déshabillez-vous.

Il ne paraissait pas convaincu de l'utilité de cette

visite. Pendant que Charlotte retirait sa robe et son linge, il s'adressait à Mittel.

— Si vous venez du Choco, vous êtes peut-être au courant. C'est vrai qu'un blanc a été tué ?

— Vous voulez sans doute parler de mon collègue, qui s'est suicidé ?

— Ah ! il s'est suicidé ?

Et l'Américain eut l'air de dire :

— Comme vous voudrez ! Si vous y tenez !

On pouvait voir Charlotte des fenêtres d'en face, mais le médecin n'en avait cure.

— Eh bien ! vous m'avez l'air normalement constituée… Respirez…

Mittel eût juré qu'il pensait à autre chose tout en auscultant la jeune femme.

— Rien aux poumons… Le cœur est bon… Il suffira de grossir…

Jamais elle n'avait paru si amaigrie que dans le jour cru de ce salon. Par contre, elle ne marquait aucune gêne d'évoluer sans vêtement dans ce cadre qui n'avait rien d'un cabinet de consultation et qui n'était pas fait pour la nudité.

— Pour le reste, docteur… Je veux dire pour ce qui est de l'enfant…

— Eh bien ?

— On ne peut pas savoir… se rendre compte ?

— De quoi voulez-vous qu'on se rende compte ? L'enfant viendra vivant ou mort… C'est le premier, madame ?

— Le premier, oui.

— Et pas d'alertes avant ?

Elle fit signe que non.

— En général, les Européennes, dans ces régions,

236

commencent par une fausse couche… Mais rien ne dit que cela arrivera avec vous…

C'était fini. Il s'en désintéressait.

— Comme régime, docteur ?

— Qu'elle mange tant qu'elle pourra !

— La typhoïde ?

— On voit encore des traces… Mais c'est fini, n'est-ce pas ?

C'était comme le prolongement de l'histoire du nègre ! La vie humaine ne comptait pas ! L'enfant viendrait vivant ou mort. Et après ? La typhoïde était finie ! Le docteur avait autre chose à faire, peut-être aller reprendre sa sieste, peut-être rendre visite au bateau de son pays.

— Tu ne te fais pas examiner ? questionna Charlotte en se rhabillant.

Et, au docteur :

— Il lui arrive d'avoir du sang sur ses mouchoirs… On l'a déjà soigné quand il était jeune…

Le médecin, qui mesurait un mètre quatre-vingts, regardait Mittel de haut en bas et semblait dire :

— Est-ce que je peux quelque chose, s'il est tuberculeux ? Il y en a des centaines, ici ! Il vivra tant qu'il vivra, mais il ne m'est tout de même pas possible de l'envoyer en Suisse… Alors ! à quoi bon ?

Toujours le même mépris de la vie et de la mort. Et Mittel avait vécu des années et des années sans s'en apercevoir. Il fallait, pour lui ouvrir les yeux, que le hasard le jetât dans un monde plus vaste, où les hommes étaient rares et où on les voyait avec d'autres yeux.

— Qu'est-ce que je vous dois, docteur ?

L'autre eut l'air embarrassé.

— Je ne sais pas, moi… Vous êtes riches ?

— Je travaille.

— Chez Dominico ! Il doit vous donner trois cents pesos par mois.

— Deux cents.

— Il vous vole de cent ! Donnez-moi deux pesos…

C'était tout ! Quinze jours durant, Mittel, dans la forêt, dans le bungalow qui puait la fièvre, avait lutté seconde après seconde contre la mort. Comment n'avait-il pas succombé lui-même à cet effort ? Il se le demandait maintenant.

Il avait sauvé Charlotte. Peut-être avait-il sauvé l'enfant ? Il arrivait enfin dans une ville civilisée qu'il n'espérait plus revoir. Il courait chez un médecin muni de diplômes. Il voulait savoir…

Et le docteur avait regardé avec ennui, avec gêne, eût-on dit, le corps maigre de Charlotte.

— Il viendra vivant ou mort…

Alors, pourquoi tant parler de progrès et de science ? Il était révolté. Dans la rue, il se tut et il dépassa la maison. Ce fut Charlotte qui l'arrêta :

— Où vas-tu ?

— Je ne sais pas…

Il prononçait ces simples paroles d'une voix si farouche qu'elle éclata de rire.

— On dirait que tu es furieux. C'est parce que le docteur ne t'a pas annoncé si ce serait un garçon ou une fille ?

Oui, elle riait, elle qui était pourtant la principale intéressée ! N'était-ce pas la preuve que c'était lui qui avait tort ?

— Rentre toujours… Je vais jusqu'au bureau…

Mais, à l'hôtel, il s'arrêta dans le bar vide où la

238

machine à sous lui rappelait Mopps. Il le revoyait, jouant pendant des heures en pensant à autre chose.

— Donne-moi des demi-pesos… dit-il au barman.

Quelles étaient exactement les pensées de Mopps quand il s'obstinait à braver la chance ? Celles de Mittel étaient imprécises. C'était plutôt un état d'esprit, une vague inquiétude, ou plus exactement la sensation de n'être nulle part à sa place.

Ici moins que partout ailleurs !

— Qu'est-ce que vous buvez ?

Il ne buvait même pas d'alcool, lui, et le garçon était ahuri de lui voir commander une limonade. Il perdait tous les pesos qu'il voulait. Il se souvenait avec nostalgie du cargo qui se balançait sur la rivière, avec son pavillon français détrempé. Il avait fini par se faire à bord un petit coin intime et il pouvait dire que Jolet était devenu un ami, tout comme Napo.

Est-ce qu'il allait déclarer, le lendemain, qu'il avait entendu le coup de feu ?

Et, le soir même, irait-il au rendez-vous de Boitel ? Qu'est-ce qu'il lui dirait ?

Dominico traversait le hall en compagnie de Moïse qui, près du grand patron, se montrait obséquieux.

— Tu t'occuperas de lui… disait à ce moment Dominico.

De qui ? Ils n'avaient pas vu Mittel et c'était de lui sans doute qu'il était question. Des touristes du bateau américain entraient à l'hôtel, des gens qui semblaient n'avoir d'autre souci qu'envoyer des cartes postales et acheter des souvenirs de Colombie, des petits machins d'ivoire, des objets en latex représentant des Indiens et des pirogues.

Il y avait aussi, plein une vitrine, de jeunes crocodiles empaillés, des crocodiles cirés ou vernis, jolis comme tout et qui ne mesuraient pas plus de trente centimètres.

Mittel avait déjà laissé vingt pesos dans la machine à sous.

6

C'était étonnant, en rentrant pour la première fois dans le logement, d'y trouver déjà du courrier, une lettre que la vieille dame avait placée en évidence sur un guéridon.

Monsieur et Madame Gentil... Puis l'adresse complète à Buenaventura, cette adresse que Mittel ne connaissait lui-même que depuis ce matin. Du papier bleu très élégant, marqué d'un monogramme. Charlotte se soulevait sur la pointe des pieds pour lire par-dessus son épaule.

Il grogna, dépité. Il n'avait rien espéré de sensationnel, mais c'était néanmoins vexant de lire :

Monsieur et cher compatriote,

J'ai omis ce matin, et je viens m'en excuser, d'inviter Mme Gentil à la très simple réunion de ce soir. Ma femme sera enchantée de faire sa connaissance, ainsi que ma belle-famille.

En vous demandant de bien vouloir vous faire auprès d'elle mon respectueux interprète, je vous prie de croire, cher Monsieur, à ma vive sympathie.

Julien Boitel.

— Tu viendras ?

— Qu'est-ce que je ferais ici toute seule ?

Maintenant, ils y étaient ! En raison de son état, on avait installé Charlotte dans le principal fauteuil, à droite du piano, près de la cheminée de marbre rose.

Mittel l'aurait parié avant d'entrer : l'intérieur des Boitel était le même que celui du chef de la police et que celui de la vieille dame chez qui ils habitaient. C'était à croire qu'à certaine époque on avait envoyé à Buenaventura un stock de meubles d'acajou, de pendules, de velours sombres, de franges et de fausses porcelaines.

Ici, néanmoins, on sentait un souci de distinction, tout comme dans la lettre de Boitel. La belle-mère, qui était petite et très grosse, presque ronde, portait une robe de soie noire compliquée, tandis que sa fille était en mauve. Comme l'appartement ne devait pas comporter beaucoup de pièces, un plateau était déjà préparé dans le salon, avec du thé et des gâteaux.

— Excusez-nous de vous recevoir si mal… Veuillez prendre place…

Et Charlotte gardait son sérieux, affichait même un air pincé qui cadrait avec l'ensemble.

— Vous ne souffrez pas trop, chère madame ?

— Pas du tout.

— Mon mari m'a raconté votre voyage. Je ne comprends pas comment vous avez pu être aussi courageuse !

Chez la mère, on relevait nettement des traces de sang indien, comme chez la plupart des Sud-Américains.

Quant à Mme Boitel, elle était mince, d'une douceur qui confinait à de la langueur.

— Vous prendrez bien quelque chose?

Mais il suffisait qu'une porte s'ouvrît pour effacer tout ce vernis. On devinait alors une chambre où il y avait trois lits côte à côte, dans un désordre de campement. Le père entrait, très vieux, très cassé et les autres avaient l'air de s'excuser.

— Mon beau-père, disait Boitel, a été un des personnages les plus remarquables de son pays…

Maintenant, il était tout à fait gâteux et on l'aida à s'installer dans un coin. On vit encore des jeunes filles aux yeux et aux cheveux sombres, une en bleu et une en rose, qui firent la révérence comme au couvent et allèrent sagement s'asseoir contre le mur. C'étaient les sœurs…

— Qu'est-ce que vous pensez de notre pays? demandait la mère à Charlotte.

Et celle-ci, gravement, hochait la tête.

— C'est très intéressant… À part la pluie…

Mais Boitel estimait qu'on avait échangé assez de propos mondains et entrait dans le vif du sujet.

— Dominico n'a pas su que nous nous sommes rencontrés?

— Je ne pense pas.

— S'il le savait, il ne dormirait pas cette nuit. Regardez ceci…

Et il montrait un petit journal mal imprimé, en espagnol, *El Corrière*, qui portait en manchette: *Encore un ingénieur assassiné dans le Bajo Choco*.

— Vous le lirez chez vous tout à l'heure… Vous fumez? Cet après-midi, j'ai déposé dans un coffre de la banque tous les documents de Plumier, car ces gens-là sont capables d'un cambriolage pour me les reprendre...

Il faisait sombre. Les ampoules électriques ne donnaient qu'une lumière jaune et insuffisante, comme dans les premiers tramways. Les visages, de la sorte, étaient sertis d'ombre, ainsi que les robes des trois jeunes femmes, la mauve, la bleue et la rose.

Tout le monde était respectueusement attentif et on sentait que Boitel était le grand homme de la famille.

— Je vous raconterai toute l'affaire en détail et je vous dirai par quelles étapes est passé Dominico avant de devenir millionnaire... Tenez ! Ma famille, à l'heure qu'il est, devrait être une des plus riches de Colombie... C'est lui qui nous a tout pris...

Au début, Mittel se demandait ce qui le gênait et il finissait par comprendre : c'est que, dans ce cadre violemment exotique, où l'odeur elle-même choquait, Boitel restait français au suprême degré. Et français d'une certaine classe, petit bourgeois jusque dans la coupe du veston, dans le nœud de la cravate, dans la façon de parler. C'était la province, mais transportée soudain à l'autre bout du monde, avec des comparses qui, quand on les regardait bien, devenaient hallucinants.

Car ces jeunes filles aussi, au maintien grave et aux yeux tristes, accusaient du sang indien. À certain moment même, quand Mittel fermait à demi les yeux, il croyait retrouver en elles les traits grossiers de ses travailleurs de la forêt.

Jusqu'à ces bibelots français qui, transplantés, disposés d'une certaine manière, changeaient de personnalité !

— Le comte va venir... Je m'étonne qu'il ne soit

pas encore ici… Dominico lui a pris plus de cent mille pesos… Tout lui est bon, vous comprenez ? Toutes les affaires de la ville et du port passent par ses mains… Les magistrats et les hommes politiques lui sont acquis, si bien qu'il gagne à chaque coup, sur tous les tableaux… Vous avez vu l'hôtel… C'est un Colombien de Bogota qui l'a fait construire voilà quatre ans… Il a coûté très cher, car deux fois en cours de travail les murs se sont effondrés… Quelques mois après l'ouverture, le Colombien était mis en faillite et Dominico rachetait l'immeuble en sous-main…

Mittel ne parvenait pas à se passionner à ce récit, ni même à détester Dominico, qu'il connaissait trop peu. — Ce qu'il faut, c'est que demain vous disiez au juge tout ce que vous savez, que vous exigiez de signer une déposition écrite, car ils sont de taille à changer vos déclarations !

Une sonnerie, dans le corridor. Bientôt on vit entrer l'homme que Mittel avait vu au bar. Il baisa la main de la maîtresse de maison, celle des jeunes filles, s'inclina devant Charlotte.

— Le comte de Villers d'Avon, un bon ami, qui est déjà depuis dix ans en Colombie… Je disais, comte, que notre ami Gentil a le moyen d'étrangler enfin la puissance de Dominico. Quand on saura que Plumier a été assassiné par ordre…

— Écoutez…

Mittel était de plus en plus mal à l'aise, avait la sensation d'étouffer.

— Vous êtes de la famille des Gentil de Bordeaux ? questionnait Villers en s'asseyant.

— Non… Je ne crois pas…

— J'ai connu un Gentil à l'École des Chartes, un

garçon très intelligent, qui doit être maintenant dans la diplomatie… Boitel me dit que vous apportez un témoignage accablant contre Dominico ?

— Mais non ! Je ne sais rien et…

Boitel avança sa chaise, se montra plus fiévreux.

— Vous admettez que Plumier a été assassiné, n'est-ce pas ?

— Ce n'est pas certain. Il donnait des signes de dérangement cérébral et, par exemple, sauf pendant la maladie de ma femme, il ne m'a jamais adressé la parole.

— Parce qu'il vous soupçonnait d'être à la solde de Dominico. Peut-être, même, croyait-il que vous étiez chargé de le supprimer ? Il n'en reste pas moins vrai que Moïse est arrivé et que vous n'êtes pas sûr qu'il soit resté toute la nuit dans votre bungalow. Vous me l'avez dit vous-même ! Vous n'avez rien entendu et, le matin, c'est un homme de Moïse qui a découvert le cadavre. Est-ce exact ?

— C'est-à-dire…

— Est-ce exact aussi que la chambre de Plumier était bouleversée, la serrure arrachée, le coffre-fort éventré ?

— Oui…

— Eh bien ! c'est tout ce qu'il nous faut… Déclarez cela au juge, signez votre déposition et Dominico sera bien en peine de répondre aux accusations…

— Encore un peu de thé ? proposait sa femme à la ronde.

Charlotte lui répondait avec des mines aussi sucrées. La chaleur était étouffante et il n'y avait pas que la chaleur : c'était l'atmosphère qui, maintenant, serrait Mittel à la gorge. Il ne savait plus où il était. Il avait l'impression d'un monde brumeux, inconsistant, où son regard rencontrait des personnages caricaturaux.

Le comte aux yeux rouges fumait un long cigare en hochant la tête, les deux mains à plat sur ses genoux croisés. Le vieux, dans son coin, était inexistant, ne semblait même plus faire partie du cercle de famille, tandis que sa femme se tournait de temps en temps vers Charlotte pour lui faire une politesse.

Ils tenaient à montrer aux Français qu'ils avaient reçu une bonne éducation et qu'ils avaient au surplus un gendre français.

Mittel entendait des bribes de phrases :

— Je suppose que vous irez à la montagne pour l'accouchement ?

Et Charlotte, sérieuse :

— Je ne sais pas encore… Cela dépendra des affaires de mon mari…

La veille encore ils couchaient sous la tente, près de la pirogue ! Et on ne les laissait pas respirer.

— Il faudra exiger un bon interprète, car vous ne connaissez pas assez l'espagnol pour une déposition aussi importante… Je vais vous écrire le nom d'un ami. Vous demanderez au juge de le désigner. C'est votre droit…

Et Boitel allait chercher des papiers, un crayon, orchestrait déjà la déposition du lendemain…

— Je vous assure… protestait parfois Mittel.

— J'aurais voulu que le consul de France fût ici ce soir. C'est un Juif de Bogota, mais c'est un honnête homme. Il est pour le moment en tournée dans le Nord, car il représente des maisons américaines de tracteurs agricoles…

Le temps passait, dans cette pénombre qui collait à la peau, et il n'y avait plus que Boitel à discourir.

— Au cas où vous perdriez votre place, nous serons dix à vous chercher quelque chose, de préférence à l'intérieur, car le climat conviendra mieux à Mme Gentil…

Dans la rue déserte, ils ne trouvaient rien à se dire. La chemise de Mittel lui collait au corps. Gérard de Villers était resté là-bas, sans doute pour échanger ses impressions avec Boitel. On les avait reconduits jusqu'à la porte.

— J'espère que nous nous reverrons souvent…

Et, sans transition, on longeait des maisons de bois, dans une rue sans trottoir où parfois on risquait de buter dans le corps d'un nègre endormi. Il tombait une pluie fine qui délayait la lumière des deux seuls réverbères de la ville.

— Qu'est-ce que tu vas faire ? questionna enfin Charlotte en soupirant de lassitude.

Il n'en savait rien. Évidemment, il n'avait pas entendu le coup de feu et il ne pouvait pas jurer davantage que Moïse n'était pas sorti pendant la nuit. Mais cela ne prouvait rien. Il restait plus que probable que Plumier s'était suicidé.

Il dormit mal, fut réveillé de très bonne heure par les pas furtifs de sa logeuse qui allait et venait dans l'appartement comme une souris. Elle portait un fichu sur les cheveux, des pantoufles, un petit tablier et elle promenait un plumeau sur tous les bibelots.

— Comment allons-nous faire le café ?

Dès qu'elle entendit des voix, la vieille se présenta

avec force révérences et expliqua qu'elle ferait le café elle-même dans la cuisine afin de ne pas salir la chambre avec un réchaud.

Le café était si noir qu'ils ne purent pas le boire.

— Quand reviens-tu?

— Je ne sais pas.

Il ne savait rien. Une fois de plus, c'était une nouvelle vie qui commençait. L'œil morne, il se dirigea vers l'hôtel où il trouva Moïse dans le hall. Ensemble, ils montèrent dans les bureaux de Dominico où il y avait déjà deux employés colombiens mais où le patron n'était pas arrivé.

Un bureau banal, des meubles clairs, des classeurs, un téléphone et des calendriers réclame sur les murs. Par les fenêtres, on voyait la rivière où, ce matin-là, il n'y avait pas de bateau.

Il fallut attendre jusqu'à onze heures sans rien faire. Moïse, à l'aise comme chez lui, lisait les lettres éparses, ouvrait et refermait les tiroirs. Il s'était habillé avec plus de soin que d'habitude et portait une cravate montée sur un appareil de celluloïd.

Enfin, un coup de téléphone. Moïse répondit, puis annonça:

— Nous pouvons aller… Le patron se rend directement chez le juge.

On aurait dit que Moïse affectait, maintenant, de ne plus vouloir influencer son compagnon. Ils parlèrent de choses et d'autres, surtout de la nourriture du bar, mais il ne fut pas question de Plumier.

— C'est ici!

Encore une construction en bois, des affiches sur les murs et la voiture de Dominico à la porte. On traversa des couloirs et Moïse frappa à une porte.

Dominico était là, les jambes croisées, à fumer un cigare, tandis que le juge commandait à son greffier d'aller chercher des chaises.

C'était un homme encore jeune, très élégant, qui recevait ses visiteurs en homme du monde, leur tendait son étui à cigarettes, leur souriait.

Quand ils furent tous assis, le greffier, sur un signe, alla s'installer au bout de la table et attendit.

— Vous permettez, monsieur Gentil ? C'est bien Gentil, n'est-ce pas ?… Vous permettez, dis-je, que je vous pose quelques questions ?

Lui aussi insistait sur le nom de Gentil et Mittel se demanda si ce n'était pas une menace. À vrai dire, il n'avait pas préparé son attitude, n'avait rien décidé. À ce moment encore, il ne savait pas ce qu'il allait dire et il repoussait le souvenir de l'appartement de Boitel, de la vieille dame, du comte, du père gâteux et des trois filles, la rose, la bleue, la mauve.

— Vous avez vécu assez longtemps près de Plumier pour pouvoir nous dire s'il donnait des signes d'aliénation mentale…

— Oui.

— Il était fantasque et se croyait persécuté ?

— C'est exact.

Posément, Dominico se taillait les ongles, comme indifférent à cet entretien.

— Lui est-il arrivé de vous faire des confidences ?

— Il ne m'adressait pas la parole. Ou plutôt il ne l'a fait que pendant la maladie de ma femme.

— Très bien ! La nuit de sa mort, M. Moïse couchait dans votre bungalow, où vous vous trouviez aussi…

— Oui.

— Or, il n'en est pas sorti.

— Non, articula Mittel.

Ouf ! Comme ça, il en était quitte. C'était plus facile, plus sûr surtout.

— Je répète qu'il n'est pas sorti de la nuit. Quand vous avez entendu le coup de feu, il était toujours près de vous ?

— Oui.

— Si bien que le suicide ne fait pas l'ombre d'un doute… C'est tout ce que je voulais savoir… Je vous remercie… Une cigarette ?

— Je ne fume pas.

C'était tout ! Les autres semblaient attendre qu'il voulût bien s'en aller.

Dominico restait. Moïse aussi. On le laissait partir tout seul et il se sentait soudain dérouté, comme si on l'eût abandonné. La rue était pleine de soleil et bruissait des milliers de mouches. Il ne savait s'il devait se rendre au bureau ou non et il finit par monter chez lui, où il trouva Boitel assis en compagnie de Charlotte.

— Veuillez m'excuser… J'ai pensé que le meilleur moyen de savoir… et je me suis permis…

Charlotte portait une robe de chambre sale et fripée, comme toujours. Elle n'était coquette que dehors et, chez elle, elle affectait un laisser-aller extrême, ne se lavant et ne se coiffant qu'à la dernière minute.

— Alors ?… Vous leur avez dit…

Tout à coup, Mittel eut un inexplicable mouvement de colère et s'écria d'une voix qui l'étonna lui-même :

— Qu'est-ce que je leur aurais dit ?

— Mais… ce que nous discutions hier…

— Et pourquoi voudriez-vous me dicter ma déposition ? Le juge m'a interrogé. J'ai répondu à ses questions, ni plus, ni moins…

— Que vous a-t-il demandé ?

Boitel s'était levé, effrayé par cette colère subite.

— Je ne sais plus… D'ailleurs, je crois qu'une ins-
truction est toujours secrète…

Charlotte, elle aussi, l'observait avec stupeur.

— J'en ai assez de ces histoires, voilà ! Est-ce que je
sais, moi, si Plumier s'est tué ou non ? Est-ce que cela
me regarde ?

— Je croyais…

L'autre cherchait ses mots, saisissait son chapeau.

— Lorsque j'ai appris que vous étiez un compatriote, j'ai pensé, ainsi que ma femme… Excusez-moi…
Je vous demande pardon, madame, de vous avoir
dérangée à pareille heure…

Il battait en retraite, hésitait encore, une fois sur le
palier, et s'en allait enfin.

— Ils commencent tous à m'embêter ! continua
Mittel, resté seul avec Charlotte. Je n'y comprends plus
rien ! Et qu'est-ce que je connais d'eux, en réalité ?
Qu'est-ce qu'il y a en dessous de ces histoires ?

Est-ce qu'il avait seulement besoin de mentir ? Il
avait toujours pensé que Plumier était fou. Pas fou à
lier, non ! Et pas d'une façon continue ! Certes, il y avait
des moments où il semblait jouir de toute sa raison…

N'empêche qu'il était capable de se tuer pour se
venger de ceux qu'il considérait comme ses ennemis !

Quant à Moïse… Il était capable, lui, de supprimer
quelqu'un froidement !

Mais Mittel ne l'aurait-il pas entendu s'il était sorti
au cours de la nuit ?

Alors ? Il n'avait rien dit d'autre. Il avait laissé écrire
qu'il avait entendu le coup de feu. Qu'est-ce que cela
changeait ?

Et il s'avisait maintenant qu'on ne lui avait même pas demandé de signer sa déposition !

— Allons manger, murmura-t-il.

— Je ne suis pas prête.

Elle s'habilla et il resta à la fenêtre, à regarder la rue pouilleuse au milieu de laquelle courait un ruisseau puant.

Il aurait pu… Naturellement, qu'il aurait pu ! Être moins catégorique, en tout cas. Laisser sous-entendre le soupçon qu'il entretenait malgré tout…

Et après ? Qu'est-ce qui serait arrivé ?

— Ma robe n'est pas trop sale ?

— Mais non, répliqua-t-il sans regarder.

Il mangea beaucoup, exprès, comme s'il se fût vengé sur les aliments. Gérard de Villers vint boire au bar, les aperçut et traversa la pièce pour baiser la main de Charlotte, ce qui était ridicule.

— Il n'a pas encore vu Boitel, se dit Jef. Sinon, il ne se mettrait pas en frais…

L'autre, d'ailleurs, abruti, ne trouvait à murmurer que :

— Bonne journée, pas trop chaude… Vous permettez… Je vous laisse déjeuner…

Il n'avait pas fait trois pas que Mittel grondait entre ses dents :

— Idiot, va !

Ce qui suffit à faire rire Charlotte aux éclats.

Ainsi, du moins, il n'était ni heureux, ni malheureux. Les jours passaient, les semaines, sans que rien changeât dans l'horaire des journées.

Dans les bureaux, au quatrième étage de l'hôtel, les

persiennes découpaient le soleil en fines tranches et on vivait avec, dans la tête, le bourdonnement des ventilateurs.

C'était clair, presque gai. Un des employés était métis, fortement mâtiné de nègre, mais de nègre martiniquais, ce qui lui permettait de traiter les autres noirs avec mépris. L'autre était colombien et ressemblait, avec ses yeux langoureux et son air fragile, aux belles-sœurs de Boitel.

Il y avait du travail pour toute la journée. À chaque instant, Mittel se rendait mieux compte de l'importance des affaires que Dominico traitait sans en avoir l'air. Car il ne jouait pas au gros commerçant. Il ne passait qu'une heure ou deux par jour dans son bureau et, le reste du temps, il vivait chez lui, où des amis venaient jouer au poker, boire des liqueurs et fumer des cigares. Jamais de femmes ! S'il avait une maîtresse, Mittel n'en savait rien.

Par contre, tout le trafic du port lui passait par les mains, et un bon tiers des marchandises qui entraient en Colombie ou en sortaient. On envoyait des câbles partout, en Europe, en Amérique, en Australie, en employant des codes différents. Parfois Mittel voyait défiler des noms français, entendait citer des maisons de la rue du Quatre-Septembre ou du Sentier devant lesquelles il était passé souvent sans penser qu'elles avaient des antennes aussi loin.

Seul Moïse n'était jamais là. Il voyageait sans cesse, allant de Cali à Bogota et à Medellin pour reprendre en fin de mois sa tournée des placers.

Un jour, Dominico, qui ne paraissait jamais voir ses employés, s'arrêta devant Mittel.

— Pour quand est-ce ?… Vous ne comprenez pas ?…
L'accouchement…

— Un mois et demi environ…

— Je voulais vous dire… Votre femme pourrait
aller à Cali, où il y a une très bonne clinique. Évidemment, vous n'y serez pas, mais je suppose que cela
vous est égal…

— Je réfléchirai.

Charlotte avait déniché quelques romans populaires
français et passait le plus clair de ses journées à les lire,
étendue sur le divan de peluche verte.

On ne voyait plus les Boitel. Ils n'avaient plus donné
signe de vie depuis que Dominico avait déposé plainte
contre le *Corrière* pour diffamation et avait gagné.

De quoi vivaient-ils ? Mittel se le demandait souvent.
Les beaux-parents, qui étaient d'une des meilleures
familles de Colombie, avaient possédé d'immenses
terrains, jadis, au temps des haciendas de plusieurs
dizaines de milliers d'hectares. Ils les avaient revendus,
croyant réaliser la bonne affaire, à des sociétés étran-
gères et à des gens comme Dominico.

Avaient-ils spéculé avec les fonds ainsi réunis ? Ils
ne semblaient plus avoir de fortune. Ils vivaient chi-
chement, repliés sur eux-mêmes, et c'était Boitel qui se
faisait le champion de la famille, recherchant dans les
transactions passées les irrégularités qui avaient pu être
commises.

Pour la journée, on installait le père dans un fauteuil,
sur la véranda, et il y restait aussi morose, aussi
immobile qu'un chien infirme.

Les femmes faisaient leur marché gantées et cha-
peautées. Boitel allait souvent à Cali ou à Bogota et, de

sa fenêtre, Mittel le voyait prendre le train sans parler à personne.

Quant à Villers d'Avon, Mittel connaissait désormais la raison de sa présence. Venu pour passer quelques semaines en Colombie, il s'était amouraché d'une petite servante indienne et il était resté des mois avec elle, puis des années.

Maintenant, il devait avoir deux ou trois enfants, mais personne ne voyait leur mère, car il demeurait aussi jaloux qu'au premier jour et il la tenait enfermée dans une des dernières maisons de la ville.

Son frère était venu exprès de France pour l'arracher à cette vie-là et lui, en guise de réponse, avait épousé son Indienne devant le curé et le maire.

Mittel l'avait toujours cru âgé d'au moins soixante ans ; or, on lui apprenait qu'il n'en avait pas quarante-huit ! Il avait renoncé à son titre de chef de famille, moyennant une petite rente qu'on lui versait régulièrement.

Il continuait à saluer Mittel et Charlotte au passage, mais sans leur adresser la parole.

À une heure, déjeuner au bar, où le couple avait ses serviettes roulées comme dans une pension de famille…

Mittel retournait au bureau de trois à sept et rentrait chez lui jusque vers neuf heures. Alors c'était le dîner, la promenade de quelques minutes dans l'obscurité, parfois le long de la rivière.

Rien de comparable à la vie dans la forêt, ni même à la vie à bord du cargo. Ici, on n'attendait rien, on ne comptait même pas les jours. Si la maternité de Charlotte ne s'était faite de plus en plus proche, on se serait à peine aperçu du temps qui s'écoulait.

On n'était ni heureux, ni malheureux. Les jours passaient, puis les nuits, et c'était toujours la même chose, toujours la chaleur, le soleil à certaines heures, la pluie à d'autres, les complets de toile blanche, les ventilateurs dans le bureau, la vieille logeuse en pantoufles se promenant avec son plumeau et faisant malgré tout du café trop noir dans lequel il fallait verser de l'eau.

Cela finissait par créer une sorte de somnolence. On ne pensait pas ou, si on pensait, c'était par images soudaines et les conversations ne trahissaient aucune suite dans les idées.

— Mopps n'a toujours pas écrit…

— En somme, le petit va légalement s'appeler Gentil… Tu ne trouves pas ça drôle, toi ?

Ce qu'il trouvait plus drôle, c'était la transformation de Charlotte, qui tenait à s'habiller comme la femme et les sœurs de Boitel et qui, elle aussi, s'affublait de gants pour sortir.

— Quelle heure est-il maintenant en France ?

— Minuit et demi…

— Ici nous sommes en plein jour ! J'imagine les réclames lumineuses, rue Blanche et rue Pigalle, les portiers, les chasseurs…

On les imaginait, certes, mais c'était théorique, car on finissait presque par croire que cela n'existait pas. C'était déjà trop loin dans le temps et dans l'espace. On soupirait. On parlait d'autre chose.

— J'ai montré au cuisinier comment nous préparons le ragoût… Il essaiera demain…

Le mouton, qu'ils mangeaient à chaque repas, les écœurait. Mais puisqu'il n'y avait rien d'autre !

Si ! Deux fois par mois, quand le bateau de la Grace Line escalait, ils allaient manger à bord, dans la salle à manger Louis XVI où ils étaient servis par des jeunes femmes en robe jaune et où trois musiciens accompagnaient le repas d'airs de danse. Ils s'installaient dans un coin. Ils n'avaient rien de commun avec les passagers qui, eux, allaient pour la plupart à terre goûter à la cuisine colombienne.

Ce jour-là, ils buvaient du vin, qu'on offrait à Mittel parce que Dominico était le représentant de la Compagnie et que c'était lui qui était chargé des connaissements. Quelquefois, on leur donnait à emporter un morceau de bœuf, ou du poisson à la glace, et le lendemain le cuisinier du bar le leur cuisait.

Mittel n'était pas gai, mais il se montrait beaucoup plus calme qu'au placer. Il prenait l'habitude de parler de moins en moins et c'était Charlotte qui s'étonnait.

— Tu n'as rien à me dire ?

— Non.

— À quoi penses-tu ?

— Je ne pense pas.

C'était presque vrai. À quoi bon penser ? À quoi ? Il avait envoyé deux cents francs à sa mère, sur son premier mois, et elle avait répondu qu'elle les mettait de côté en attendant d'avoir assez pour sa fourrure. Bébé avait de la suite dans les idées !

On parle toujours de la guerre... Un bon conseil : reste où tu es...

Elle avait été malade, à cause des grands froids.

... Des amis cherchent pour moi une place dans un journal de Nice...

Il lisait sans comprendre. Pour lui, cela ne signifiait plus rien. Il essayait d'imaginer Nice, où il avait vécu, la Promenade des Anglais, la foule piétinant dans le soleil...

Au fait, là-bas, les gens le faisaient exprès de s'exposer au soleil !

— Rien de Mopps ! annonçait-il à chaque courrier.

Cela lui pesait. C'était comme un trou dans son existence.

Il aurait voulu pouvoir déterminer, sur la carte du monde qui tapissait son bureau, l'endroit où se trouvait maintenant le *Croix de Vie*, Jolet, Napo, le bosco, tous les autres…

— En fin de compte, est-ce que tu iras à Cali ?

On en discuta pendant dix jours. Charlotte ne se décidait pas. À Cali, le climat était meilleur, les médecins plus sûrs…

Mais il fallait prendre le train, changer leurs habitudes et elle était aussi paresseuse que lui.

Si bien que les douleurs commencèrent une nuit qu'on ne s'y attendait pas et que Mittel n'eut d'autre ressource que d'aller chercher le docteur américain qui les avait reçus la première fois. Le docteur était furieux.

— Vous n'auriez pas pu me prévenir ?…

Car il avait dû être ivre le soir même et il but trois grands verres d'eau en s'habillant. Il ne retrouvait pas sa trousse. On chercha une demi-heure durant avant de la dénicher dans l'antichambre, sous un veston.

— Vous êtes sûr que c'est sérieux ? insista-t-il en suivant Mittel dans la rue.

7

Peu avant midi, en plein désordre, alors que Charlotte venait de s'assoupir, une lettre arriva, dont Mittel regarda le timbre en fronçant les sourcils. Comme il était occupé à se savonner les mains, il ne saisissait pas l'enveloppe, mais cherchait à reconnaître l'écriture qui était large, épaisse, avec des majuscules au début de chaque mot.

Toujours soucieux, il eut un autre coup d'œil vers le lit, où la tête rougeâtre d'un bébé dépassait à peine des couvertures, et enfin il déchira l'enveloppe et lut :

Fiston,
Si tu n'as rien de mieux à faire, je t'autorise à venir me rejoindre à Tahiti. Je me suis assuré qu'avec ton passeport tu n'aurais pas d'ennuis, ni Charlotte. Je me suis laissé nommer capitaine de bateau-mouche. Au cas où tu arriverais en mon absence, adresse-toi au Club franco-anglais. À part ça, rien de neuf.
Ton vieux

Mopps.

La coïncidence était curieuse. Mittel regardait le lit, puis la lettre, troublé par ce rapprochement qui se faisait à travers tant de temps et d'espace.

Ces mots, tracés en jambages épais, c'était un peu Mopps qui entrait dans la maison et qui participait à l'événement.

— Qu'est-ce qu'il y a? demanda Charlotte d'une voix endormie.

— Une lettre de Mopps.

— Que fait-il?

— Je ne sais pas. Il écrit qu'il est capitaine de bateau-mouche à Tahiti.

Et elle, toujours comme dans un rêve :

— Il y a des bateaux-mouches à Tahiti?

Elle s'endormit tout de suite après et Mittel alla s'accouder au balcon de bois, tandis que sa logeuse mettait de l'ordre dans la chambre. À cause de cette lettre, il s'embrouillait dans ses impressions et dans ses pensées, mêlant les images de l'enfant à des réminiscences sur les mers du Sud et la rue engourdie dans le soleil lui semblait triste et vide.

Pourtant, il eut une petite satisfaction d'amour-propre. La belle-sœur de Boitel, la plus jeune, qui devait avoir seize ans et qui possédait des yeux immenses, passa sur le trottoir opposé, comme une jeune fille bien élevée qui ne s'attarde pas dans la rue. Mais elle éprouva le besoin, en constatant que Mittel était chez lui, de laisser tomber un gant et de le ramasser, pour prolonger leur promiscuité.

Elle était devenue très rouge, comme chaque fois qu'elle le rencontrait et, en s'éloignant, elle surveillait sa démarche.

Il sourit. C'était amusant. Puis il pensa aux autres rues pareilles, au bar, à l'hôtel, au port enfin…

Mopps était à Tahiti! Il aurait été incapable d'exprimer sa pensée, mais il avait la sensation d'une harmonie enfin réalisée. Quand il pensait au passé, c'était presque toujours la silhouette rassurante de Mopps que Mittel évoquait.

Or, maintenant, quelque chose qui était comme un peu d'avenir était né, un garçon que Mittel ne regardait pas, parce que c'était encore très laid.

— Il sera affreux, avait-il dit au docteur.

— Mais non ! Tous les nouveau-nés sont comme lui.

— Ah !

Il doutait pourtant. Charlotte avait eu la même exclamation et, quand on lui avait présenté l'enfant, elle n'avait pas eu de transports de joie, ni de tendresse, mais elle avait soupiré, contrariée :

— Comme il sera laid !

Il avait déjà des cheveux, beaucoup trop, la peau rouge et ridée, le nez camus.

Maintenant elle dormait et Mittel devait s'assurer de temps en temps qu'elle n'écrasait pas le bébé ou qu'elle ne le poussait pas hors du lit, car elle ne se rendait pas compte qu'elle n'était plus seule.

Mopps à Tahiti ! Dans une colonie française ! On ne parlait donc plus du drame du boulevard Beaumarchais, puisque Charlotte pouvait aller là-bas. Il est vrai que c'était sous le nom de Gentil, avec le faux passeport…

Une pensée vint à Mittel, qui alla prendre le passeport dans une valise et qui en tourna les pages en se renfrognant. Il n'avait pas encore pensé à cela : leur enfant allait s'appeler Gentil ! Autrement dit, un nom qui n'existait pas, qui ne correspondait à aucune réalité.

À mesure que cette pensée s'imposait, il s'inquiétait

davantage et une grande pitié lui venait à l'égard de son fils.

Lui-même, au lieu de s'appeler Mittelhauser, comme son père, avait adopté le nom de Mittel, pour ne pas rappeler sans cesse un passé trouble.

Et voilà que son enfant changeait encore de nom, aurait, lui, celui qui figurait par hasard sur un faux passeport.

Jusque-là, Mittel n'avait pas encore lu celui-ci et il apprit ainsi qu'il était originaire du Jura et qu'il avait vingt-cinq ans, ce qui n'était pas vrai. Quant au Jura, il n'y avait jamais mis les pieds !

La vieille logeuse s'en allait préparer son déjeuner et la chambre restait vide, trop vide, sans personne pour venir admirer l'enfant et féliciter la mère.

À une heure, seulement, le collègue de Mittel frappa timidement et remit un petit paquet, de la part de Dominico. C'était un hochet en argent, comme on en vend dans les bazars.

— C'est un garçon ?

— Un garçon, oui.

— Le patron a dit que vous n'aviez pas besoin de venir au bureau aujourd'hui…

Mais déjà le lendemain ! S'il avait été à Tahiti, avec Mopps et peut-être les autres, Jolet, Napo, tout le monde…

Charlotte, elle, trouvait ça naturel. Elle avait accouché, selon le docteur, comme une femme qui en est à son troisième ou quatrième enfant et, dès qu'elle se réveillait, c'était pour gémir qu'elle avait faim.

Quant au bébé, elle le maniait avec une curiosité méfiante.

— Je ne comprends pas qu'on dise qu'un enfant

ressemble à son père ou à sa mère. Cela ne ressemble à personne !... C'est tout ce qu'il t'a envoyé, Dominico ?... Tu as pris une décision, pour le prénom ?

Car ils n'avaient pas encore trouvé de prénom. Charlotte voulait Christian, que Mittel trouvait trop romantique.

— Henri... proposa-t-il.

— J'ai un frère qui s'appelle comme ça et qui est gendarme...

— Charles...

On finit par tomber d'accord sur Charles et l'après-midi Mittel alla à la mairie avec son passeport pour déclarer l'enfant. Il rencontra Boitel dans la rue, mais celui-ci ne lui adressa pas la parole.

Que pouvait-il faire toute la journée ? Le plus curieux, c'est qu'il courait toujours affairé, comme un homme fort occupé. Il envoyait des lettres et des câbles partout, se raccrochait à l'idée de repêcher une partie de la fortune de sa belle-famille et, en attendant, celle-ci vivait dans une misère sordide.

Mittel ne rentra pas tout de suite, bien qu'il n'eût rien à faire. Il n'avait aucune hâte de revoir Charlotte et l'enfant. Il n'était peut-être pas dépité à proprement parler, mais ses sentiments n'avaient pas été ceux qu'il aurait cru.

Pas de joie délirante. Il avait aidé le médecin, des heures durant, lui avait servi à boire, fatigué, les nerfs tendus. Quand il avait vu le bébé, il avait à peine osé le toucher, par crainte de le meurtrir.

Il avait essayé, par acquis de conscience, d'être tendre avec Charlotte, mais c'est tout juste si elle ne lui avait pas demandé ce qu'il lui prenait.

Au fond de lui-même, n'avait-il pas cru que cet évé-

264

nement ferait du couple un vrai couple, un ménage, une famille ?

Mais non ! C'était déjà comme par le passé. Charlotte vivait avec lui comme elle eût vécu seule et comme elle dormait dans le même lit que le nouveau-né sans le voir.

Il rentra en fin de compte, faillit écrire un télégramme pour Mopps, en lui annonçant la nouvelle, puis pensa que cela coûterait près de dix francs le mot.

— Tu lui donnes déjà le sein ? Le docteur a dit…

— Qu'est-ce que le docteur en sait ? C'est comme quand il m'empêche de manger !

— Tu as mangé ?

— Je me suis fait préparer du café au lait…

Les heures passaient ainsi, sans rime, ni raison, et les jours s'écoulèrent de même. Lors de son passage à Buenaventura, Moïse s'écria :

— Qu'est-ce que je vous avais dit ? Vous vous faisiez du mauvais sang à cause du gosse à venir… Vous vous souvenez de l'état dans lequel vous vous mettiez, là-bas, au bungalow ?… Ces femmes-là, qui n'ont l'air de rien, c'est plus fort que nous tous et vous verrez qu'elle nous enterrera…

Ces derniers mots le frappèrent et il devait désormais y penser souvent.

— C'est comme votre collègue… Vous étiez tous à vous plaindre de la solitude, de la pluie, du climat, des rats et de je ne sais quoi… Je l'ai trouvé parfaitement heureux… Il a adopté la petite négresse, vous savez, celle que… Elle tient son ménage… Elle est déjà enceinte, bien entendu, mais, un de ces jours, il en prendra une autre… Quant aux rats, c'est tout juste s'il ne les mange pas… Voilà ce que j'appelle un homme, moi !

Évidemment ! Mittel aurait bien voulu lui ressembler, mais ce n'était pas sa faute s'il était toujours en proie à des pensées. Puis les pensées devenaient des angoisses…

Il en était encore ainsi maintenant. Depuis la lettre de Mopps, il regardait la ville et la rivière avec d'autres yeux. Il se demandait comment il avait pu y vivre des mois sans être en proie à l'idée fixe d'évasion.

Sans rien dire, même à Charlotte, il avait fait des comptes, à l'aide des barèmes des compagnies de navigation. En deuxième classe, jusqu'à Panama, il fallait compter six cents francs par personne. Quant au bateau français allant de Panama à Tahiti, il était cher. Il est vrai qu'il y avait quinze jours de traversée ! Deux mille francs par personne !

En tout, sept mille francs pour le voyage ! Même en ayant l'argent, ce serait long. À Buenaventura, il n'y avait qu'un bateau par mois dans la bonne direction, et, à Panama, si on ratait le courrier français, il fallait attendre six semaines !

Tout cela ressemblait à des fils de fer barbelés que Mittel retrouvait toujours devant lui.

Il avait fait d'autres calculs. En réduisant encore les dépenses, en ne prenant qu'un repas au restaurant malgré l'interdiction de la logeuse — on en serait quitte pour manger froid ! — il pourrait mettre près de cent cinquante francs par mois de côté, surtout si l'enfant n'était pas malade et n'entraînait pas des frais de médecin ou de pharmacien.

Sept mille divisés par cent cinquante…

Quarante-six mois ! Plus de trois ans…

Et la dernière lettre de sa mère reparlait de Nice, laissait entendre que, si elle obtenait la place qu'elle avait demandée, elle aurait besoin d'argent pour le voyage et pour s'installer !

Dominico ne s'occupait pas de lui. Mittel était devenu un rouage régulier de son affaire. En classant les dossiers, un jour, il avait retrouvé les fameuses armes, celles avec lesquelles il avait voyagé depuis Fécamp.

Repêchées par le petit cotre, elles étaient restées longtemps, à l'insu de tous, dans une vieille gabarre pourrie qui se trouvait dans le port. C'est à dos de mulets qu'elles étaient parties ensuite pour le Pérou, où Dominico les avait vendues, bien que ce pays fût susceptible d'entrer en guerre un jour ou l'autre avec la Colombie.

Le plus extraordinaire, quand on suivait le chemin de ces mitrailleuses, c'est que le Pérou n'avait pas payé en argent, mais avec une créance qu'il avait sur une maison d'exportation du Havre.

De cet argent français, Dominico avait acheté un stock de parfums qu'on attendait par le prochain bateau...

Et, du coup, il retrouvait Boitel sur son chemin. Car Boitel avait obtenu du gouvernement colombien l'exclusivité de la fabrication des parfums, fards et poudres de riz. S'il se démenait maintenant, c'était pour obtenir que les parfums de Dominico ne fussent pas acceptés au débarquement.

Les deux hommes allaient à Bogota, chacun de son côté, voyaient des députés, des ministres, des fonctionnaires, s'accusaient des pires méfaits.

Pendant ce temps-là, Charlotte, qui s'était levée, réclamait une bonne.

— Je ne peux pas être derrière le petit toute la journée…

Cela ne la gênait pas de le laisser crier une heure durant et elle empêchait Mittel de se relever la nuit.

— Il ne faut pas lui donner de mauvaises habitudes…

Il s'était figuré une mère autrement. Elle était habile à le laver et à l'emmailloter, l'abandonnait à la garde de la logeuse pendant qu'elle allait se promener. Dans un magasin, elle avait fait la connaissance de deux métisses presque blanches, qui vendaient de la mercerie. C'étaient deux filles très grosses, qui riaient toujours et qui, l'après-midi, buvaient des petits verres de liqueur et mangeaient des gâteaux dans leur arrière-boutique.

Charlotte y allait de plus en plus souvent et Mittel n'aimait pas retrouver des relents d'alcool dans son haleine.

— Tu oublies que tu nourris le petit.

— Et après? Est-ce que je suis ivre? Est-ce que je n'ai pas assez de lait?

Elle aurait pu en nourrir deux et elle en était fière, ouvrait volontiers son corsage dans un endroit public pour donner le sein à l'enfant.

— Les demoiselles Caléro m'ont trouvé une bonne qui viendra demain…

Pourquoi pas, après tout? C'était autant de pris sur les cent cinquante francs mensuels d'économies! Mais ces économies serviraient-elles jamais? Plus de quatre ans, rien que pour payer le voyage à Tahiti!

Mittel engraissait. Il avait toujours été fort maigre et son ossature était frêle. Maintenant, de vivre assis toute la journée, dans un climat aussi lourd, il lui venait une couche de graisse qui déformait ses traits et qui n'avait rien de commun avec la santé.

Charlotte aussi, d'ailleurs, grossissait, mais, chez elle, le résultat était harmonieux.

— Tu devrais demander une augmentation à ton Dominico… Attends que je sois remise et j'irai lui en parler, moi ! Je n'ai plus une robe à me mettre… Les demoiselles Caléro me font crédit, mais je n'ai pas encore osé… Tu veux bien que je m'achète une petite robe en toile de soie ?

Un paquebot tous les quinze jours, tantôt vers le nord, tantôt vers le sud. De temps en temps, des petits cargos faisant la côte, du Chili à Panama…

Mittel pensait toujours à Tahiti.

Je me suis laissé nommer capitaine de bateau-mouche…

Qu'est-ce qu'il voulait dire au juste ? Sa lettre, malgré sa brièveté, semblait à Mittel assez découragée. On eût dit un appel.

Cher Capitaine,

Le jour où je recevais votre message, Charlotte me donnait un enfant. C'est un fils. Nous habitons maintenant Buenaventura, où je travaille dans les bureaux de Dominico, car la forêt ne nous réussissait pas.

Malheureusement, je n'envisage pas la possibilité avant très longtemps d'aller vous rejoindre à Tahiti et, en attendant, nous vous envoyons, Charlotte et moi, nos meilleures affections.

Au sujet de l'enfant, il avait essayé de faire des calculs, mais le médecin ne lui avait pas répondu, ou plutôt lui avait répondu évasivement quand il lui avait demandé si l'accouchement avait eu lieu à terme ou avant terme.

Un doute restait possible. Mittel y pensait souvent. Mais là encore son sentiment n'était pas tout à fait celui qu'il aurait pu prévoir…

Il ne parvenait pas à être jaloux ! C'était étrange. Cela le déroutait lui-même. Il était furieux à l'idée que Charlotte passait ses après-midi chez les deux demoiselles Caléro, à boire de la Bénédictine de contrebande, mais c'est à peine s'il éprouvait quelque nostalgie en se disant que l'enfant était peut-être de Mopps et qu'il ne saurait jamais la vérité.

Malgré cela, par contre, s'il eût été obligé de choisir entre le bébé et Charlotte, il eût choisi le bébé…

Elle pas ! Elle avait parlé, à certain moment, de le mettre en nourrice. Elle le voyait jouer avec la petite bonne, qui était noire comme de l'encre, et cela ne lui faisait rien, tandis que Mittel en était écœuré.

— Du moment qu'elle est propre ! Je regarde moi-même ses mains deux fois par jour…

Comment Mopps vivait-il à Tahiti ? Quel était ce bateau-mouche dont il parlait ? Sans doute un vapeur qui faisait la navette entre les îles ?

Mais qu'était devenu le cargo ? Et son équipage ?

Je me suis laissé nommer…

Donc, il avait raté son expédition et il avait dû accepter n'importe quoi ! C'était de Tahiti qu'il parlait jadis quand il expliquait à Mittel le sens du mot encanaquement. S'était-il laissé encanaquer ? Vivait-il avec une Tahitienne couronnée de fleurs blanches ?

Le tout, c'était de garder son sang-froid. L'expérience de la forêt avait appris à Mittel que, du moment

270

qu'il entreverrait une possibilité de départ, il ne tiendrait plus en place et serait en proie à la panique.

Il s'efforçait de rester calme, de regarder le décor, autour de lui, comme si c'eût été le décor définitif de sa vie. Il avait fait des progrès en espagnol. Il cherchait à comprendre le mécanisme exact des affaires de Dominico et il faillit même partir pour celui-ci à Bogota, ce qui l'eût distrait pendant quelques jours.

Comme au placer, son ennemie était la rivière. Dès qu'il la regardait — et elle coulait toute la journée sous ses yeux ! — dès qu'il voyait le courant descendre vers la mer, il se souvenait du *Croix de Vie* glissant, certain matin de dimanche, pour s'enfoncer dans le Pacifique.

À chaque bateau, il avait le même serrement de cœur, éprouvait ensuite le même cafard qui durait plusieurs jours, au point qu'il évitait d'aller déjeuner à bord des *Santa*, comme on appelait les paquebots mixtes de la Grace Line.

Il s'en voulait, se demandait avec effroi si ce n'était pas une maladie de son esprit. Car, à Paris, pendant son adolescence, il en avait été de même. Il se souvenait entre autres de ce pont immense qui enjambe le chemin de fer au-delà de la gare du Nord, des centaines de rails, des heures qu'il passait, accoudé au garde-fou…

Il y avait surtout des trains courts et rapides, aux wagons bleuâtres, les grands Pullman, dont la seule vue lui donnait une véritable douleur dans la poitrine.

Et pourtant leur but n'était pas loin : Bruxelles, Anvers, Amsterdam…

Mais le mot d'Amsterdam à lui seul devenait pour lui un poème ! Certains jours, quand les wagons étaient éclairés, on voyait les voyageurs commencer de dîner, leur table garnie d'une petite lampe à abat-jour rose…

Il y avait les mêmes lampes à bord des bateaux de la Grace Line…

Il avait rêvé du Midi aussi. Il avait vécu à Nice, photographe d'abord, puis employé dans une agence de location et de vente d'immeubles. Et pourtant il s'était enfui.

Il avait toujours fui quelque chose, décourageant les anciens amis de son père qui lui procuraient des places. Chaque fois il lui semblait que sa vie n'était pas là, qu'elle était plus loin…

Et maintenant, il croyait la sentir au-delà de l'océan tout proche, à Tahiti, auprès de Mopps…

De jour en jour, cette nostalgie devenait plus lancinante et il lui arriva de recommencer ses comptes, pour s'assurer qu'il ne s'était pas trompé.

Il fit plus. Il se demanda comment se procurer les sept mille francs nécessaires. Il y avait toujours de l'argent dans le coffre-fort dont, maintenant, il avait la clef, car il était devenu premier commis.

Mais il serait à peine à bord qu'on découvrirait le vol. Les bateaux avaient la T.S.F. et il serait arrêté dès le débarquement à Panama…

Une autre pensée le fit rougir davantage que cette velléité. À supposer qu'en arrivant à Buenaventura, après l'histoire de Plumier, il se fût montré plus adroit ? Il aurait dit :

— Donnant, donnant ! Je ferai la déposition que vous demandez, mais vous me donnerez de quoi aller à Tahiti avec ma femme…

Ils auraient marché ! Il s'en rendait compte, maintenant. En réalité, il avait presque tenu leur sort entre ses mains. Or, il avait menti gratuitement. Il avait menti par lâcheté, parce qu'il avait peur d'être renvoyé au placer. Il avait menti parce qu'il sentait Dominico puissant et qu'il n'avait pas la force de lutter…

Il ne se passait plus de jour qu'il n'y pensât. C'était le soir, quand il s'endormait, sur l'étroit divan vert, puisque, à cause du petit, il ne dormait plus avec Charlotte. Il n'était jamais assez fatigué pour trouver aussitôt le sommeil. Et automatiquement il retrouvait la même gêne en évoquant l'appartement de Boitel et de ses beaux-parents, les trois jeunes filles en bleu, blanc et rose, les tasses de thé, la silhouette caricaturale de Gérard de Villers, qui était malade et qu'on ne voyait plus…

Il n'y avait dans son passé qu'un autre souvenir qui revînt avec d'autant d'insistance, mais celui-là était un souvenir heureux, qu'il s'efforçait de ramener à la surface : l'appartement de l'avenue Hoche, un dimanche après-midi… la cuisine claire, le frigidaire… Puis le salon, la chambre, les cocktails et le rire de Mrs White…

La seule joie gratuite, inattendue, inespérée que la vie lui eût donnée !

À bord des bateaux de la Grace Line il y avait de temps en temps des femmes du même genre, qu'il regardait toujours avec une stupeur admirative, comme si elles eussent été des fantaisies de la nature.

Car elles étaient jeunes, elles étaient riches, elles étaient belles ! Rien de ce qui fait la peine des hommes ne semblait les atteindre. Elles vivaient dans une atmosphère de joie et de luxe, d'absence totale de soucis et elles regardaient avec étonnement les êtres ordinaires s'agiter autour d'elles.

C'était cela ! Mrs White avait trouvé piquante la situation de ce jeune homme qui vivait, ignoré, dans une chambre de bonne d'un des immeubles les plus luxueux de Paris.

Ici, ses pareilles s'étonnaient pareillement quand il venait à bord procéder aux formalités.

— Vous êtes vraiment français, et de Paris ? C'est très curieux…

Peut-être deux ou trois fois eût-il pu renouveler l'aventure. Car elles vivaient en dehors des règles, au gré de leur seule fantaisie. Il est vrai qu'une fois il avait vu dans un journal la photographie d'une femme admirable, qui ressemblait un peu à Mrs White.

… une des femmes les plus connues de la société américaine, qui a été trouvée morte d'une balle de revolver à la suite d'une nuit d'orgie…

Elle avait vingt-deux ans ! La scène se passait dans un riche hôtel particulier de la Ve avenue, où étaient réunis une dizaine d'invités.

Ils ne savaient rien, ils prétendaient qu'ils étaient trop ivres pour avoir vu quelque chose…

Mittel rentrait chez lui et trouvait la petite négresse occupée à soigner l'enfant. Quelquefois, il devait attendre Charlotte assez tard.

— Elles m'ont appris des jeux de cartes épatants. Aujourd'hui, j'ai gagné cinq pesos…

L'appartement était mal éclairé, plein de vieux tissus tristes et douteux et la logeuse, toujours en deuil, sa fille qui louchait étaient plus tristes encore.

Encore une qui était amoureuse, Dieu sait pourquoi ! Elle se mettait sur le passage de Mittel et rougissait en s'excusant de se trouver là.

Il avait toujours la lettre de Mopps dans sa poche, mais un soir il la déchira, parce qu'il valait mieux ne plus penser à ces choses. Il aurait même mieux valu ne plus penser du tout.

Est-ce qu'ils ne s'étaient pas habitués à la nourriture ? La saison des pluies était passée. Il y avait du soleil toute la journée. Il est vrai qu'il était si brûlant qu'à midi il était presque dangereux de traverser la ville !

Charles avait deux mois… Mittel avait de la peine à l'appeler Charles, car pour lui, cette petite chose vivante n'avait pas de nom.

Il s'asseyait tout près, le soir. Il le regardait et il se demandait pourquoi les choses ne s'étaient pas passées autrement. Quand on imagine une famille, il y a un joli berceau, orné de nœuds de rubans, une jeune femme émue et souriante, un feu de bûches dans le fond du tableau.

Ici, on faisait ronfler le ventilateur. On n'avait pas acheté de berceau, parce que le jour le petit dormait dans une sorte de hamac en toile qu'on pendait au plafond. La bonniche avait la rage, dès qu'on avait le dos tourné, de balancer le hamac à grands coups. Or, Mittel avait entendu dire que c'était mauvais pour le cerveau…

Ne pouvant se procurer des livres intéressants, il ne lisait plus. À peine les journaux colombiens, qui parlaient de café, de cacao, des frontières du Pérou et de révolution possible.

Faute de sept mille et quelques francs ! Un jour il écrivit au principal ami de son père, le directeur d'hebdomadaire.

Je vous promets de vous les rendre à raison de cent cinquante francs par mois… C'est un simple prêt, je vous jure…

Il fit les frais d'expédier la lettre par avion, ce qui permettait de recevoir une réponse dans le mois. Et Mittel pensa un moment que son correspondant pourrait répondre par câble, accompagné d'un mandat télégraphique.

Il compta les jours, crut s'être trompé, reçut à la place une lettre de sa mère qui disait :

... B. m'a téléphoné qu'il avait eu de tes nouvelles et qu'il est ridicule, à ton âge et dans ta situation, d'avoir un enfant. Il trouve que tu avais déjà bien assez de charges comme ça. Enfin, il me dit que tu parais nerveux et que tu ne te doutes pas que la vie à Paris est beaucoup plus difficile que la tienne là-bas...

Il a peut-être raison. Des tas de jeunes gens sont sans place... Moi-même, je n'ai pu aller à Nice et je suis condamnée à vivre dans une cage sans air, dans les odeurs des linotypes qui me font tousser tous les soirs...

La situation en Europe est tendue et...

Il pleura, tout seul, ce jour-là, non pas de tristesse, mais de rage. Le lendemain, un événement devait donner un peu d'animation dans la vie de Buenaventura. Un yacht blanc, presque aussi grand que les bateaux de la Grace Line, resta jusqu'à midi ancré au milieu de la rivière, puis vint à quai.

Ce fut Dominico lui-même qui se rendit à bord, car le propriétaire était un des hommes les plus riches des États-Unis, qu'on surnommait le Roi de la Confection.

Mittel était dans ce qu'il appelait son aquarium, là-haut, au quatrième étage de l'hôtel, à taper des lettres en espagnol et en anglais.

Moïse, par hasard, était à Buenaventura et il alla à bord, lui aussi, annonça au retour :

— Ils viennent des Galapagos et ils ont escalé ici pour faire leur plein de mazout, car ils piquent droit sur Tahiti, puis sur le Japon…

On ne voyait personne descendre à terre, sauf des officiers et des matelots.

— Ils sont saouls comme des bourriques, poursuivait Moïse avec bonne humeur. C'est crevant de les voir… Trois petits vieux… Winfeld, le propriétaire, est un Juif polonais qui a fait fortune à Chicago… Il accomplit sa première croisière… Au lieu d'inviter de belles filles, il a emmené deux autres petits Juifs de son âge et ils passent leur temps au salon, à vider des bouteilles de champagne… Quand ils ont vu les Galapagos, ils ont trouvé que ce n'était pas intéressant et ils ont donné l'ordre de ne pas jeter l'ancre…

Tout le monde était sur le quai, à contempler le yacht blanc.

— Ils repartent demain avec la marée… Savez-vous ce que Winfeld a déclaré au patron ?… *Si on mettait le Pacifique à sec, on retrouverait notre route dessinée sur le fond par les bouteilles de champagne…* Ils ont fait venir d'Allemagne un ancien officier de sous-marin qui est un des meilleurs connaisseurs en matière de diesels… Il y a soixante hommes d'équipage…

Mittel détournait la tête. Il se souvenait de la chauffe, du poste avec son petit poêle, des siestes sur le pont dès qu'on avait atteint les tropiques.

Quand il rentra chez lui, Charlotte s'étonna…

— Qu'est-ce que tu as ? On dirait que tu as bu…

Il esquissa un drôle de sourire. Non, il n'avait pas bu ! Mais il annonça :

— Ce soir, il faut que je sorte… Je t'expliquerai après…

Il ne parvint pas à manger.

8

Cette nuit-là, d'un bout à l'autre, il oublia le respect humain.

Déjà, vers neuf heures du soir, ceux qui l'eussent rencontré rôdant dans le port eussent été étonnés de son air crispé, inquiet et humble à la fois. Il allait et venait, non loin du yacht, guettant les hommes qui descendaient à terre, leur adressant parfois la parole.

— Le capitaine ne va pas débarquer ?

Et eux, qui le voyaient surgir de l'obscurité, le prenaient pour un quémandeur et haussaient les épaules. Mittel en compta quinze, vingt, vingt-deux qui s'en allaient comme des soldats en permission. Certains pénétraient à l'hôtel où on les voyait jouer au billard ou tripoter la machine à sous. D'autres se laissaient tenter par les rues obscures de la ville où ils espéraient rencontrer l'aventure.

Mais le capitaine ne descendait pas et Mittel n'osait pas franchir la passerelle. Un matelot, qui devait avoir un grade, passa avec quelques autres, en parlant allemand, puis ce fut tout, le silence, l'obscurité du quai, le pont du yacht à peine éclairé et les rideaux tirés devant les hublots des salons.

Il n'y avait rien à espérer et pourtant Mittel ne rentra pas chez lui mais resta un bon quart d'heure au bar de l'hôtel, sans parler à quiconque, écoutant ces hommes qui, eux, repartiraient avec le yacht.

Si encore il eût été tout seul !

Une grande brute lui demanda du feu et ne dit pas merci. Deux autres, pour s'amuser, boxaient dans un coin et tapaient dur.

Mittel repartit, rasant les maisons, honteux de lui, obstiné quand même et il pénétra dans le bar en planches où il y avait un autre groupe d'Américains. C'étaient ceux qui parlaient allemand et ils devaient avoir déjà beaucoup bu, car ils menaient grand tapage. Au milieu d'eux, portant une casquette et des galons aux manches, un gros homme au crâne rasé, à la chair rose, aux yeux clairs buvait des petits verres d'alcool avec de la bière.

Insensiblement Mittel se rapprocha de lui et, comme il ne pouvait rester au comptoir sans rien prendre, il commanda de la bière, lui aussi. On ne l'avait pas remarqué. Il recevait des coups de coude. L'officier rasé expliquait au nègre que sa bière était mauvaise et qu'il devait aller en chercher une autre caisse. Le barman ne comprenait pas et soudain Mittel s'avança, se fit l'interprète entre les deux hommes.

— *So !* s'exclama l'autre avec joie. *Sprechen sie deutsch ?*

— *Jawohl.*

— *Wohnen Sie hier ?*

Habitez-vous ici ? lui demanda-t-il.

Et lui, lugubre :

— *Ja...*

Il aurait fait toutes les bassesses imaginables. Pour plaire à son compagnon qui buvait ferme, il buvait aussi, acceptait d'accompagner sa bière de petits verres d'alcool qui lui brûlaient la poitrine.

Et, comme l'officier parlait, il l'écoutait avec un sourire approbateur qu'il voyait dans la glace et qui lui faisait honte. Cet homme-là était le chef mécanicien et il se montrait fier de ses machines, les plus belles, affirmait-il, qu'on eût jamais installées à bord d'un yacht.

Il donnait des détails avec complaisance : le bateau avait coûté un million et demi de dollars. Il était terminé depuis deux ans, mais son propriétaire n'avait encore fait, en dehors du présent voyage, qu'une croisière de deux jours devant New York.

— Il ne s'occupe de rien, expliquait l'Allemand. Il ne met seulement pas les pieds sur le pont. Il boit et il raconte des histoires avec ses amis. À Panama, ils n'ont pas eu la curiosité de regarder le canal…

Et il buvait toujours. Mittel avait le sang à la tête, remettait sa démarche à un peu plus tard.

— Qui est le grand maître à bord ? osa-t-il enfin demander.

Et son interlocuteur, passablement ivre, eut l'air d'hésiter.

— En principe, c'est le commandant. Mais c'est en moi que Winfeld a confiance… C'est moi qui ai le plus à dire…

— Cela ne vous serait pas possible d'emmener quelqu'un ?

— Si je voulais, oui !

— Alors, écoutez… Vous allez à Tahiti, n'est-ce

pas?… J'ai une femme, un bébé, et on m'attend là-bas… Je ne suis pas assez riche pour…

Le nègre du bar l'entendait, mais il n'en avait cure. Il pensait que son sort dépendait de cet homme ivre et de lui seul et il se raccrochait aux boutons de sa tunique…

— … Vous comprenez?… J'ai déjà travaillé à bord d'un bateau. Je connais la chauffe…

— Nous n'avons pas de chauffe, mais des moteurs Diesel…

— Je ferai n'importe quoi… À Tahiti, le capitaine Mopps, qui est un ami et qui doit avoir de l'argent, vous dédommagera…

— Je gagne trente mille dollars par an… Donne à boire, le nègre…

Écoutait-il sérieusement? Il buvait toujours. Mittel trinquait avec lui, essayant de lire dans ces yeux bleus que l'ivresse commençait à humecter.

— Un bébé… grommelait-il.

— On ne le verra même pas. Ma femme s'en occupera tout le temps… Qu'on nous donne seulement un petit coin…

— Viens me voir demain matin.

— Mais vous partez à dix heures.

— À midi! Viens me voir. Demande Vogel, Franz Vogel…

— Vous croyez que vous pourrez nous emmener? Vous comprenez? Si je le savais, nous nous préparerions cette nuit…

— Viens demain matin…

— Est-ce qu'il y a des chances?

— Puisque je te dis de venir!

Est-ce qu'on pouvait savoir? Était-il ivre? Ne

l'était-il pas ? Ne répondait-il pas ainsi pour se débarrasser d'un gêneur ?

— Allons, vous autres, on rentre !

Et Mittel aurait bien pleuré, tant il était tiraillé entre l'espoir et la crainte de se leurrer. Vogel lui donnait une bourrade, payait toutes les consommations sans reprendre sa monnaie, répétait :

— Demain matin !

Charlotte ne dormait pas. Il était quatre heures et elle se demandait ce qui était arrivé à Mittel.

— C'est toi ?

Il butait dans les marches, ne trouvait pas le bouton de la porte. Il était à peine entré qu'il vomissait toute sa bière et son alcool.

— Qu'est-ce que tu as fait ? Tu es saoul, toi ?

— Attends… Je vais t'expliquer…

Il était malade. De grosses gouttes de sueur glissaient sur son front.

— Je vais t'expliquer… Donne-moi un peu d'eau…

Il avait tout sali, y compris son veston.

— Peut-être que demain nous partirons avec le yacht…

— Tu as vu le propriétaire ?

— Non… Le chef mécanicien… On a bu ensemble jusqu'à maintenant…

Charlotte le regardait avec méfiance, surtout que, sans se déshabiller, il s'étendait sur le divan.

— Si je m'endors, il faut m'éveiller coûte que coûte à six heures du matin… C'est très important !…

Il s'efforçait de ne pas dormir, mais bientôt elle entendit sa respiration oppressée, irrégulière. Ce fut elle qui veilla, non à cause de sa recommandation mais parce qu'elle ne retrouvait plus le sommeil. Quand le jour se leva elle vint le secouer.

— Tu as déjà oublié ce que tu m'as dit cette nuit ?... Ton rendez-vous...

Il s'assit, hagard. L'alcool l'avait vidé. Il était blême, les yeux cernés, la bouche veule.

— Oui... balbutia-t-il en se levant avec des gestes imprécis.

— C'est vrai ? Tu n'étais pas ivre ?

L'eau froide le ranima et il fit sa toilette, but encore de l'eau, sortit dans les rues vides et se dirigea vers le port.

Il ne savait plus. Il s'approchait sans conviction du yacht où tout semblait dormir. Une demi-heure plus tard, seulement, des matelots, pieds nus, commencèrent à laver le pont et il leur demanda :

— Franz Vogel est à bord ?

On lui fit signe qu'il dormait et alors Mittel souhaita ardemment que l'autre n'eût pas le même réveil que lui après ses nuits d'ivresse.

C'était si peu de chose pour ces gens-là !... Une petite décision à prendre... Un oui à dire...

Et il fallait attendre, debout sur le quai, voir la ville se réveiller peu à peu, voir arriver enfin l'heure du bureau... Des fenêtres, ses collègues pouvaient l'apercevoir et sans doute se demandaient-ils ce qu'il faisait là ?

Tant pis ! Il se moquait de tout, maintenant, de tout ce qui n'était pas son départ. Le but n'était même plus Tahiti mais partir, prendre place à bord du yacht, aller n'importe où...

La voiture de Dominico était à la porte de l'hôtel. Mittel avait peur de voir arriver son patron...

284

— Pas encore levé ? demandait-il parfois à un matelot avec un sourire navré.

— Pas encore.

Et le chef mécanicien émergea enfin d'une écoutille, le torse nu, une serviette de toilette autour du cou, bâilla, s'étira, regarda le ciel avec mauvaise humeur. Cette fois, Mittel se précipita, franchit la passerelle.

— Ah ! oui… soupira l'Allemand.

— Vous vous souvenez, n'est-ce pas ? C'est moi qui…

Il tremblait. Il aurait fait n'importe quoi pour une réponse favorable.

— Nous sommes trop malheureux, ici !… À Tahiti, nous avons des amis…

— Minute… D'abord, est-ce que vos papiers sont en règle ?

— Je les ai avec moi… Tenez ! Voici notre passeport, à mon nom et à celui de ma femme, avec nos photographies…

L'autre regarda longuement le portrait de Charlotte et Mittel continua à sourire devant son petit air égrillard.

— Vous êtes sûr qu'on vous laissera débarquer à Tahiti ?

— J'en suis certain… Vous voyez que mon passeport est français… Tahiti est une colonie française… Mes amis, là-bas, sont influents…

Il mentait. Il eût été capable de mentir bien davantage.

— Bon !

On lui rendait ses papiers et il n'osait pas prendre ce « bon » pour un accord.

— Est-ce que… ?

— Dépêchez-vous d'amener votre femme… Ne m'avez-vous pas dit qu'il y avait aussi un enfant?… Tant pis!… On part à dix heures…

— Vous m'aviez dit à midi…

— Je dis maintenant à dix heures…

Il en était huit. Sans prendre le temps de remercier, Mittel courut jusqu'à chez lui puis passa les deux heures les plus folles de sa vie. Il lui semblait toujours que quelque chose allait le retenir. Il voulait être à bord, vite, vite, et là il serait hors d'atteinte de tous les mauvais sorts.

— On part dans dix minutes! cria-t-il à Charlotte. En vitesse!… Nous allons à Tahiti…

— Mais…

— Nous devons être embarqués avant dix heures… Dépêche-toi…

Le petit était tout nu dans les bras de la négresse.

— J'ai deux robes chez le teinturier…

— Tant pis!

Il jetait ses effets, pêle-mêle, dans les valises. Il appelait la logeuse.

— Nous partons! lui criait-il. Nous allons à Tahiti avec le yacht qui est au port…

— Vous devez renoncer un mois d'avance…

— Je vous paierai ce mois-là, c'est entendu…

Qu'est-ce que Dominico, lui, allait dire? Moïse ne lui avait-il pas rappelé un jour qu'il avait signé un contrat de trois ans? Sans ces fenêtres des bureaux qui donnaient sur le port, Mittel serait probablement parti à l'anglaise.

Tant pis! Tout lui était égal, hormis partir. Il courait en tous sens, assourdissait Charlotte qui essayait de mettre un peu d'ordre dans leur départ.

— Tu dois quatre dîners au bar…

— Je paierai en passant… Écoute… Je cours chez le patron…

Il courut en effet, à tel point qu'il heurta Boitel, s'excusa, faillit lui adresser la parole, oubliant qu'ils étaient fâchés ensemble.

Ses collègues levèrent la tête à son entrée.

— Le patron est ici ?

Et il frappa à la porte du bureau, commença très vite :

— Excusez-moi… Écoutez, monsieur Dominico, vous avez été très bon pour moi et je vous en remercie… Mais une occasion inespérée se présente d'aller à Tahiti… À bord du yacht, oui… Tout est arrangé… Je viens vous supplier de me laisser partir…

Comment les autres eussent-ils compris sa fièvre ? Dominico dut croire qu'il avait reçu un coup de soleil sur le crâne. Pourquoi cette volubilité, cette impatience, ces gestes saugrenus ? On ne savait plus s'il pleurait ou s'il riait.

— Vous savez que j'ai fait tout mon possible pour vous…

Et, s'il le fallait, il allait préciser, rappeler la mort de Plumier, le témoignage qu'on lui avait dicté !

Il fut le plus surpris quand son interlocuteur répondit simplement :

— Combien vous doit-on ?

— Le mois en cours… Mais je suis prêt à…

Eh oui, il était prêt à abandonner cette somme ! Il ne savait plus. Ses tempes bourdonnaient. Il lui semblait toujours qu'il allait entendre la sirène du navire.

— Voici quatre cents pesos… Je vous souhaite bonne chance là-bas, ainsi qu'à Mme Gentil…

Il était très digne, cet homme ! Il prenait les choses simplement, sans la moindre émotion, et c'était si inattendu que Mittel se demandait si cela ne cachait pas un piège.

Chemin faisant, il ramassa trois indigènes qui le suivirent chez lui pour emporter les bagages. La petite négresse suivait avec l'enfant. Charlotte se raccrochait au bras de Mittel et tout le monde les regardait passer. Ils marchaient vite. Il était déjà neuf heures et demie.

— Tu as payé les quatre repas ?

— J'ai oublié, mais cela ne fait rien… Je savais bien, hier soir, que j'avais raison…

Raison de s'obstiner, de tout accepter pour partir quand même ! Est-ce qu'au moins l'Allemand ne s'était pas moqué de lui ?

Il y eut des rires, sur le pont, quand on vit leur cortège. Puis on les regarda avec stupeur et enfin, comme ils se présentaient à la coupée, on les arrêta et on alla chercher le chef mécanicien.

Celui-ci, avant tout, désigna la négresse et murmura en se grattant la tête :

— Vous ne m'aviez pas parlé d'elle…

— Mais elle ne vient pas ! s'écria Mittel. Les autres non plus…

Car les porteurs envahissaient le pont du yacht et attendaient des ordres.

— Bon… Je vais vous montrer votre cabine…

Il n'était pas de très bonne humeur. Il eut vers Charlotte deux ou trois regards qui ne trahissaient pas l'emballement. Les bagages étaient miteux, Mittel et sa femme étaient assez mal habillés quand on les voyait sur le pont du bateau où les matelots eux-mêmes portaient des uniformes luxueux.

On ne passait pas, comme à bord du cargo, par une échelle de fer mais par un escalier confortable. On traversa un réfectoire tout blanc, passé au ripolin, où des restes d'œufs au bacon traînaient sur les tables.

— Par ici… J'aimerais mieux que vous fassiez sortir la négresse…

Si bien qu'on lui dit adieu dans le couloir. Mittel oublia de la payer, la rappela, se trouva enfin avec le bébé sur les bras.

— Je vais vous donner cette petite cabine-ci… On vous arrangera un berceau pour l'enfant…

Et l'Allemand s'éloigna tout de suite, pas fier, en somme, plutôt résigné à l'inévitable. Mittel et Charlotte, qui avaient senti son manque d'enthousiasme, n'osaient plus quitter la cabine, par crainte d'un revirement.

Il y avait de chaque côté deux couchettes superposées et ils étaient assis sur celle du bas, Mittel tenant toujours l'enfant sur les genoux.

— Quelle heure est-il ?

— Tiens ! Cela me rappelle que j'ai oublié ma montre au crochet, près du lit…

— Une montre en argent !

— Elle ne marchait plus très bien… Nous en rachèterons une autre à Tahiti…

— Dominico t'a donné de l'argent ?

— Quatre cents pesos… Je parie qu'il est là-haut, à régler les comptes de mazout avec le commandant…

Le temps passait et on n'entendait aucun des bruits qui annoncent l'appareillage. Par contre, à midi, on entendit sonner les cloches de l'église catholique.

— Qu'est-ce qui peut les retarder ?

Ils chuchotaient. Charlotte donnait le sein à l'enfant

et n'osait pas ouvrir les valises pour prendre les langes propres.

— Quand nous serons en mer, nous serons plus tranquilles…

— Oui… Écoute…

Mais ce n'était pas le départ. C'était le lunch. On sonnait le gong dans les couloirs et un garçon vint annoncer en anglais qu'on les attendait dans la salle à manger.

Mittel et sa femme, éblouis, mal à l'aise, pénétrèrent dans la pièce où trente marins au moins étaient déjà installés et mangeaient. Des garçons en blanc les servaient, comme dans un restaurant.

C'était déroutant. Rien ne rappelait la vie de cargo telle que Mittel l'avait connue. Toutes les parties du bateau étaient aussi propres, aussi plaisantes que les parties d'un paquebot réservées aux passagers.

Charlotte remarqua que les couverts étaient en argent ! Le repas était copieux et on servit d'énormes pâtisseries dont Charlotte se régala.

Contrairement à ce qu'on aurait pu attendre, il n'y eut pas trop de curiosité. Les hommes s'étaient retournés à leur entrée, certes, avaient échangé quelques mots à leur sujet, mais c'était déjà tout et maintenant ceux qui sortaient se contentaient de les regarder davantage en se curant les dents.

Tous étaient frais et roses au point qu'on aurait pu les prendre pour les membres de quelque club d'athlétisme.

Mittel sursauta quand il entendit enfin la sirène. Il tourna vers Charlotte un visage transfiguré, éprouva le besoin de lui serrer le genou entre ses genoux.

— On part…

On partait ! À travers le hublot, on vit s'éloigner les pilotis du quai. C'était si inespéré que Mittel avait envie de crier de joie.

— Charlotte !…

Il débordait de tendresse, à ce moment… Jamais il n'avait senti comme à cette heure qu'ils étaient trois… La preuve, c'est qu'ils avaient fini de manger et qu'ils retournaient dans leur cabine, retrouvaient le bébé qui pleurait et restaient là, enfermés, chez eux, formant en somme un noyau à part dans ce yacht si peuplé.

Quelque part, à l'autre bout du bateau, Winfeld devait déjeuner avec ses deux invités. Se doutait-il seulement qu'il avait un ménage et un enfant de quelques semaines à son bord ?

— Tu ne crois pas qu'il va se fâcher ?

— Je ne sais pas… Il vaut mieux ne pas nous montrer en attendant que l'Allemand nous dise ce que nous devons faire…

Mais on ne venait rien leur dire. On ne s'occupait pas d'eux. Vers cinq heures, seulement, alors qu'on était depuis longtemps en mer, Franz Vogel poussa la porte, s'excusa, parce que Charlotte nourrissait le bébé.

— Entrez, je vous en prie…

— Ce n'est pas la peine… Je venais voir si vous ne manquiez de rien…

Et il partit comme il était venu.

Il en fut ainsi deux jours durant, au point de donner une impression parfois gênante d'irréalité. À bord du *Croix de Vie*, on s'était occupé d'eux et ils avaient participé à la vie du bateau.

Ici, on semblait s'être donné le mot pour les laisser

en paix et peut-être était-ce de la timidité, ou encore le respect de leur intimité. Quand ils montaient sur le pont, les hommes restaient groupés, jouant aux cartes ou faisant de la gymnastique et ils pouvaient rester deux heures dans leur coin sans qu'on leur adressât la parole.

Seul le chef mécanicien, de temps en temps, échangeait quelques mots avec Mittel, à qui il tint à montrer ses machines. Mais ce n'était plus le même homme. À bord, il ne buvait pas un verre d'alcool et la discipline devait être sévère pour l'équipage. Un jour, en effet, Charlotte vit passer un matelot qu'on emportait, inerte, le visage tuméfié.

Comme elle était seule à ce moment et qu'elle ne comprenait pas l'allemand, Franz fit d'abord le geste de boire, puis celui de boxer, ce qui signifiait que l'homme avait été battu pour s'être enivré.

Le climat changeait avec une rapidité déconcertante. On avait à peine perdu de vue la côte sud-américaine qu'on pouvait se passer de casque en plein soleil.

C'était surtout le goût, la saveur de l'air, sa densité qui étaient différents. Parfois, cela rappelait le soleil d'été en Europe, tant il y avait de légèreté dans l'atmosphère, tant le ciel et la mer étaient d'un bleu nuancé.

Il faisait frais, la nuit, sensation que Mittel et sa femme n'avaient plus connue depuis longtemps.

Le navire filait vingt nœuds, plus du double du cargo et on serait resté des heures à regarder scintiller son sillage.

— Un jour, je vous montrerai le compas gyroscopique et la sonde sonore… C'est le seul yacht qui possède ces instruments à bord… Le compas a coûté un million de vos francs…

Ce qu'il était impossible de savoir, c'est si le propriétaire était au courant de l'existence du ménage. Mittel n'osait pas le demander à l'Allemand, par crainte de le vexer, car il le devinait orgueilleux.

N'était-ce pas par orgueil, au fond, qu'il avait dit oui ? Et, le lendemain matin, il n'avait pas osé revenir en arrière, avouer qu'il n'avait parlé que sous le coup de l'ivresse.

S'il en était ainsi, il ne le faisait pas sentir, ne manifestait aucune rancune. Si on le voyait peu, c'est qu'il vivait ailleurs, dans la partie du bateau réservée aux officiers.

Ils avaient leur pont à eux. On pouvait les voir, servis par des domestiques chinois, faisant le bridge. Le matin, en tenue sportive, ils boxaient, se livraient à leur culture physique et les matelots, de leur côté, avaient exactement la même existence.

Quant au propriétaire et à ses invités, à ceux pour qui tout cet argent et cette activité étaient dépensés, on ne les voyait jamais.

Ils disposaient de vastes appartements, d'un confort raffiné. Franz avait révélé un détail : dans chaque cabine se trouvait une manette qu'il suffisait de tourner pour obtenir exactement la température désirée.

Tout était à l'avenant. Et sans doute les patrons, eux aussi, jouaient-ils au bridge et buvaient-ils du champagne tandis que la T.S.F. leur apportait toute la journée les nouvelles du monde entier.

— Tu vois, Charlotte ?…

Les yeux brillants, Mittel regardait autour de lui. Ce n'était pas le milliardaire qu'il enviait, dont il admirait la vie, mais tout le reste et jusqu'au dernier des matelots. C'était plutôt un ordre d'existence qu'il n'avait jamais fait que frôler, des choses propres et nettes jusqu'en leurs moindres détails, belles de forme et de matière, une aisance, une santé, un rythme harmonieux.

Comme pour accroître encore cette impression, la nature se mettait de la partie et le Pacifique devenait vraiment un océan de rêve où le ciel et l'air étaient pleins de bienveillance.

— Je crois que, là-bas, notre vie va enfin changer…

— Pourvu que tu trouves une place !…

— Mais oui ! Tu verras ! Ce qu'il fallait, c'était sortir du cercle…

— Quel cercle ?

— Je ne peux pas t'expliquer… Nous étions comme enfermés entre des murs et c'est pour cela que je voulais partir coûte que coûte… Parfois, comme un aliéné, j'avais envie de frapper ces murs jusqu'à me meurtrir… Maintenant, nous avons trouvé l'issue, par hasard… Heureusement que j'ai eu un pressentiment, la première fois que j'ai aperçu le yacht… Je ne voulais pas, tu sais !…

« Dix fois, j'ai failli rentrer à la maison… Sur le quai, dans l'ombre, je me faisais un peu l'effet d'une fille publique…

— Tu as de drôles de comparaisons !

Elle ne comprenait pas, évidemment. Mais il se comprenait, lui, et de jour en jour il respirait plus profondément, remplissait ses poumons d'air pur, faisait le rêve merveilleux de devenir un autre homme, d'entrer dans un monde nouveau.

Il avait de soudaines impatiences, aurait voulu arriver déjà à Tahiti, où Mopps serait peut-être sur le quai. Avec quel orgueil enfantin il descendrait alors du yacht superbe ! Il imaginait la scène, l'autre qui n'en croirait pas ses yeux, qui balbutierait :

— Comment ! C'est toi… Et Charlotte !… Avec un petit !

Tout cela pétillait dans sa tête avec le soleil, avec le doux bourdonnement du bateau, le bruit soyeux de l'eau contre la coque.

C'était à croire, parfois, que ces millions qu'avait coûté le yacht n'avaient été dépensés que pour lui !

Pour un peu, il eût choisi une étoile dans le ciel et il eût déclaré :

— C'est la mienne… Tu verras… Nous serons heureux…

L'enfant lui-même devenait plus beau et Mittel commençait à dire :

— Tu ne trouves pas que le bas du visage…

— Eh bien ?

— Je ne prétends pas qu'il me ressemble… Mais souviens-toi de la bouche et du menton de ma mère…

Du moment qu'un miracle s'était accompli pour lui, de quoi eût-il encore douté ? Or, c'était un miracle d'être là ! Par exemple, Bauer, dans sa boutique de la rue Montmartre, était loin de se douter que lui, Mittel, et Charlotte, et leur bébé voguaient en plein Pacifique à bord du yacht le plus luxueux du monde !

Franz Vogel devenait quelque chose comme un archange et Mittel ne le regardait jamais qu'avec une reconnaissance émue.

— Je crois que c'est le meilleur homme de la terre. Tu ne l'as pas vu à Buenaventura… À Tahiti, il recommencera sans doute à boire… Mais, ce qui est chic, c'est de tenir le lendemain les paroles données dans l'ivresse…

Tout était beau! Tout était bon! Même la cuisine américaine, qu'il jugeait d'une façon nouvelle.

— Nous en rions, chez nous. Seulement, je remarque que je digère beaucoup mieux et que j'ai le sommeil plus léger…

— Tu ne crois pas que tu exagères un peu, Jef?

Et il soupirait en riant :

— Ah! les femmes…

Comment comprendraient-elles ces choses-là? Elles trouvent toujours le mot juste, qui vous coupe les ailes et vous fait retomber sur terre.

Seulement, il ne voulait pas y retomber. Il y avait trop longtemps que tout son être aspirait à cet envol optimiste. Le jour où il alla voir le compas gyroscopique, il trouva, pour faire plaisir au chef mécanicien, des phrases quasi délirantes.

Il n'y entendait rien. Mais c'était beau! Tout était beau! Et il fallait que tout le monde fût enfin heureux!

Certain matin, Charlotte le trouva, dans la cabine, le torse nu, à essayer les exercices de culture physique qu'il avait vu faire aux matelots.

— Tu vas te fatiguer, dit-elle.

Toujours la petite phrase qui vous ramène sur terre. Et s'il voulait se fatiguer, lui? S'il voulait être enfin un homme comme les autres, un homme capable de courir, de sauter, de donner des coups de poing?

Il se promettait :

— À Tahiti…

À vingt-trois ans, il n'était pas trop tard pour changer de vie, pour changer surtout ce corps débile dont il finissait par avoir honte.

Charlotte comprendrait plus tard. Quant à l'enfant, il serait élevé dans une atmosphère propre et gaie, avec du soleil, de l'air, des mouvements de jeune animal…

Voilà ce qu'il avait décidé !

TROISIÈME PARTIE

1

Il avait imaginé leur arrivée autrement, bien sûr. Et pourtant c'était encore magnifique à côté de tout ce qu'il avait vécu jusque-là.

Ce qui lui avait donné un dépit enfantin, c'est de ne pouvoir monter sur le pont quand le navire avait glissé soudain sur l'eau calme du lagon, qui était bleu pâle, avec des stries vertes, des reflets rouges et dorés, de l'eau qui n'était plus de l'eau mais un domaine aussi irréel que celui d'une symphonie.

— Je viendrai vous chercher quand vous pourrez descendre, avait dit l'Allemand avec quelque embarras. Jusque-là, j'aimerais mieux que vous ne vous montriez pas…

C'était gentil, car cela prouvait presque qu'il avait emmené le couple sans le dire à Winfeld. À moins… Et Mittel rougissait, devenu sensible à ces petites humiliations. Maintenant qu'on arrivait dans un port et que la foule allait venir admirer le yacht, ils n'étaient pas assez beaux, Charlotte et lui, avec le bébé sur les bras, pour figurer parmi les uniformes…

Ses yeux ravis n'en dévoraient pas moins l'horizon au-delà du hublot et il haleta quand il aperçut une pointe de sable au bord de la mer, un rang de cocotiers, quelques cases et, sur l'eau, suspendues dans l'espace, deux pirogues à balancier.

Ce décor-là, du moins, répondait exactement à ce qu'il avait rêvé en lisant les récits des voyageurs et voilà que soudain une autre pirogue émergeait tout près de lui, à trois mètres du hublot, montée par un beau garçon qui riait de toutes ses dents en criant quelque chose aux matelots du pont.

D'autres pirogues... Des filles en paréo...

— Tu vois, Charlotte ?

— Oui... répondait-elle sans enthousiasme. Je ne comprends pas pourquoi ton ami nous cache...

Un détail de rien du tout, encore, mais à quoi bon dire « ton ami » parce qu'elle croyait avoir quelque chose à reprocher au chef mécanicien ?

Pour bien faire, il n'eût pas fallu cette attente, qui émoussa leur sensibilité. Ils en étaient réduits à écouter les bruits. Au lieu d'aller à quai (il est vrai que Mittel ignorait s'il y avait un quai), le yacht mouilla son ancre au milieu de la baie, à cent cinquante mètres de la terre.

Il y eut des allées et venues de vedettes, dans le soleil, des gens en grand nombre sur le pont, des éclats de voix en langage indigène et des bouffées de guitare. Mittel restait là, le nez collé au hublot, comme un écolier puni.

Il était dix heures du matin et c'est vers une heure seulement, quand l'agitation se fut calmée, que Franz Vogel vint les chercher.

Charlotte, elle, ne broncha pas, mais Mittel chancela presque en recevant tout à coup le paysage dans les yeux, dans les narines, dans la peau, dans tout son être. Pourquoi était-il obligé de suivre, à travers le pont, l'homme qui portait ses bagages ?

La pointe de sable et les cocotiers n'étaient qu'une infime partie du décor. En face de lui, tout près, se dressait une montagne de deux mille mètres qui n'était que verdure et, plus près encore, à toucher, c'était la ville de Papeete, des toits rouges dans un jardin, des arbres comme il n'en avait vu nulle part, une petite église, des maisons peintes de couleurs vives.

Une jeune fille passait en bicyclette sur le quai, et il devait s'en souvenir toute la vie.

Mais il fallait suivre le mouvement, descendre l'échelle de coupée, prendre le bébé, une fois à bord de l'embarcation. Le chef mécanicien ne les accompagnait pas.

— Excusez-moi, mais j'ai encore à travailler... J'espère que je vous verrai à terre...

Impossible de se faire des adieux dans cette position, impossible même de remercier !

— Oui, ce soir...

L'air bourdonnait à force d'être saturé de soleil. C'était l'heure la plus chaude et la ville était vide. Quand on arriva à quai — car il y en avait un, avec un hangar pour la douane — un indigène très gras, vêtu d'un uniforme de toile beige, ne se dérangea pas pour s'approcher des nouveaux venus.

Ce fut Mittel qui alla vers lui, son passeport ouvert à la main et l'autre ne regarda pas, fit signe que c'était bon.

— Pouvez-vous me dire où est le Cercle franco-anglais ?

— Tout au bout...

Le bras galonné désignait le quai planté d'arbres qu'on voyait se prolonger à l'infini.

Mittel porta les valises, Charlotte se chargea du bébé. Ils marchèrent ainsi, à pas précipités, avec la hâte d'apercevoir enfin Mopps, de savoir au moins s'il était là et ils ne regardaient plus le paysage tant ils étaient repris par leurs préoccupations.

— C'étaient des taxis, affirmait Charlotte.

Elle parlait de deux autos qu'ils avaient vues près du port, des indigènes endormis sur le siège.

— Je ne suis pas sûr… Je n'ai pas osé…

— Si tu portais l'enfant comme moi !

— Les valises sont lourdes aussi…

Un grand bâtiment clair : *Postes et Télégraphes*. Puis la maison du consul d'Angleterre. Puis un petit hôtel en planches, à deux étages, et des boys chinois qu'on apercevait s'affairant autour des tables…

Maintenant, ils y étaient ! On leur avait désigné le bungalow du Cercle, au milieu d'un beau jardin, flanqué d'un tennis à droite. Une auto stationnait devant le perron, mais les Mittel n'avaient trouvé personne dans les pièces.

Toutes les portes étaient ouvertes. Tout était vide, calme et frais.

Il y avait d'abord un bar quelconque et, sur le comptoir, deux verres qui sentaient encore le pernod. À gauche, une petite salle de restaurant. Puis une salle de bains, une cuisine…

— Quelqu'un !… criait Mittel en allant et venant.

L'auto devait bien appartenir à quelqu'un, en effet. Il n'était pas possible que la maison fût vide ! Charlotte s'était assise et donnait le sein à l'enfant.

Des minutes s'écoulèrent. Enfin on vit une porte

s'ouvrir et un homme d'une cinquantaine d'années, vêtu d'un pantalon douteux et d'une chemise imbibée de sueur, s'avança en se frottant les yeux.

Il découvrit d'abord Charlotte et le bébé, ce qui le fit tressaillir.

— Qu'est-ce que c'est ? demanda-t-il avec un accent faubourien.

— Est-ce que le capitaine Mopps est ici ?

— Pas à cette heure-ci, quand même !

— Vous pourriez nous donner son adresse ?

— Tenez ! C'est sa voiture qui est à la porte…

— Mais lui ?

— En ce moment, il doit être chez Tita, à faire la sieste.

Malgré lui, Mittel eut un rapide regard à Charlotte, évoqua la cabine du commandant, à bord du cargo, mais elle ne s'en aperçut pas.

Il y avait déjà deux heures de ça. L'homme, un ancien légionnaire qui s'appelait Félix, était allé se donner un coup de peigne et maintenant ils trinquaient tous les trois en bavardant paresseusement.

— Ici, on l'appelle le Commandant… Depuis un mois, il est président du Cercle où c'est quasiment comme chez lui… Tenez, quand vous êtes venus, il y avait encore son verre sur le comptoir…

— Il ne navigue pas ?

— Des fois… Vous allez le voir arriver sur le coup de quatre heures et demie… Puis il ira prendre son whisky à l'American Bar, près du port… Puis il reviendra ici…

Malgré la chaleur, l'air était beaucoup plus doux

qu'en Amérique du Sud et les senteurs du jardin pénétraient dans les pièces larges ouvertes.

— Vous comptez vous fixer à Tahiti ?

— Peut-être… Mopps m'a écrit que…

— Tenez ! J'entends son pas…

Alors ce fut la minute tant attendue, mais différente,
elle aussi, des espoirs, des prévisions. Mittel courut
dehors sans pouvoir cacher son émotion. Sur le trottoir,
à cent mètres, il vit s'avancer une grande et lourde silhouette qu'il ne reconnut pas tout de suite. Une seconde
même, il eut une pensée qu'il repoussa avec gêne :

— On dirait Moïse…

Mais c'était Mopps ! Mopps qui portait un complet
de toile jaunâtre, une chemise à col ouvert et par là-
dessus un vaste chapeau en paille de coco orné de
coquillages à la mode tahitienne. À cinq pas, il prononça :

— C'est toi, fiston ?

Et il lui tapa dans le dos en regardant vers le port,
où il semblait chercher quelque chose.

— Mais comment es-tu venu ?… Et Charlotte ?

— Coucou ! criait Charlotte, à la fenêtre du bungalow.

Mittel, lui, avait eu envie d'embrasser Mopps, peut-
être même en pleurant. Il le suivait, reniflait, expliquait :

— On nous a acceptés à bord du yacht…

Et voilà que le Commandant s'arrêtait sur le seuil en
regardant le bébé dans les bras de Charlotte.

— Par exemple !… grogna-t-il.

Puis il les contemplait tous les deux, fronçait un
instant les sourcils pendant que Mittel détournait la
tête. Car il devinait ! Mopps avait eu la même idée que
lui ! Il se demandait si…

— Compliments ! Vous en avez de bonnes, tous les deux… Apporte du champagne, Félix…

— Bien, Commandant !

Il fallait quelques minutes pour s'habituer à la situation nouvelle. Mopps lui-même n'était pas aussi à son aise que d'habitude et Mittel avait de plus en plus l'impression qu'il avait changé.

Ce n'était pas par hasard que tout à l'heure il avait pensé à Moïse. Les deux hommes se ressemblaient en ce sens qu'ils étaient aussi hauts et larges l'un que l'autre. Mais jadis Mopps était plus dur, plus catégorique. Les lignes de Moïse, au contraire, étaient molles, ses traits veules.

Or, Mopps avait engraissé. Il avait perdu sa netteté, son mordant et à ce moment ses yeux étaient fatigués, soulignés de poches.

— Alors, comme ça, vous êtes venus tenter votre chance ici ?

Est-ce que seulement ça lui faisait plaisir ? Un plaisir mitigé, en ce cas ! Il semblait oublier que c'était lui qui avait conseillé au couple de venir à Tahiti.

— À votre santé !… À la santé de l'héritier Mittel !… Ou plutôt de l'héritier Gentil, j'allais l'oublier… Remarquez qu'ici cela n'a pas grande importance… C'est un pays de cocagne où l'on ne cherche pas des poux aux gens… Du moment que vous vous tenez tranquilles…

Deux ou trois fois, il s'approcha du bébé qu'il taquina et chaque fois Mittel en ressentit de la gêne.

— Pas trop changée, Charlotte ! Tout s'est bien passé ?

— Très bien.

— Et le *Croix de Vie* ? questionna enfin Mittel pour trouver un terrain plus ferme.

— N'existe plus !

— Comment ?

— Attends ! J'ai d'abord commencé par le vendre au Mexique, histoire de lui donner une autre identité, car il était signalé partout... Là, il est devenu le *Santa Maria* mais, bien entendu, la vente était fictive... À propos, le nègre s'est marié à Vera Cruz et est resté là-bas... Il est chauffeur à bord d'un remorqueur du port... Sa femme pèse dans les cent dix kilos...

— Et les autres ?

— Attends... J'ai su qu'on cherchait un vapeur, à Tahiti, pour faire le service des îles... Avant, c'étaient des goélettes qui assuraient le trafic... Je suis venu avec mon cargo et l'affaire a été dans le sac... Seulement, je me suis réservé le poste de commandant, aux appointements de soixante mille francs par an...

— Et vous n'êtes pas à bord ?

Mopps soupira, regarda ailleurs.

— Pas toujours... Cette fois-ci j'étais fatigué et je n'ai pas fait le voyage... Ils arriveront dans trois ou quatre jours...

On le sentait mal à l'aise.

— Allons ! Vous ne buvez pas ! Sans compter que nous ne pouvons pas rester ainsi sans penser à vous installer... Écoutez ! Je vais d'abord vous conduire au Pacifique... C'est le petit hôtel que vous avez aperçu sur le quai... Je ne prétends pas que ce soit confortable, mais le patron est marseillais et fait une bouillabaisse admirable... Après, nous verrons... Félix ! Porte les bagages dans ma bagnole...

Toujours ce rythme trop précipité. Il aurait fallu rester plus longtemps sur une impression, la digérer, essayer de comprendre. On était déjà dans l'auto. On parcourait deux cents mètres et on voyait de nouvelles figures, un autre cadre.

— Hé ! Marius… Je t'amène des petits amis à moi qui resteront chez toi jusqu'à nouvel ordre…

Et Marius, qui avait la tête de travers, leur serrait la main, s'étonnait :

— Comment êtes-vous arrivés ?

Cette question-là, on allait la leur poser pendant des jours encore, étant donné qu'il ne passait qu'un bateau tous les mois, une fois dans le sens Australie-Panama, une autre fois dans le sens contraire.

— Ils ont leur yacht, tu ne vois pas ça ?

Ils montèrent dans une chambre banale, meublée d'un lit de fer et d'une toilette, avec des crochets au mur pour les vêtements. Il ne fut pas question de prix, ce qui inquiéta Mittel.

— Toi, Charlotte, repose-toi… Et toi, fiston, viens avec moi, que je te montre un peu la ville et que nous causions.

En bas, Mopps tapota les joues de deux Tahitiennes en robes claires.

— Tu les connaîtras bientôt… De bonnes filles… Tout est bon, ici, tu verras !

Et Mopps remontait dans sa voiture pour parcourir deux ou trois cents mètres. L'instant d'après, on s'arrêtait devant l'American Bar.

C'était plein de matelots du yacht, mais Franz Vogel n'était pas là. Un peu plus tard seulement, Mittel le vit passer dans une auto en compagnie d'un autre officier et de deux filles indigènes qui portaient des couronnes de fleurs blanches.

— Qu'est-ce que tu bois ? Ah ! c'est vrai, tu ne bois pas d'alcool…

Mopps en buvait beaucoup, plus qu'à bord. Il serrait des mains autour de lui, s'accoudait à un coin du comptoir.

Dehors, sur le quai, se dressaient deux grands bâtiments, deux magasins où l'on vendait de tout, des chemises et des phonos, des casques coloniaux et des machines à coudre. Les deux maisons étaient anglaises.

Puis, plus loin, des boutiques tenues par des Chinois. Avec la fraîcheur relative, l'animation reprenait et on voyait beaucoup de monde circuler dans les rues, beaucoup de vélos surtout, montés par des indigènes vêtus à l'européenne.

— Dans quelques jours, tu seras affranchi et tu comprendras le mécanisme. Pour le moment, il faut penser aux choses sérieuses. Dis donc, réponds franchement : est-ce que Charlotte est capable de cuisiner proprement ?

— Cela dépend de ce que vous entendez par...

— Je ne demande pas de la cuisine de grand luxe, mais de la bonne cuisine bourgeoise.

— Je crois que oui.

C'était vrai. Elle, qui était si peu ménagère, avait le sens de la cuisine et Mittel s'en était même étonné.

— Voilà ! Tu as vu notre club. Nous sommes quelques célibataires à le fréquenter, surtout des fonctionnaires... Félix est fini !... La moitié du temps il est en proie à des crises de paludisme, car il compte vingt-cinq ans d'Afrique... Si vous vouliez, tous les deux, on vous nommerait gérants du Cercle...

Mittel ne ressentit aucune joie à ces mots et il ne s'expliqua pas immédiatement pourquoi.

— Vous y habiteriez... Vous auriez une bonne petite vie, sans trop de soucis... Qu'est-ce que tu en dis ?

310

— C'est une solution.

— Elle ne t'emballe pas ?

— Je ne sais pas.

Il aurait préféré autre chose, mais il était incapable de dire quoi. Il ne connaissait pas encore le pays, dont il n'avait visité que des bistrots.

— Nous avons demain une réunion du comité et j'en parlerai. Je suis le président et j'aime mieux te dire que je fais ce que je veux… La même chose, barman !

Les matelots du yacht attiraient une foule de Tahitiens qui leur vendaient des colliers en coquillages et de menus objets de toutes sortes, huîtres sculptées, chapeaux en coco comme celui de Mopps, paréos…

— Comment cela s'est-il passé, là-bas ? Sais-tu que je te trouve changé ?

Mittel pouvait-il lui dire que c'était réciproque !

— Cela s'est bien passé, avec des coups durs. Charlotte a eu la typhoïde, en pleine forêt. Notre compagnon s'est suicidé…

Encore un ordre d'idées qu'il préférait éviter.

— Pourquoi ?

— Pour rien. Il était fou et croyait qu'on voulait le tuer. Nous sommes revenus à Buenaventura…

— Sale bled, hein !

— Oui.

Il ne pouvait pas s'expliquer. Il aurait voulu avoir devant lui un autre Mopps, celui de Dieppe, qui jurait tous les « Tonnerres de Dieu » de la terre et sur qui on sentait qu'on pouvait s'appuyer.

Pourtant, il n'avait plus besoin de personne. Il regrettait presque de n'être pas seul à se débrouiller. Il lui semblait qu'il regarderait le pays autrement, avec plus de netteté, en homme.

Or, on allait en faire un tenancier de cercle !

— Tu peux rester… Il n'y a pas de secrets, ici…

D'autres blancs étaient arrivés au bar, s'étaient attablés avec Mopps, avaient commandé du whisky. Mittel comprit que l'un d'eux était le propriétaire d'un des grands magasins. C'était un Anglais à cheveux argentés qui ne parlait que sa langue.

L'autre était le capitaine de la goélette qu'on apercevait tout au fond du port.

Ils bavardaient et Mittel n'écoutait pas, occupé qu'il était à tout observer autour de lui.

— Tu entends, fiston ?

— Non… Pardon… fit-il, au sortir d'un rêve.

— Il en est arrivé une bien bonne à ton camarade…

— Quel camarade ?

— Winfeld, le propriétaire du yacht… Tout à l'heure, il a voulu suivre une pêche dans le lagon. On en a organisé une exprès pour lui, avec les meilleurs harponneurs de l'île… Tu ne devinerais jamais ce qui est arrivé !

— Quoi ?

— Il était dans la vedette, penché en avant. Il a perdu l'équilibre et il est tombé à l'eau…

— Il s'est noyé ?

— Même pas ! L'eau n'était pas assez profonde. Il s'est cassé un bras sur les coraux. Les trois docteurs de Tahiti sont à bord, mais le vieux bonhomme entend repartir tout de suite pour New York… Ce n'est pas rigolo ?

Mittel ne rit pas. Mopps, qui avait bu plusieurs whiskies, eut l'air de s'en formaliser.

— Sais-tu que tu as bougrement changé ? Moi qui racontais à nos amis que tu es le plus délicieux gamin de la terre…

Et il se remit à parler aux autres en anglais. Une heure plus tard, ils étaient cinq à table. Des clients étaient venus. Certains étaient repartis. Il était surtout question d'une nouvelle circulaire du gouverneur sur les noix de coco et Mittel, dans son coin, avait malgré lui une mine renfrognée.

— Si tu veux, tu peux aller m'attendre au Pacifique… J'oublie que tu es papa, maintenant !

Mittel aurait juré qu'il y avait de l'aigreur dans cette remarque.

— Merci. Je vous verrai tout à l'heure ?

— À Papeete, on se rencontre cent fois par jour…

Ce furent les premiers pas qu'il fit tout seul dans l'île. Le soleil allait se coucher et le lagon était plus rouge que bleu. Le yacht, là-bas, restait sous pression, d'un blanc irréel dans le couchant. Des vedettes allaient et venaient en bourdonnant.

Sur le quai, des groupes nonchalants, des jeunes filles et des hommes, bavardant, marchant sans se presser et de temps en temps le bref passage d'une auto conduite par un Européen.

En regardant le bâtiment de la poste, Mittel pensa que, s'il eût été un homme comme un autre, il y aurait eu du courrier pour lui ! Mais du courrier de qui eût-il reçu ? De sa mère ? Pour lui demander de l'argent ?

Quand il pénétra au Pacifique, il trouva Charlotte installée dans la salle de restaurant et il chercha le bébé avec inquiétude. Il était sur les genoux d'une indigène en robe rouge, une jolie fille fine et brune, qui lui adressa la parole sans accent.

— C'est vous le papa ? Vous avez de la chance !

Charlotte expliqua sans gêne :

— C'est l'amie de Mopps.

— Oh ! Il n'a pas que moi ! Mais enfin, c'est chez moi qu'il loge pour le moment. C'est bien vous deux qui avez quitté la France à bord de son bateau ?

— Oui.

— Il m'a raconté…

Qu'avait-il dit à cette indigène ? Avait-il parlé de ses relations avec Charlotte ?

Le plus révoltant, c'est que jamais Mittel n'avait imaginé atmosphère aussi douce, aussi réconfortante. Pourquoi, dans ce décor, dans ce crépuscule idéal, avoir à penser à des choses gênantes ?

— Un petit pernod ? demanda Marius en entrant.

— Merci. Jamais d'alcool.

— Vous serez bien le seul ici. Dites donc, je vous ai mis votre couvert dans un coin. Par exemple, il ne faudra pas m'en vouloir s'il y a du bruit la nuit dans la maison. Ces demoiselles rentrent aussi bien à quatre heures du matin qu'à minuit et, comme à ce moment-là elles ne sont plus très sûres de leurs mouvements… Enfin ! Je vous ai donné la chambre à côté de Céline, qui est la plus calme…

— Parce qu'elle est toujours de mauvaise humeur, expliqua Tita.

— Toi, tais-toi ! Ce n'est pas parce que tu es avec Mopps depuis huit jours…

— Quinze !

— Alors, ce sera bientôt fini et tu reviendras me demander une chambre.

— Marius, tu n'es pas gentil !

Une légère brise venait du large et faisait frémir le feuillage des arbres.

— Qu'est-ce que Mopps t'a raconté ?

— Il veut que nous soyons gérants du Cercle.

— C'est épatant, ça !

— Il m'a demandé si tu sais faire la cuisine et j'ai répondu que oui.

— Pourquoi as-tu cette tête-là ?

— Pour rien !

— Tu es jaloux ?

Il détourna la tête. Était-ce bien le moment de lui poser cette question ? Et le lieu ?

— Il est jaloux ? s'étonna Tita. Ici, personne n'est jaloux. Vous verrez qu'il s'habituera…

Et elle jouait toujours avec l'enfant, qui avait maintenant de grands yeux d'un bleu de porcelaine.

Mopps entra, en compagnie de deux amis.

— On dîne ensemble, annonça-t-il. C'est bien le moins, le jour où vous arrivez… Tiens, tu es là, toi, Tita ?

— Pourquoi pas ?

— Et tu joues déjà avec notre gosse ?

Il avait dit *notre*. Mittel feignit de ne pas entendre, se leva.

— Il faut que je sorte un moment, annonça-t-il. Ce matin, je n'ai pas eu le temps de remercier le chef mécanicien qui m'a permis de prendre place à bord. Je lui ai promis…

— Te dérange pas !

— Pourquoi ?

— On vient de le faire chercher à la pointe de l'île, où il s'amusait. Il est rentré à bord ivre mort, ce qui n'empêche pas le bateau de lever l'ancre dans une demi-heure. Winfeld s'est mis en tête qu'on ne pourrait le soigner qu'à San Francisco et il interrompt sa croisière.

— Vous êtes sûr ?

— Certain, dit un des compagnons de Mopps. C'est moi qui ai signé leurs papiers de bord…

Il portait un uniforme, en effet, et une casquette à galons.

— Au travail, Marius !… Un dîner bien tassé, et de la musique. Fais chercher Alexandre.

Tout cela abrutit aussi sûrement que l'alcool et au surplus Mittel but machinalement une partie du vin qu'on lui servait. Tita avait pris place à table, près de lui et, comme Céline passait, on la fit asseoir aussi, mais ce fut pour lui entendre dire des choses désagréables.

— Tu te souviens de la nuit de mardi, Mopps ?

— Non !

— Je m'en souviens, moi, et je t'en parlerai tout à l'heure.

Le service était fait par des Chinois. On mangeait de la bouillabaisse et on buvait du vin français. Des musiciens indigènes étaient arrivés, amenés par Alexandre, qui était à la fois chauffeur de taxi et chef d'orchestre.

Mittel savait qu'il y avait à table quelqu'un de l'Inscription Maritime et un secrétaire du gouverneur, mais il en était venu d'autres et il ne s'y reconnaissait plus. Le Pacifique commençait sa vie de tous les soirs. Des habitués allaient s'asseoir à leur place, où ils avaient leur serviette. On s'interpellait de bout en bout.

— Tu ne manges pas avec nous ? La bouillabaisse est épatante…

316

On présentait Mittel :

— Un petit nouveau et sa femme… Des gars gentils tout plein !

Charlotte riait. Mopps devait lui raconter des histoires drôles. Quant au bébé, il passait de main en main car on n'osait le laisser là-haut tout seul. Il finit sur les genoux d'un des Chinois qui le regardait d'un œil curieux.

Trop de vin, trop de musique, de cris, de personnes et de bruit. On ne s'entendait plus. Quelqu'un était saoul.

— Le yacht est parti ?

— Il est parti.

— Ils n'ont même pas visité l'île !

Un voyage qui coûtait des millions, et, en fin de compte, un bras cassé ! Les autres s'en réjouissaient. Mittel pas.

— C'est le toubib qui lui a fait peur en lui disant que les blessures par les coraux sont toujours dangereuses…

— C'est vrai.

— Mais ce n'est pas une raison pour interrompre une croisière et retourner en Amérique !

— Vous êtes de Paris ? demandait Tita à Mittel.

— Oui… J'y suis né…

— C'est vraiment grand ?

Charlotte était très gaie. Tout le monde la regardait avec plaisir et peut-être avec convoitise. Pendant la traversée, elle avait presque repris ses contours de jadis. Mopps ne la quittait pas des yeux.

— Si on allait au La Fayette ?

— Mais l'enfant ?… dit-elle. C'est loin ?

— À quinze kilomètres… Ici, on n'a pas le droit

d'installer des boîtes de nuit dans la ville… Alors, il faut faire de la route…

— Impossible, trancha Mittel. Nous ne pouvons pas laisser l'enfant…

Il se demanda un moment si on n'avait pas espéré qu'il le garderait pendant que les autres iraient s'amuser.

— Ce sera pour une autre fois… Tita, danse-nous quelque chose !…

Elle ne se fit pas prier, retira ses chaussures et dansa une danse indigène que les musiciens scandaient de leurs cris.

— Charlotte ! prononça Mittel, profitant de cette accalmie.

— Eh bien !

— C'est l'heure de nourrir l'enfant… Il est temps que nous montions…

— Pour une fois !…

— C'est l'heure, répéta-t-il avec fermeté.

Mopps lui lança un drôle de regard et ils serrèrent encore des mains, suivirent le Chinois dans l'escalier, entendirent, pendant une heure, le vacarme de la fête.

— Tu es vraiment jaloux ?

— De quoi ?

— De Mopps…

— Mais non… Laisse-moi dormir…

2

— T'inquiète pas! répétait Mopps avec placidité.

Et des miracles se produisaient. Le matin, le bungalow était à peu près vide, en dehors du lit de fer qu'occupait Félix. À midi, il était meublé. Mittel ne savait même pas d'où venaient les meubles et les ustensiles. On allait prendre ceci à gauche, cela à droite.

— Va demander à Brugnon s'il n'a pas un grand miroir…

Félix courait, revenait un quart d'heure plus tard avec le miroir. Un miroir qui devait provenir de l'hôpital, car Brugnon en était le médecin-chef.

Pour tout ainsi! Mittel s'apercevait que c'était l'usage. Mopps arrêtait un gamin, voire un homme dans la rue.

— File dire au capitaine du port que je n'arriverai pas avant cinq heures…

Et l'autre y allait!

— Qu'est-ce que tu dis, fiston, de la petite vie que je t'ai trouvée?

— C'est très bien, oui.

Qu'aurait-il pu demander de plus? Il avait un logement agréable, au Cercle. On leur avait déjà envoyé une domestique indigène qui était en train d'arranger la maison avec Charlotte. Le décor était beau ! Sans même sortir des pièces on apercevait, derrière les arbres, l'eau toujours changeante du lagon. Mittel, comme les autres, avait acheté un vaste chapeau de paille et il se promettait, à la façon de certains Anglais de l'île, de porter des culottes courtes.

Mais qu'avait-il à faire comme travail ?

— T'inquiète pas !... disait toujours Mopps. Tu verras...

Justement non ! Les jours passaient et il ne voyait pas. Félix avait été embauché par Marius, le patron du Pacifique. Le matin, Charlotte se levait, passait un peignoir et, les pieds dans des pantoufles, allait et venait dans les pièces en donnant des indications à la petite bonne qui s'appelait Maria.

— Jef !... appelait-elle entre deux coups de balai. Téléphone au boucher qu'il me faut un kilo de côtelettes...

Il téléphonait, jouait un peu avec l'enfant, ne savait où se mettre, en somme.

— Jef !... Tu devais réparer la persienne de la salle à manger...

Il le faisait encore puis, sur le coup de dix heures, il voyait arriver Mopps dont la silhouette et la démarche étaient invariables.

— Bonjour, fiston... Bonjour, ma Charlotte jolie...

Elle n'avait aucune pudeur devant lui. Elle continuait son ménage, le peignoir bâillant, les cheveux dans le cou et Mopps ne restait pas dans le bar, mais la suivait à la cuisine.

— Jef ! Tu restes là, hein ! Je vais prendre mon bain...

Elle passait dans le cabinet de toilette, laissait la

porte entrouverte et on l'entendait s'agiter sous la douche, continuer la conversation commencée.

— Le docteur viendra déjeuner ?

— Il m'a promis d'essayer aujourd'hui.

Mopps était chez lui, se servait lui-même à boire et inscrivait sur une ardoise les consommations qu'il prenait. Des heures, des jours durant, on vivait avec cette nonchalance, comme si le monde n'eût pas existé. Et toujours, chez Charlotte, le même abandon.

Quittant la douche, elle se montrait à moitié nue, s'habillait devant le Commandant, l'appelait pour qu'il l'aidât à attacher sa robe.

Mittel préférait sortir et, son chapeau de paille sur la tête, il rôdait dans le tennis, ramassait les feuilles tombées, les noix de coco ou les branches cassées. Il avait découvert un râteau rouillé au fond du jardin et il entretenait les allées.

Il ne cessait pas de voir le bungalow. Charlotte, enfin prête, prenait place derrière le bar, dans une pose qui lui était déjà familière, et Mopps avait sa place, lui aussi, juste à l'angle du comptoir.

Ils buvaient, comme ça, et causaient jusqu'à midi, avec de temps en temps une absence de Charlotte qui allait surveiller son repas.

— Jef ! Va me casser du bois…

Voilà ! Il cassait du bois ! Le ciel, l'air, tout était d'une pureté exaltante au point de donner envie de crier d'allégresse. On entendait, derrière le jardin, les gosses qui sortaient de l'école, et les cloches sonnaient à l'église catholique tandis que l'horloge du temple protestant se contentait de douze coups secs.

— Jef ! Et ce bois ?

Il rentrait et trouvait de nouveaux consommateurs au

bar : Brugnon, presque toujours, le médecin-chef qui vivait depuis quarante ans aux colonies, puis un fonctionnaire du gouvernement et un avocat qui habitait le bungalow voisin.

— Qu'est-ce que tu prends ?

— Et toi ?

Ils buvaient et bavardaient sans conviction, toujours présidés par Charlotte qui gardait les deux coudes sur le bar. Elle avait pris l'habitude de prendre deux ou trois apéritifs le matin, davantage le soir et alors son rire devenait aigu, son accent vulgaire. Ils la taquinaient exprès et Mittel s'en allait, parce que cela l'écœurait.

Avant, il n'était pas jaloux d'elle et, à bord du cargo, il n'avait pour ainsi dire pas souffert.

Qu'est-ce qui avait changé ? Est-ce qu'il l'aimait davantage ? Il n'aurait pas pu le dire, mais il devenait sombre, facilement irritable, surtout vis-à-vis de Mopps. Celui-ci feignait de ne pas s'en apercevoir, le traitait toujours avec la même familiarité protectrice, comme un gamin.

— Tu vois, fiston ! Tu n'as qu'à te laisser vivre…

— J'aimerais mieux travailler !

— Charmant !

— Qu'est-ce qui est charmant ?

— De me dire ça à moi ! Comment, Monsieur arrive à Tahiti sans crier gare, avec sa femme et un moutard par-dessus le marché. Du jour au lendemain, il est logé, nourri, blanchi et se plaint que la mariée soit trop belle…

— Pardon…

À quoi bon discuter ? Ce n'était plus le même Mopps. Ou alors, jadis, c'est Mittel qui l'avait vu avec d'autres yeux. Non ! Ce n'était pas possible ; il avait changé. La preuve, c'est qu'il avait laissé son bateau faire le tour des îles sans lui.

C'est à peine si, à son arrivée, il était allé à bord.

— Tu te souviens ? avait-il lancé à Mittel.

Et celui-ci se souvenait si bien qu'il en avait les larmes aux yeux. Il cherchait, sur le pont, des visages amis, mais il n'en trouvait pas. Tous les hommes mariés avaient quitté le bord et étaient rentrés en France, y compris Chopard, le bosco, qui avait attrapé les fièvres au Mexique. Parmi les autres, quelques-uns étaient restés, mais ce n'étaient pas ceux que Mittel connaissait.

Il descendit dans le poste, puis tout au fond, à la chauffe, et se demanda un instant s'il n'aurait pas mieux valu continuer à vivre ainsi…

— Tu veux t'engager à bord ?

— Pourquoi pas ?

Il l'aurait fait, mais Mopps plaisantait.

— Tu es fou, mon petit ! Reste bien chez toi, avec le gosse. Ce n'est pas la peine de se fatiguer sans raison.

C'était l'avis du docteur aussi qui était, de tous, le plus décourageant à entendre parler. À quoi croyait-il encore, celui-là ? Qu'est-ce qui pouvait, non pas l'émouvoir, mais seulement l'intéresser ?

— Vous viendrez visiter l'hôpital quand vous voudrez. J'ai, entre autres, une assez belle collection de fous.

Il citait avec bonne humeur des cas qui faisaient frémir Mittel, racontait de terrifiantes histoires de la brousse africaine où il avait vécu longtemps.

Bien des fois, Jef avait failli le prendre à part, lui demander de l'ausculter, lui dire :

— Croyez-vous que je vivrai vieux ?

Car il avait souvent, la nuit, des sueurs froides.

— Moi aussi ! répliquait Charlotte quand il lui en parlait.

— Mais non ! Tu as des sueurs, mais pas froides…

— Et après ? Quelle différence ?

Il la connaissait, la différence. Il était à peu près sûr que ses poumons n'avaient jamais été guéris. La veille encore, on avait parlé de la tuberculose, à l'apéritif.

— La moitié des indigènes en sont atteints… avait déclaré Brugnon avec placidité.

— Comment est-ce possible ? Avec ce climat ?

— Justement ! C'est une erreur de croire que la tuberculose soit une maladie des régions froides.

Si Mittel le questionnait, il serait capable de lui lâcher tout à trac :

— Vous en avez pour un, ou pour deux ans…

Qu'est-ce que cela pouvait lui faire, à lui ?

Mopps vivait toujours chez Tita, mais il ne venait jamais au Cercle avec elle et il en parlait comme il eût parlé d'un petit chien ou d'un perroquet. C'est Charlotte qui le taquinait à ce sujet.

— Dites donc, Commandant, il me semble que vous vous encanaquez, comme vous le disiez si bien !

Cette fois-là, il répondit par un horrible à-peu-près.

— Je ne m'encanaque pas… Je m'encercle…

Il voulait dire, évidemment, que de plus en plus il vivait au Cercle. Et, de fait, il y était presque toute la journée. Il lui arrivait, le matin, d'aller lui-même au marché chercher le poisson et les légumes. Il revenait tout fier, suivi par deux petits indigènes qui portaient les provisions.

— Hello, fiston ! Et notre bébé ?

Il le disait peut-être pour rire. N'empêche que,

chaque fois, Mittel avait la même crispation. Dès le premier jour, Mopps avait pris vis-à-vis de l'enfant une attitude qu'il n'aimait pas.

C'était au point que, quand le Commandant était avec Charlotte, il lui arrivait de les épier, d'entrer sans bruit, ou de rester sous la fenêtre.

Est-ce qu'elle lui avait raconté leur journée à l'hôtel, à Buenaventura ? Est-ce qu'elle lui avait déclaré que l'enfant était sûrement de Mittel ?

Mopps, de plus en plus, avait l'air de rire, effleurait ce sujet, annonçait aux gens :

— Est-il beau, notre bébé ? Quand je dis notre, c'est que nous sommes deux à en porter la responsabilité… Pas vrai, fiston ?… Au fond, on aurait pu le jouer à pile ou face…

Il avait beau être ivre, Mittel, le cœur gros, évitait de répondre, tandis que Charlotte riait avec les autres.

Elle embellissait à vue d'œil. Jamais elle n'avait eu la peau aussi fraîche, l'œil aussi clair. Jamais non plus elle ne s'était montrée si vive.

On la sentait dans son élément. Plus il y avait de monde et plus elle était heureuse et le soir on ne pouvait se décider à se coucher.

— Tu oublies que tu allaites encore… Tu ne devrais pas boire autant…

— Le docteur prétend que ça n'a pas d'importance. Tu sais ce qu'il m'a répondu quand je lui en ai parlé ? Textuellement : *Autant qu'il s'habitue à l'alcool tout de suite !*… Tu vois !

Oui ! Pour eux, rien ne comptait, pas même que l'enfant, un jour, fût malingre, comme Mittel. Rien ne comptait dans aucun domaine. Un jour, il avait questionné Mopps sur l'avocat, qui s'appelait Tuilier. Mais comme son prénom était Georges, on le traduisait en maori et on l'appelait Tioti.

— Tioti ? C'est la plus sympathique crapule que je connaisse. Il est marié, quelque part en France. Il a eu des histoires désagréables au Barreau et il est venu ici.

— Des histoires graves ?

— Deux ou trois ans de prison, je crois.

Il plaidait quand même et c'était presque toujours lui, le soir, qui emmenait la bande au La Fayette.

Mittel n'y avait pas encore mis les pieds, mais Charlotte fit tant et si bien qu'elle y alla. Un soir, après dîner, on parlait de danses indigènes et Tioti proposait comme toujours :

— Si on allait au La Fayette ?

— C'est ça ! J'en meurs d'envie, s'était exclamée Charlotte. Tu viens, Jef ?

Mais elle savait bien qu'il n'irait pas, qu'il refuserait de laisser l'enfant seul avec la petite domestique canaque.

— Tu ne devrais pas, lui avait-il soufflé tout bas.

— Toi, avait alors déclaré Mopps, fiche-nous la paix. Tu comprends ? Il ne faut pas commencer à nous…

Un gros mot, là-dessus. Charlotte commençait déjà à changer de robe, devant tout le monde. À croire parfois qu'elle le faisait exprès ! Elle avait comme un besoin de se montrer à demi nue et de lire le désir dans les yeux des hommes.

Mittel était resté seul, écœuré. Il n'avait pas pu dormir. Toute la bande était partie dans deux voitures et avait dû ramasser des filles en route, comme d'habitude.

Et pourtant il avait tout pour être heureux ! C'est ce qui le mettait en rage. Chaque matin, la vue du jardin ensoleillé, du lagon sur lequel glissaient les pirogues lui rendait la même extase et il écoutait les moindres bruits, connaissait les moindres odeurs balancées par la brise.

C'est pour cela, d'ailleurs, qu'il s'était donné pour tâche d'entretenir le jardin. Là, il était tout seul. Il essayait d'oublier la maison. Le torse nu, la tête couverte de son grand chapeau, il passait les meilleures heures de ses journées puis soudain une voix le tirait de sa paix.

— Jef!…

Quelle rage avait-elle eue d'aller au La Fayette et de rentrer, grise, à quatre heures du matin, dans la voiture de Mopps qui était seul avec elle ? Elle avait des fleurs de tiaré dans les cheveux et l'odeur persista dans la maison jusqu'au lendemain après-midi.

Il y avait une justice à lui rendre : à neuf heures du matin elle était debout, pas très gaillarde, peut-être, mais déjà à son ménage.

— Qu'est-ce que vous avez fait ?

— On s'est amusé… À la fin, toutes les filles étaient à notre table… Tita est rentrée avec Tioti et Mopps n'a rien dit… Il est vrai qu'il était très saoul…

— Et toi ?

— Quoi, moi ?

— Qu'est-ce que tu as fait ?

— Écoute, Jef ! Tu commences à devenir insupportable. Est-ce que je suis libre, oui ou non ?

Elle fut stupéfaite de l'entendre répondre :

— Non !

— Je voudrais bien savoir pourquoi, par exemple.

— Parce qu'il y a le petit.

— Et après ?

— Tu ne comprends pas ? Alors, tu es encore plus putain que je croyais…

Le mot partit tout à trac. Ce n'était pas dans ses habitudes, au contraire, mais l'indignation lui avait soudain soulevé le cœur. Maintenant, elle était debout devant lui, les lèvres tirées :

— Qu'est-ce que tu as dit ?

— Tu le sais bien.

— Écoute, Jef… J'ai de la patience, mais…

Elle éprouvait le besoin de faire quelque chose, elle aussi, et tout à coup elle le gifla, tandis qu'un éclat de rire partait du perron.

— Très bien, mes enfants ! Je vois que vous vous expliquez… Je ne suis pas de trop, je suppose ?

— Savez-vous ce qu'il vient de me dire ? Répète, Jef, si tu oses…

— J'ai dit que, quand on a un enfant, on n'a plus le droit de…

Mopps lui caressa l'épaule, avec une tendresse ironique.

— Doux ! Doux ! Doux ! C'est toi qui te mets à faire de la morale ?

Mittel préféra aller en courant se réfugier au fond du jardin. Ce n'était pas une question de morale. C'était sa vie, leur vie, qu'il défendait.

Des mois durant, Charlotte et lui avaient été ballottés par les événements. Des mois durant Mittel n'avait entrevu aucune issue possible et pourtant il s'était débattu de toutes ses forces, pour en sortir quand même.

Est-ce que, dans le Choco, par exemple, il ne lui avait pas fallu un héroïsme de toutes les minutes ?

Est-ce qu'il n'avait pas le droit, maintenant, de vivre enfin ?

Ils étaient trois. Il avait fini par s'attacher à Charlotte, peut-être parce qu'il l'avait sauvée. Ils avaient un enfant et...

Non ! Ils n'avaient pas le droit de tout gâcher. C'était Mopps leur mauvais génie ! C'était lui qui s'était enlisé le premier et qui les entraînait derrière lui.

Il n'y avait pas que des gens de sa trempe, à Papeete. À cent mètres du Cercle, au fond du jardin, Mittel voyait vivre un ménage, celui de l'agent d'une compagnie de navigation. Le bungalow était le plus coquet, le plus propre de la ville et, sur la porte peinte en vert, il y avait une plaque de cuivre toujours astiquée.

La femme était jeune, jolie, et elle avait aussi un bébé à qui, tous les matins, elle donnait le bain devant une fenêtre.

Charlotte laissait ce soin à la petite Canaque, à moins que Mittel le fît lui-même.

Cette maison-là était claire et gaie... On n'y traînait pas en peignoir et en pantoufles jusqu'à midi et on ne trouvait pas des verres sales, empestant l'alcool, sur tous les meubles...

Un matin, Mittel avait rencontré le couple au marché, dans le grouillement des indigènes, et c'était une image qui restait gravée sur sa rétine. Ils se tenaient bras dessus, bras dessous, leurs têtes un peu penchées, et ils allaient lentement entre les étals de poissons multicolores et de fruits tropicaux.

Pourquoi n'aurait-il pas droit à cette vie-là, lui aussi ? Qu'avait-il fait pour être toujours rejeté dans le désordre ?...

C'était le mot ! Quoi qu'il fasse, il aboutissait au désordre et maintenant il en avait la nausée.

— Qu'est-ce qu'il t'a dit, Mopps ?

— Qu'il était déçu sur ton compte.

— C'est tout ?

— Cela ne te suffit pas ? Il est vrai qu'il met ça sur le compte du climat. Il paraît que c'est fréquent, que des gens, ici, deviennent grincheux…

— Tu crois ça aussi ?

— Je n'en sais rien, mais je vais te dire quelque chose. J'ai assez souffert dans la vie jusqu'ici. Je n'ai pas toujours mangé à ma faim. Maintenant, grâce à Mopps, je suis enfin tranquille et je n'ai pas besoin de penser au lendemain. Tu comprends ? Je trouve que ce n'est pas le moment de faire le malin et de te découvrir une sentimentalité dont tu n'as pas toujours fait preuve…

— Que veux-tu dire ?

— Est-ce que tu étais jaloux, quand je vivais dans la cabine de Mopps ?

— Je ne pensais à rien, qu'à nous sauver tous les deux.

— Eh bien ! continue !

— Pardon ! Il y a l'enfant…

— Et après ?

— Il y a l'enfant, c'est tout !

— Mais, imbécile, tu ne sais même pas s'il est de toi, l'enfant !

Elle regretta aussitôt ces paroles en le voyant devenir blême et elle crut un instant qu'il allait la battre.

— Qu'est-ce que tu as dit ? questionna-t-il d'une voix sèche.

— Rien… C'est toi qui me pousses à bout…

— De qui est l'enfant ?

— Laisse-moi tranquille.

— Réponds ! De qui est l'enfant ?

Et il lui serrait les poignets avec une force insoupçonnée.

— Je n'en sais rien... Lâche-moi... Il est de toi...

— Regarde-moi dans les yeux. Tu es sûre que tu n'as pas affirmé la même chose à Mopps ?

— Qu'est-ce que cela peut te faire ?

— Tu avoues ! Tu lui as dit que l'enfant est de lui, n'est-ce pas ?...

— Je sais ce que je fais et ce n'est pas toi qui nous aurais tirés d'embarras...

Il avait honte, pour lui, pour elle, pour le petit. La scène dépassait en ignominie tout ce qu'il avait craint.

— Tu as dit ça à Mopps !...

Il l'avait lâchée, oui... il parlait en pleurant, sans larmes d'ailleurs, avec des grimaces...

— Alors, Mopps vient ici parce qu'il croit... Et, naturellement, il a dû le raconter à tout le monde...

— Cela ne te regarde pas...

— Charlotte !

Il voulait encore espérer. Il retrouvait sa voix du Choco, quand elle était malade et que, la nuit, il l'appelait avec la crainte qu'elle fût morte.

— Quoi ? répliquait-elle, hargneuse.

— Rien... Tu viens de faire une mauvaise action, de tout salir...

— Salir quoi ? Est-ce moi qui ai commencé ? On est tranquilles, on pourrait être heureux et tu es toujours à rôder autour des gens qui viennent ici avec une mine soupçonneuse. Si tu crois qu'ils ne s'en aperçoivent pas ! C'est bien la peine de sortir d'où tu sors pour avoir des idées de petit bourgeois...

Elle s'arrêta en regardant vers le perron.

— Tais-toi ! Voilà Mopps…

Toujours lui ! Un Mopps écœurant de mollesse ! Un Mopps qui passait ses journées à traîner son corps graisseux d'un bar à l'autre, à boire des pernods le matin et des whiskies l'après-midi, pour rentrer enfin se coucher d'une démarche imprécise.

— Bonjour, les enfants… Encore une dispute ?

— Mais non.

— Savez-vous que vous commencez à devenir fatigants avec vos scènes ?

— C'est Jef qui est stupide.

— Je sais. Il finira par faire des bêtises…

— Quelles bêtises ? gronda le jeune homme, les nerfs tendus.

— On ne peut pas prévoir laquelle. Mais tu es mal parti, fiston ! Je te croyais plus intelligent que ça… J'ai toujours eu de l'affection pour toi, peut-être même un peu trop…

C'était vrai. Mittel était prêt à s'émouvoir. Mais pourquoi diable avoir gâché tout cela ?

— Nous étions bien tranquilles ici… Tu es arrivé avec ta tête en lame de couteau, ton teint jaune, tes yeux fouineurs…

C'était encore vrai. Mittel rougissait d'être ainsi découvert.

— Je…

— Tu nous em… ! Je te l'ai déjà dit et je te le répète ! Sais-tu ce que tu as de mieux à faire ? Choisis une belle fille comme Tita, qui te fera passer tes idées. Elle est chez elle, ou plutôt chez moi. Va lui dire bonjour de ma part et ajoute que tu es un imbécile.

Il rit et alla se servir à boire, lança encore :

— Tu n'en veux pas un verre ? Sans rancune, va !…

Qu'est-ce qu'il avait voulu dire au juste ? Était-il encore l'amant de Charlotte ? Considérait-il l'enfant comme à lui ?

Mittel fut obligé de marcher, tant il était à bout de patience. Il suivit le quai, le long du lagon, en parlant tout seul et en gesticulant.

Quelle place tenait-il, lui, si Mopps se considérait comme le maître de maison ? De quoi avait-il l'air ?

Et il n'y avait pas d'issue possible ! Il cherchait ! Il remuait des projets qui étaient tous impraticables.

Partir à bord du cargo, tous les deux mois, faire le tour des îles, comme chauffeur ou matelot de pont ?

— Oui… Je le ferai… se disait-il.

Et après ? Il quitterait ainsi son fils. Il le laisserait avec les autres ? On dirait simplement :

— L'idiot est parti… Il s'assagira…

Rien ne serait changé dans la vie du Cercle, ni la place de Charlotte, au comptoir, ni celle de Mopps, à l'angle, en face d'elle.

Il avait le droit de retourner en France, lui, car il n'avait pas tué ! Encore une chose qu'ils oubliaient ! Charlotte avait tué ! Et c'était son crime à elle qui le poursuivait…

Il aurait pu rester à Paris, se faire une autre vie…

Mais non ! Après quelques minutes, il se rendait compte que ce n'était pas vrai. Il n'avait commencé à vivre que du jour où il avait mis les pieds à bord du cargo. Avant, il n'était qu'un gamin. Peu à peu il était devenu homme.

Ce qu'il aurait pu faire, c'est partir vers la pointe de l'île, comme certains blancs qu'il voyait parfois en ville, moins vêtus que les indigènes, et qui menaient là-bas une vie simple, cultivant noix de coco et bananes.

Avec Charlotte, il l'aurait fait. Il aurait été capable, il le sentait, de débrousser, de travailler toute la journée de ses mains et même de s'entraîner à pêcher comme les Canaques.

Au lieu de ça, ils étaient enfermés dans ce Cercle qui n'était en réalité qu'un bistrot…

Et encore, un bistrot fréquenté par des gens qui n'avaient plus rien à espérer, comme Mopps l'avait avoué.

Car le Commandant se rendait compte de tout. Il avait beau boire, voire être ivre mort, pas un geste, pas un sentiment ne lui échappait et c'est bien ce qui mettait Mittel en rage.

Que faire alors ? Entrer comme employé dans un bureau ? On ne le lâcherait pas, on ne lâcherait pas Charlotte qui était devenue nécessaire à ces gens-là.

Le Cercle, désormais, c'était elle ! On le lui avait dit. Du temps de Félix, il était toujours désert et il avait été question de le fermer.

À présent, ils étaient une dizaine à venir plusieurs fois par jour, à s'accouder au comptoir, à passer quelques minutes en tête à tête avec Charlotte, qui avait pour tous le même sourire, le même rire vulgaire et sonore.

Elle prenait son rôle au sérieux ! Elle se sentait désirée et elle devait se croire aussi puissante qu'une courtisane romantique.

Il la détestait, c'était sûr ! Il voulait la détester, mais il était incapable de partir.

— C'est à cause du petit… se répétait-il.

En était-il si sûr que ça ? Et n'était-il pas pris dans la même glu que les autres ?

Elle n'était pas belle. La maternité, certes, n'avait pas déformé son corps, mais la moindre fille canaque était plus désirable.

Alors, par quoi attirait-elle ? Elle n'était même pas intelligente ! Et elle était méchante, vulgaire, avec le besoin inné de faire preuve de sa méchanceté et de sa vulgarité.

Car, à tout moment, elle éprouvait comme le vertige de la gaffe.

— On ne rencontre ici que des gens qui ont un casier judiciaire, disait-elle par exemple à Tioti.

Celui-ci faisait semblant de rire, mais son rire manquait de sincérité.

Au docteur, elle lançait :

— En somme, après vingt ans de colonies, tout le monde est parfaitement abruti ?

— Merci, ma belle. Moi qui en ai quarante…

— Je ne dis pas ça pour vous spécialement… Mais enfin, vous ne seriez plus capable de vivre en France… Et j'avoue que, si j'étais malade, je ne serais pas tranquille avec vous…

Ils riaient tous ! Ils aimaient ça ! Et plus ils riaient, plus elle exagérait.

Maintenant, Mittel se demandait s'il n'était pas beaucoup plus aveugle encore qu'il le croyait. Qui sait ? Peut-être tout le monde se moquait-il de lui ? Peut-être tous ces hommes avaient-ils passé dans les bras de Charlotte ?

Il était cramoisi, trempé de sueur. Il s'était arrêté au bord de l'eau, près d'une case indigène où une petite fille mangeait une banane.

Il avait mal à la tête. Il aurait voulu, à ce moment, que quelqu'un lui parlât avec tendresse, le plaignît. Car il doit exister des femmes capables de prendre un homme dans leurs bras et de dire avec bienveillance :

— Chut, mon petit… Il ne faut plus penser… La vie est belle quand même… Tu verras…

Personne ne l'avait jamais entouré de cette sorte de tendresse-là, pas même sa mère, qui avait toujours eu autre chose à faire.

De quoi parlaient-ils, dans le bar ? Car ils étaient encore là, à boire leur second ou leur troisième pernod et, comme toujours, le peignoir de Charlotte devait être entrebâillé…

Pendant ce temps, entre deux travaux de cuisine, c'était Maria, la petite Canaque, qui s'occupait du bébé. On commençait à le sevrer, malgré l'avis de Mittel. Mais le docteur avait opiné dans le sens de Charlotte.

— Vous serez tellement plus tranquille ! avait-il dit avec philosophie.

Et tant pis si le lait n'était pas bon, si l'enfant se faisait mal !

Il se coucha dans le sable, au bord du lagon, tout près de la première vaguelette et la petite fille, intriguée, vint s'accroupir près de son visage en grignotant toujours sa banane et en le contemplant avec perplexité.

3

— Vous avez rencontré Jef?

Avant de répondre, Mopps, sans s'assurer qu'on ne pouvait pas les voir, enlaça Charlotte, d'un geste familier, posa un moment sa joue sur ses cheveux tout en la serrant contre lui. Le geste avait à la fois quelque chose de tendre et de machinal. C'était près du comptoir, dans le bar ensoleillé, à l'heure fraîche du matin et la petite Canaque, Maria, balayait la salle voisine sans qu'on s'inquiétât d'elle.

— Jef est par là, oui, soupira le Commandant, tandis que Charlotte rajustait son peignoir et rangeait les verres sur l'étagère.

Il désignait la ville et plus particulièrement le quartier du marché où Mittel avait pris l'habitude d'errer.

— Vous ne trouvez pas qu'il a changé?

Une des caractéristiques de leurs relations, c'est que, si Mopps avait tutoyé Charlotte dès le premier jour, celle-ci, maintenant encore, l'appelait Commandant et lui disait vous.

— Nous avons tous changé, ma vieille. Tu crois que je n'ai pas changé, moi?

— Je ne trouve pas, répliqua-t-elle pour le flatter.

— Moi, je le sais. Tu as changé aussi, mais toi, c'est en mieux…

— Ce n'est pas ce que je voulais dire… Maria ! Il y a quelque chose qui brûle sur le feu…

Et, tout en rinçant ses verres, elle poursuivait, ayant devant elle, au-delà des épaules de Mopps, la rade ensoleillée :

— Il commence à m'inquiéter sérieusement. Vous savez que, quand il avait dix-sept ans, il a fait une méningite…

— Et après ?

— Je ne sais pas, moi… Je pense à Plumier et parfois il me semble que Jef a le même regard…

Mopps, qui bourrait sa pipe, lui jeta un bref coup d'œil et elle poursuivit avec volubilité :

— Je ne prétends pas qu'il soit fou… Mais je voudrais savoir si les autres le trouvent naturel… Depuis quinze jours, je ne l'ai pas vu se fâcher une seule fois… Il va et vient comme s'il suçait sans cesse une pensée agréable… Quand il n'est pas dans le jardin, il se promène au marché, toujours seul… Pourquoi me regardez-vous ainsi ?

— Pour rien ! Continue… fit Mopps avec ironie.

— Il vous est facile de vous en moquer, vous ! Vous ne dormez pas seul avec lui dans cette bicoque…

— Et Maria ?

— Vous croyez qu'elle me défendrait ? Je crois plutôt qu'elle se mettrait de son côté. D'ailleurs, elle y est déjà !

— Que veux-tu dire ?

— Que, depuis quelques jours, on a changé les lits de place. Jef a traîné le sien dans la petite pièce où

338

dormait Maria et où elle continue à dormir. Le soir, ils prennent l'enfant, tous les deux…

— Tu n'as pas protesté ?

— Je lui ai demandé s'il devenait fou, mais il m'a regardée de telle manière que je n'ai pas insisté. Quand il est comme ça, il m'impressionne et c'est pourquoi je commence à avoir peur. Vous ne connaissez pas Jef !

— Tu crois ?

— Il n'a jamais été comme les autres. Il n'a jamais été non plus avec les autres. Est-ce qu'à bord, par exemple, on pouvait dire qu'il faisait partie du bateau ? Non ! Ici, il n'est pas avec nous, mais plutôt contre nous. Eh bien ! à Paris, c'était déjà pareil. Il traverse un groupe, mais sans s'y mêler, ou alors il se reprend aussitôt. Des amis m'ont dit que son père était comme ça et que sa mère n'était pas tout à fait normale. Il n'y a qu'à lire ses lettres…

— Dis donc, Charlotte !

Elle tressaillit, car il avait une drôle de voix.

— Il te gêne ?

— Mais non ! Vous êtes stupide ! Les hommes sont tous les mêmes… Je vous confie mes inquiétudes et vous vous faites immédiatement des idées… Pourquoi Jef ne veut-il plus coucher dans la même chambre que moi ?

— Peut-être parce qu'il craint de m'y rencontrer, tiens !

— Il n'était pas si difficile, à bord ! Et pourquoi prend-il l'enfant avec lui ? Au fond, je ne demande pas mieux, car je ne suis plus réveillée. Mais Jef, qu'est-ce qu'il pense ?

— Il se demande si le gosse est de lui.

Elle rougit sous le regard insistant de Mopps.

— Car tu as dû nous dire la même chose à tous les deux. Je parie que tu lui as juré qu'il était le père. Puis tu m'as juré de même que c'était moi. Sacrée Charlotte, va !

Il lui donna une tape sur l'épaule, alluma enfin sa pipe qu'il tenait à la main, bourrée, depuis un bon moment.

— Où voulais-tu en arriver avec tes histoires ?

— À rien !

— Allons, parle... Tu sais bien que tu finiras par le dire...

— Du moment que vous avez des idées de derrière la tête...

— Va toujours, bébé !

— Je voudrais que le docteur l'examine sérieusement, afin que je sache à quoi m'en tenir. Sans compter que, s'il a encore de la tuberculose active, il est dangereux pour bébé de...

— Compris ! Donne-moi à boire...

Et Mopps regardait avec un drôle de sourire la petite indigène qui était revenue à ses balais. Voilà maintenant qu'elle dormait avec Mittel et l'enfant ! Or, le Commandant était persuadé que Mittel restait tout à fait chaste, n'avait pas un regard pour la gamine.

— Tu ne trouves pas que c'est curieux, Lotte ?

— Quoi ?

— D'avoir abouti tous ici ! Quand je pense qu'à présent j'ai pris ma retraite...

C'était cela, en réalité. Il avait vendu son bateau et il avait placé l'argent, vivant désormais de ses rentes !

— Et voilà Jef jaloux d'un vieux bonhomme comme moi !

— Prétendez-vous qu'il n'y a pas de quoi ? lui lança-t-elle avec un rire canaille.

Elle ne comprenait pas, comme toujours. Elle rapetissait toutes les questions.

— Vous restez là, que je prenne ma douche ?

— Va toujours !

C'était chaque jour le même rite. Elle continuait à parler, d'une voix de tête, tout en s'habillant dans le cabinet de toilette dont la porte restait ouverte.

— Surtout, il faut dire à Brugnon qu'il a eu une méningite. Je ne m'y connais pas, mais on m'a raconté…

— Que cela pouvait laisser des traces dans le cerveau, acheva Mopps avec indifférence.

Il suffisait de vivre au ralenti, comme un convalescent, de penser que chaque minute est précieuse… C'est à cela que Mittel s'essayait et il se remplissait les yeux d'images merveilleuses qu'il n'avait qu'à cueillir autour de lui.

Il connaissait maintenant la couleur du lagon à toutes les heures du jour ; il connaissait les cases des pêcheurs auprès desquelles il allait s'asseoir, mais surtout il connaissait le marché, où il passait des heures chaque matin, assis sur un banc de pierre.

Jadis, il lui arrivait de la sorte d'aller s'asseoir au Parc Monceau et de regarder les enfants jouer autour de lui.

Ici, la place était entourée de boutiques de Chinois et Mittel commençait à les connaître, sans jamais leur avoir adressé la parole.

Il y avait entre autres le gros Chinois du coin, un homme encore jeune, aux moustaches hirsutes, aux lèvres relevées sur de grandes dents, qui, toute la journée, pliait et dépliait, mesurait, coupait des pièces de soie et de coton.

Au fond du magasin, sa femme, qui paraissait seize ans à force d'être menue, travaillait sur sa machine à coudre, à côté d'un berceau où un bébé tout nu s'agitait.

Il y avait quatre autres enfants, ayant tous les mêmes yeux immenses, qui se jetaient dans les jambes des grandes personnes sans que jamais on songeât à les gronder…

Ces gens-là ouvraient leur boutique à cinq heures du matin et la fermaient à sept heures du soir. Plus tard, on voyait encore de la lumière et on entendait le bruit de la machine à coudre.

Ils venaient de loin, d'un pays différent, et ils étaient heureux…

À côté, c'était le boulanger, un Chinois aussi, puis le menuisier chinois et ses quatre ouvriers…

Des autos passaient, transportant des Anglais, des Américains. Des touristes se promenaient dans des costumes extravagants ; des femmes blanches se vêtaient de paréos qu'elles ne savaient pas porter.

À l'autre coin, un beau type d'indigène, un grand garçon gras et fort, musclé comme un lutteur, tenait un garage et passait lui aussi ses journées dehors, bavardant avec l'un et avec l'autre, réparant un pneu, téléphonant… Car le téléphone était sous un simple toit de bois, en plein air, les autos aussi…

Des femmes, toute la journée, restaient accroupies pour vendre des couronnes de tiaré ou des paniers d'oranges, de citrons et de mangues…

C'était une vie multiple que Mittel buvait comme Mopps buvait de l'alcool et l'effet était presque le même, car il en arrivait à avoir la tête bourdonnante, le regard lourd et fixe.

Il aurait fallu parvenir à ne pas penser, mais il n'en était pas capable et, quand il rentrait au bungalow, il figeait sur ses lèvres un vague sourire, même si quelqu'un, au bar, était en train de faire la cour à Charlotte.

— Il n'y a plus de bois, lui disait-elle.

Il allait en casser, docilement. Il n'avait jamais été aussi docile, mais jamais non plus il ne s'était montré aussi lointain. Jamais il ne parlait le premier et il répondait à peine quand on lui adressait la parole.

— On attend deux nouveaux fonctionnaires par le bateau…

— Bon.

Qu'est-ce que ça pouvait lui faire ?

Et Charlotte, qui arrivait dans une robe blanche toute craquante d'amidon et qui achevait de se poudrer au bar, confiait à Mopps, en s'assurant que Jef ne rentrait pas :

— Il m'est passé des tas d'idées par la tête… Il arrive un moment où les hommes comme lui sont capables de tout… La nuit, je ferme ma porte à clef et parfois je me réveille en sursaut, avec la sensation qu'il est là et qu'il va… Chut !…

Mittel traversait le jardin, contournait le bungalow afin d'entrer directement dans la cuisine sans passer par le bar.

— Vous avez vu ?

Cela sentit malgré tout la scène préparée. Le dîner était fini. Mittel, comme d'habitude, allait se retirer dans sa chambre, où on ne savait s'il dormait ou s'il jouait avec l'enfant. Le docteur lança :

— Dis donc, Mopps, c'est entendu pour demain ? Tu viens visiter l'hôpital ?

Mittel tressaillit, pressentant déjà quelque chose.

— Entendu, vers dix heures.

— Tu viens avec lui, mon vieux Jef ?

Il faillit dire non puis, sans savoir pourquoi, il dit oui. Peut-être parce qu'il sentait qu'il ne devait pas y aller et qu'une force obscure le poussait malgré lui !

— Je te prendrai en passant, acheva le Commandant.

À dix heures, tous les deux pénétraient sous la voûte de l'hôpital de Papeete, traversaient une vaste cour entourée de bâtiments. Dans le couloir, ils trouvèrent Brugnon en blouse blanche, un thermomètre à la main.

— Entrez dans mon bureau… Je viens tout de suite…

Le bureau était quelconque, assez mal éclairé et, comme partout, on vivait dans le vacarme des ventilateurs.

— Tu sais, Jef…

Mittel ne broncha pas.

— Je vais te dire une bonne chose… Voilà long-temps que tu ne t'es pas occupé de ta santé… Tu ferais bien d'en profiter et de demander une consultation à Brugnon… Dans la vie, il n'a pas l'air d'un as, mais en réalité il connaît son affaire mieux qu'un grand médecin de Paris…

Mittel avait son sourire le plus gênant, un sourire amer et ironique, très léger.

Le docteur entra et Mopps se hâta de lui dire :

— Notre petit ami ne serait pas fâché d'avoir une consultation… Il a eu quelques ennuis dans sa jeunesse…

344

— J'ai eu un poumon atteint et j'ai fait une méningite, articula froidement Mittel.

— Alors, il serait peut-être bon…

— Mais oui ! Mais oui ! Attendez que je ferme la porte… Et toi, Jef, déshabille-toi…

Il le fit, avec un calme qui était comme un défi aux deux hommes et, par-delà ces deux hommes, à beaucoup d'autres, à Charlotte, à l'humanité entière.

Mopps feignait de s'intéresser aux quelques livres de la bibliothèque tandis que, près d'une demi-heure durant, le docteur se livrait à une auscultation minutieuse. Il faisait chaud. Ils suaient tous les trois. De temps en temps, un peu de cendre tombait de la cigarette de Brugnon.

— Eh bien ! mon petit… soupira-t-il enfin.

Mopps se retourna, un livre à la main.

— Au moins, toi, tu n'as pas besoin de dire merci à tes parents ! En fait de cadeau, ils t'ont donné une assez jolie collection de tares. Ton père vit toujours ?

— Non ! articula Mittel en boutonnant sa chemise moite.

— Et ta mère ?

— Oui.

Il devait faire un effort pour répondre et son regard était fixe.

— Elle est tout à fait normale ?

Il baissa les yeux. Il ne voulait pas laisser surprendre leur expression. Car soudain, à cette question, il flairait le piège. N'était-ce pas Charlotte qui avait toujours prétendu que Bébé était un peu folle ? Comment le docteur l'aurait-il deviné en l'auscultant, lui ?

— Tout à fait !

— Pas un peu bizarre de temps en temps ?

— Je n'ai jamais rien remarqué.

— Tu ne fumes pas et tu ne bois pas ?

— Vous le savez bien.

— C'est déjà un bon point. N'importe quel excès serait désastreux.

— Voulez-vous me dire tout de suite ce que j'ai ? Oh ! Vous pouvez parler devant Mopps. Au point où nous en sommes.

— On t'a déjà affirmé que tes poumons étaient guéris ?

— Non… J'ai quitté le sana parce que je ne pouvais plus y vivre…

— Et tu as eu tort. Je te ferai une radiographie et tu verras toi-même.

— Combien ?

— Combien de quoi ?

— Je demande combien de temps j'ai à vivre.

— Je ne sais pas, moi ! Cela dépend…

— Un an ?

— Sans doute plus.

— Deux ans ?

— Peut-être… Il y a des cas…

La sueur perlait au front de Mittel, mais on ne pouvait lire aucun sentiment sur son visage.

— Je vous remercie… Je crois que nous étions venus pour visiter l'hôpital.

— Quand tu voudras.

Ils sortirent. Mais Mopps s'attarda dans la cour avec une infirmière et, quand on eut traversé deux salles, on ne le retrouva plus.

— Bah ! Il reviendra une autre fois…

Sur un perron, quatre petits garçons indigènes étaient assis et ne jouaient pas. Mittel s'arrêta devant eux sans

346

pouvoir en détacher les yeux, car leur peau était bleue, d'un bleu presque céleste.

— Qu'est-ce que c'est ? demanda-t-il.

— Des petits lépreux. Nous les soignons maintenant au bleu de méthylène, qu'on injecte sous la peau. Dans quelques mois, ils ne seront plus contagieux…

Mittel détourna la tête et passa, la gorge serrée, dans les salles de la maternité dont tous les lits étaient occupés et où, dans la blancheur des draps accrue par le soleil, en entendait un concert de vagissements.

— Tu vois que c'est propre. Ici, ce sont les cuisines.

De vastes cuves de cuivre rouge, autour desquelles, dans la vapeur, s'agitaient des Chinois. Le docteur frappa contre une porte et on vit paraître un immense Canaque en uniforme, qui se confondit en salutations.

— Tes pensionnaires sont calmes ?

— Sauf Babo, qui a voulu me tuer.

— Qu'est-ce qu'il a fait ?

— Il a passé un bras par le guichet au moment où je lui donnais à manger et il est parvenu à me saisir la tête.

— Entre, dit le médecin à Mittel.

Une petite cour entourée de bâtiments qui ressemblaient à des écuries, avec leurs portes symétriques percées de guichets grillagés. Et aussitôt, derrière sept ou huit guichets, des têtes silencieuses, hagardes.

— Les fous… annonça le docteur. Tu vas voir !

Le gardien ouvrait une porte, montrait dans la pénombre un garçon de dix-sept ans, un indigène, tout nu, qui avait déchiré sa couverture en petits morceaux. Pour lit, un bat-flanc de bois. Pas d'oreiller. Pas un meuble.

— Ils cassent ou déchirent tout ce qu'on leur donne !

Au début, on les habillait, mais le lendemain leurs vêtements étaient en lambeaux…

Dans la case voisine, une femme. Elle souriait timidement et son regard finit par se poser sur Mittel.

— Celle-là, on ne peut jamais la laisser sortir dans la cour, car alors les hommes deviennent lubriques…

On lui fit prendre garde au troisième, Babo, un chef indigène des Marquises, qui se croyait Dieu et qui ressemblait en effet, avec son corps puissant, sa barbe blanche, à un dieu de la mythologie.

C'était lui qui avait essayé d'étrangler le gardien, mais maintenant il souriait, bonasse, comme pour se faire excuser.

— Tu as voulu tuer ton gardien ? lui cria le docteur.

Et l'autre se confondait en salamalecs et en prières.

— À côté, c'est un Italien, un sculpteur, qui est arrivé il y a trois ans et qui a eu aussitôt le coup de bambou… Personne n'a voulu s'occuper de lui…

Mittel ne put supporter le regard de ce blanc, de cet Européen qui, nu, lui aussi, venait à leur rencontre avec l'espoir de quelque impossible bonne nouvelle.

— C'est assez… soupira-t-il.

Il haïssait déjà le gardien dont il voyait la femme, assise sur le seuil de la maison et occupée à éplucher des légumes.

— Il y en a qui guérissent ?

— Rarement.

Il fallait traverser des cours inondées de soleil, entre des murs blancs qui éblouissaient, et Mittel avait mal à la tête, s'efforçait de marcher droit, de sourire.

— Je te porterai des médicaments qui te feront du bien.

— Oui…

Il pataugeait dans un cauchemar. Il sursauta en trouvant soudain Mopps devant lui et son visage dut avoir pendant une seconde une expression d'effroi, car le Commandant le questionna :

— Qu'est-ce que tu as ?

— Moi ?… Rien…

Non, rien ! Il ne voulait rien avoir. Il sentait que c'était nécessaire, qu'il fallait rester calme coûte que coûte, aller et venir, marcher et parler comme un homme normal.

Il ne fallait surtout pas leur laisser supposer qu'il avait deviné…

C'était bien combiné… Ils étaient tous d'accord, y compris Charlotte !… La conversation de la veille avait été prévue…

Et on lui avait fait visiter l'hôpital. On lui avait surtout montré la cour des aliénés, un peu comme un avertissement…

Maintenant, ils rentraient au Cercle, Mopps et lui. Mopps ne paraissait pas très fier. On aurait même parié qu'il avait envie de dire quelque chose et qu'il n'osait pas, ou qu'il ne trouvait pas les mots.

— Tu sais, petit, avec ce climat…

— Je n'ai pas peur de mourir !

Il avait la gorge si sèche que les syllabes en étaient écorchées.

— Brugnon m'a bien annoncé que, si je continuais à boire et à faire tout le reste, je n'en avais pas pour trois ans… N'empêche que je ne change rien à mes habitudes, au contraire !… Crever pour crever !… Hello, Tita…

Elle était assise sur son seuil : une petite maison en bois peinte en vert. Elle était occupée à se couper les ongles des pieds, en plein air, presque en pleine rue, et elle avait toujours sa robe rouge qui saignait dans le soleil.

— Hello, Mopps!… Hello, Jef!…

Elle riait toujours. Elle aimait tout le monde. Elle aimait surtout la vie.

Ils marchaient à nouveau et Mopps murmurait :

— Il faudrait seulement prendre quelques précautions pour le petit…

— Oui, pour notre petit !

Il s'en repentit. À quoi bon ? Pourquoi *leur* donner des armes ? Il se souvenait de Plumier, de ses bizarreries. À aucun prix il ne devait l'imiter, car lui n'était pas fou, il en était sûr.

— Pourquoi dis-tu ça ?

— Pour rien… C'est sans importance…

— Tu m'en veux ?

Un homme qui est là, tout seul, replié sur lui-même et qui n'a plus rien à gagner, rien à perdre…

La vérité, c'est que Charlotte avait peur, que Mopps lui-même n'était pas rassuré…

Et, plus il était calme, plus il s'efforçait de sourire, de vivre en dedans, plus leur effroi grandissait !

N'empêche qu'ils étaient incapables de changer leur vie pour la cause. C'était comme l'ivrognerie. Qu'est-ce qu'il aurait fallu, en somme ? Un peu de tact. Éviter certaines familiarités, certains mots…

Et quel besoin de passer des heures autour d'un bar, à boire et à parler sans conviction ?

Ils ne pouvaient pas, Mittel le sentait ! Ils avaient adopté cette vie-là, ils y avaient trouvé une sorte d'équilibre et ils s'y raccrochaient, quitte à aboutir à un drame.

Un drame qu'ils pressentaient... Ils le pressentaient si bien qu'ils l'avaient poussé doucement jusqu'à l'hôpital, moins pour l'examiner, sans doute, que pour lui mettre sous les yeux le quartier des déments.

Comme un avertissement ! Brugnon était tout-puissant dans ce domaine. Un papier signé de lui et...

Mittel oubliait qu'il avait l'enfant sur les genoux et regardait la maison de ses voisins, où une servante en blanc dressait les couverts, posait des vases de fleurs entre les verres.

Voilà ! Oui, voilà comment il aurait voulu vivre... Alors, il regardait le petit avec des yeux scrutateurs et il essayait de deviner son avenir.

Est-ce qu'il n'allait pas ressembler au sien ? En pire peut-être ? Il n'avait même pas de nom, sinon celui que lui donnait un faux passeport ! Il était né après que sa mère eut été à la mort, dans la forêt équatoriale.

Et pourtant il souriait et il était mieux portant que la plupart des enfants de blancs que Mittel rencontrait à Papeete.

Ça, c'était le miracle de Charlotte ! Car c'était un miracle. L'enfant n'eût pas dû naître ! Un bon médecin eût été découragé par la situation au moment des couches.

La traversée ensuite. L'arrivée... Or, il était magnifique ! Il n'avait encore eu, à part trois jours de dysenterie, aucun des bobos qui guettent les nouveau-nés. Il pleurait rarement. On l'avait sevré et il s'en était à peine aperçu...

Mittel le serrait un tout petit peu plus fort contre lui et se promettait de savoir, par une radiographie, si l'enfant n'était pas tuberculeux comme lui...

Ce serait presque une preuve!... Une preuve que c'était son fils!...

Il ne savait plus que souhaiter. Il entendait des verres se heurter, dans le bar, et la voix désagréable de Tioti qui téléphonait à quelqu'un.

— Jef!... Tu es là?...

La voix de Charlotte, qu'il ne pouvait plus supporter. Il n'eut pas le courage de répondre tout de suite.

— Jef! C'est l'heure de la bouteille...

— Oui, dit-il en se levant.

Et il rentra dans le bungalow par-derrière encore, pour éviter le bar, mit l'enfant dans les bras de Maria.

— Le camion a complètement défoncé l'auto et Alexandre est mort sur le coup, racontait-on au comptoir. Eh bien! Charlotte...

— J'arrive...

— Donne-nous à boire, sacrebleu! Est-ce que c'est une nursery, ici?

— En tout cas, répliqua-t-elle, ce n'est pas moi la nurse.

Et Mittel disait tout bas à la petite Canaque :

— Le lait n'est pas trop chaud?

4

Puisqu'il n'était pas fou, il n'avait qu'à ne jamais se comporter comme un fou, voilà ! C'était facile. Il avait eu l'exemple de Plumier sous les yeux. Bien s'observer, afin de ne pas leur donner prise !

Il était si prudent sur ce point que parfois il se regardait dans la glace, étudiait ses expressions de physionomie, ses sourires.

— De quoi vous en voudrais-je ? N'est-ce pas vous qui nous avez sauvés, à Dieppe, et maintenant encore, puisque nous sommes arrivés sans argent ?

— Tu n'es pas franc avec moi. Cela va peut-être te sembler bizarre ce que je te dis, mais c'est pourtant la vérité. J'ai autant d'affection pour toi que si tu étais mon fils ! Quelquefois, je te trouve insupportable, parce que tu es toujours à chercher aux gens des desseins plus ou moins honteux. Tu n'as pas encore compris ?

— Il y a quelque chose à comprendre ?

— Tu es trop bête, tiens ! Oui, il y a quelque chose à comprendre c'est qu'une Charlotte ne vaudra jamais que deux hommes se disputent pour elle…

— N'empêche que vous l'avez fait venir…

— Je ne le cache pas.

Pour la première fois, il avouait que c'était la présence de Charlotte qu'il avait cherchée en leur écrivant.

— Quand tu auras mon âge, tu comprendras.

— Je ne l'aurai jamais.

— Tant mieux pour toi! Qu'est-ce qui t'empêche de t'amuser comme les autres? Qu'est-ce qui t'oblige à rôder autour d'elle avec des airs tellement dramatiques que tu es la risée des Canaques?

— Ah! Je suis…?

— Parbleu! Rien ne leur échappe, à eux! Sais-tu quel nom indigène ils t'ont donné? Car ici, chacun de nous a son nom, plus ou moins flatteur. Toi, tu es *l'homme qui se dévore*, ce que nous traduirions par *l'homme qui se mange les sangs…*

De beaux arbres aux deux côtés des rues, des *flamboyants*, Mittel connaissait maintenant leur nom. Puis déjà l'océan, à cent mètres, le bungalow à gauche, l'église protestante à droite, avec son clocher de tôle passée au minium.

— Tu crois que si j'avais pu je n'aurais pas fait autre chose?

Mittel fut presque ému par l'accent de Mopps et il lui jeta un bref coup d'œil. Mais il se raidit. Il ne voulait pas s'attendrir.

— Et le docteur!… Et nous tous!… Vois-tu, ici, nous sommes quelques-uns qui ne pouvons plus rien espérer de nouveau et…

Mittel s'enfonçait les ongles dans la paume des mains. À travers la haie du jardin, il entendait crier son fils, et la voix grave de Maria qui essayait de le calmer.

Mais après? Tioti était là, penché sur le comptoir, l'œil brillant comme ils l'avaient tous quand ils étaient seuls avec Charlotte. Plus philosophe, sans doute, Mopps feignit de ne pas s'en apercevoir.

Mittel traversa la pièce sans mot dire et alla se changer car, pour aller à l'hôpital, il avait mis une chemise blanche et un faux col, alors que d'habitude il s'habillait en kaki. Il gagna le jardin par-derrière, trouva Maria avec son fils et s'assit sur la pelouse.

— Qu'est-ce que tu as ? demanda Maria qui, à la manière indigène, tutoyait tout le monde.

— Je n'ai rien… Va !…

Et il prit l'enfant sur ses genoux, le regarda d'un œil découragé.

Depuis qu'il avait quitté Dieppe, ses sens s'étaient affinés et il lui semblait maintenant qu'il devinait les moindres pensées de ceux qui l'entouraient.

Maria, par exemple, était prête à se dévouer corps et âme pour lui, mais c'était justement parce qu'elle le sentait faible et malheureux, parce qu'elle savait aussi tout ce qui se passait dans la maison et qu'elle en était indignée. Peut-être même était-elle un peu amoureuse et ne comprenait-elle pas pourquoi, la nuit, alors qu'ils dormaient dans la même chambre, il ne venait pas la rejoindre. N'était-elle pas humiliée ?

Quant aux autres…

Si Mittel n'avait pas assisté à l'agonie de Plumier — car il y avait eu une véritable agonie — il n'y aurait pas pensé. Mais il se mettait à leur place. Il se souvenait de ses propres pensées devant les extravagances du Belge, de certaines frayeurs qu'il avait dû dominer.

Sa faute, au début, avait été de s'éloigner, de se montrer sauvage. Maintenant, il était capable de rester dans le bar avec les autres et d'approuver ce qu'ils disaient.

Qu'est-ce que cela pouvait faire, puisqu'il était décidé à agir ? Comment ? Il n'en savait rien. Plus exactement, il ne fallait même pas y penser. C'était si terrible que cela se serait marqué sur son visage et que tout le monde aurait compris.

Ne se doutaient-ils pas déjà de quelque chose ? Charlotte surtout, évidemment ! Les femmes ont un flair spécial. Elle s'était mise soudain à avoir peur de lui, évitait le tête-à-tête, l'observait à la dérobée. Souvent, quand il rentrait, il la trouvait à chuchoter avec la petite Maria et il était clair qu'elle la questionnait.

— Qu'est-ce qu'il t'a dit ?... Est-ce qu'il dort toute la nuit ?... Est-ce qu'il te parle ?... Est-ce qu'il te fait quelque chose ?...

Il feignait d'être de bonne humeur, fredonnait en entrant, trouvait même une histoire à raconter, n'importe laquelle.

— Il y a un yacht d'arrivé. C'est un tout petit yacht à deux mâts...

Est-ce qu'elle était dupe ? Mopps, lui, semblait l'être. Il traitait Mittel avec affection, en mettait un peu trop.

Cela datait de la visite à l'hôpital. Qu'est-ce que le docteur avait pu leur dire à tous ? Depuis lors, en tout cas, on le regardait avec toujours l'air de vouloir lui présenter des condoléances.

— Comment vas-tu ? demandait-on avec insistance. Bien dormi ?

On avait pour lui cette indulgence affectée dont on entoure les malades en croyant leur faire plaisir. Même Maria, qui était navrée quand il ne mangeait pas assez et qui insistait en affirmant qu'il devait prendre des forces !

Il était tuberculeux. Et après? Est-ce que cela eût changé l'ordre des choses s'il eût été bien portant?

Mais non! Il n'avait pas le droit de ricaner, car on l'épiait et, si jamais il laissait croire qu'il était fou…

Il avait des paniques soudaines. Quelquefois, il marchait le long du quai, rencontrait quelqu'un qu'il saluait distraitement, parce qu'il pensait à autre chose. Tout à coup, il s'en avisait et se demandait s'il avait eu l'air naturel.

Chose curieuse, dans la cour des aliénés, il n'était resté que quelques secondes en face du dernier fou, l'Italien, et c'était de lui qu'il se souvenait au point de retrouver dans sa mémoire de menus détails, comme une dent manquante sur le devant, une certaine voussure des épaules…

Il avait calculé que, dans quatre mois, le petit marcherait! Eh oui! Déjà! Puis, six mois après, il commencerait à parler, à balbutier quelques syllabes, en tout cas. Maintenant, il ne réussissait encore qu'à former des bulles d'air avec sa petite bouche…

Mittel restait calme, il le fallait, il le voulait de toutes ses forces. Pourquoi, ce matin-là, un dimanche justement, Mopps dit-il en entrant:

— Jef, file donc chez Tita me chercher mes pilules…

Car il prenait des pilules que Brugnon lui avait ordonnées. Deux ou trois fois il avait eu l'impression que son cœur flanchait et depuis lors il se surveillait, buvait un peu moins, surtout le soir, et il avait toujours des médicaments dans sa poche.

Mittel s'éloigna sans penser que cet incident pouvait avoir une importance quelconque, sans penser surtout que le dimanche était son jour à lui, celui où tous les événements importants s'étaient passés.

On entendait des psaumes dans le temple protestant alors que les indigènes endimanchés sortaient déjà de l'église catholique, pareils, les filles en robe blanche, les hommes en complet amidonné et en chapeau de paille, aux fidèles de n'importe quelle petite ville.

Mittel n'était jamais entré chez Tita. Il traversa le jardinet rutilant de fleurs orangées, donna quelques petits coups sur la porte.

— Qui est là?

— C'est moi, Jef! Le Commandant a oublié quelque chose.

— Entre.

Ce qu'elle avait de curieux, c'était sa voix, et surtout ses inflexions. Elle paraissait toujours chanter. Et c'était une chanson douce, affectueuse, à peine teintée d'ironie.

— Entre, Jef! Laisse la porte ouverte, qu'on voie clair.

Une pièce quelconque, en grand désordre. Le blaireau et le rasoir de Mopps traînaient sur la table. Quant à Tita, elle était couchée, mais elle se souleva sur un coude et murmura:

— Tu ne veux pas me donner à boire? Il y a de l'eau sur la toilette.

Mittel ne pensait pas à regarder son corps souple que le drap cachait à peine. Ce n'était pas un sexuel et il n'était pas facile à émouvoir.

— Merci, Jef. Tu es gentil...

Elle ne dit pas cela comme une banalité mais comme quelqu'un qui le pense et qui trouve enfin l'occasion de s'exprimer.

— Tu es même trop gentil! C'est pour cela que tout le monde se moque de toi...

Il tressaillit, se retourna vers elle, avec déjà son mauvais regard.

— Que veux-tu dire ?

— Tu le sais bien. Donne-moi ma robe, que je me lève.

Et elle saisit la robe rouge, la passa sur son corps nu, s'étira dans le soleil.

— Qu'est-ce que tu as ? questionna-t-elle soudain en remarquant seulement le visage tragique de Mittel.

— Rien... Écoute, Tita... Je veux savoir ce que tu as voulu dire tout à l'heure... Qui se moque de moi ?

— Alors ne me regarde pas comme ça... Je suis une bonne copine, moi... Demande à Mopps... Je n'ai jamais fait de peine à personne... Tiens, j'aurais pu me mettre avec le président du Tribunal, qui aurait renvoyé sa femme en Europe... Je ne l'ai pas fait à cause d'elle... Il venait se traîner à mes pieds...

— Qui est-ce qui se moque de moi ?

— Je ne sais pas... Je veux dire qu'ils ne sont pas gentils... Ta femme a un bébé... Qu'est-ce qu'elle a besoin de se faire faire la cour par tout le monde ?

Mais on sentait que là n'était pas la pensée de Tita. Elle cherchait les mots pour mieux s'expliquer, tout en se passant un drap mouillé sur le visage. L'air était très calme. On n'entendait aucun bruit, sinon le lointain bourdonnement de la barre sur les coraux du lagon.

— Si tu n'étais pas jaloux, cela n'aurait pas d'importance et ils auraient raison... Mais ils savent que tu es jaloux... Ils continuent... Ils voient que tu souffres, que tu en deviens malade...

— Qui est-ce qui t'a dit que j'en devenais malade ?

— Tout le monde !... Tu es même allé à l'hôpital et Brugnon t'a examiné...

Mittel s'assombrissait de plus en plus et imaginait maintenant la ville entière qui pensait quand il passait :

— Voilà celui qui est malade et que sa femme trompe…

Il s'était assis sur une chaise, près de la table. Tita mettait ses bas.

— Ne t'en fais pas pour eux… Chacun suit son chemin, tu comprends ?… On a raconté des tas de choses sur moi aussi… Est-ce que je m'en suis occupée ?… Seulement, tu aurais mérité que quelqu'un soit gentil avec toi, car tu es gentil… Tu es même bon, on le sent… Mopps le dit aussi…

— Tiens ! Il me fait des compliments ?

— Tu sais, ce n'est pas à lui qu'il faut en vouloir… Lui, il est amoureux, et quelquefois je me demande s'il n'est pas encore plus jaloux que toi… C'est elle qui est méchante… Cela l'amuserait de voir des hommes se battre pour elle…

Et Tita parlait, parlait, parce que cela lui faisait plaisir de parler tout en procédant à sa toilette.

— Qu'est-ce qu'on dit encore ?

— Tu es drôle ! s'écria-t-elle après l'avoir regardé avec attention. Il y a des jours où tu as l'air de prendre ça du bon côté, puis des moments, comme maintenant, où tu fais peur… Il ne faut pas !… Je vais t'expliquer… Qu'est-ce que ça peut te faire que Charlotte fasse ceci ou cela puisqu'il est tout de même trop tard ?… Il vaut mieux vivre pour toi, avoir des amies…

Il était clair qu'elle était prête à devenir une de celles-ci. D'habitude, les blancs lui imposaient un certain respect. Mittel, au contraire, petit et chétif, avait quelque chose d'enfantin et de malheureux qui permettait d'être maternelle avec lui.

— Ils seront les premiers attrapés… Déjà je sais que Charlotte a été jalouse quand tu as décidé de dormir dans la même chambre que Maria… Moi, tu comprends, je les connais tous !… Et, au Cercle, c'est toujours le même drame… Il y a deux ans, c'était avec une Américaine et le docteur s'est battu à coups de poing avec un lieutenant des Messageries Maritimes…

Mittel semblait ne plus réagir, fixait le plancher poussiéreux et elle continuait :

— Qu'on dise ceci ou cela de quelqu'un, cela a tellement peu d'importance !… Quand on est mort…

Alors il se tourna vers elle, lentement. Toutes ces phrases, dont il n'avait même pas perçu le détail, l'avaient peu à peu imprégné d'une sorte de fièvre, à l'instar d'un alcool. Et maintenant il se levait, comme pour être plus solennel, demandait lentement :

— Et toi, qu'est-ce que tu penses de moi ?

— Je te l'ai dit… Tu es bon… Tu es gentil… Trop ! Tu ferais mieux, de temps en temps…

Il sourit, d'un sourire menaçant.

— Et tu crois que je n'en suis pas capable ?

— Capable de quoi ?

— D'être méchant ! De me venger…

Elle s'effraya, car il martelait les syllabes avec rage.

— Tu ne comprends pas, non ?… Eh bien ! moi, je vais te dire ce qui se passe… Si je me fâchais, si je disais quelque chose, ils me feraient enfermer en affirmant que je suis fou… Mais si ! Je le sais…

— Jef !

— Je te répète que je le sais… Alors, je joue les imbéciles… Je fais leurs commissions… Je vais au marché comme un domestique… Je souris quand ils racontent des histoires... Puis, un beau matin, quand je me serai décidé...

— Que feras-tu?

Il resta un moment à ne savoir que répondre. S'il parlait ainsi, c'est qu'il avait besoin, une fois, une seule, de s'extérioriser. Il y avait trop longtemps qu'il portait le poids de ses pensées.

— Ce que je ferai?... Ce que...

Il se passa la main sur le front. C'était difficile à dire. Il ne savait pas au juste, mais il voulait à toutes forces répondre quelque chose qui lui donnât à lui-même la sensation de sa force.

— Tu ne peux pas comprendre... Imagine que tu saches que tu vas mourir...

— Mais...

— Je le sais, moi! Donc, je n'ai rien à perdre, n'est-ce pas? Du moment qu'on ne me donne pas les quelques mois de bonheur que je demande...

Et il pensait à la maison des voisins, au ménage bien tenu, au couple penché sur le berceau...

— Du moment qu'on se moque de moi par surcroît, qu'on n'a même pas la patience d'attendre que je sois mort...

Il était si emballé qu'il en perdait le fil des phrases.

— Je suis en droit de me venger, de faire n'importe quoi! Tu as entendu dire que Charlotte essayait de me faire interner?

— Tu exagères, murmura-t-elle effrayée.

— Non! Seulement, si je voulais, c'est elle qui demain serait en prison! Si je voulais, Mopps serait arrêté aussi! Tu entends ça? Ce serait laid! Mais est-ce beau, ce qu'ils font? Je pourrais les tuer un après l'autre. Et je pourrais aussi... Qu'est-ce qu'il dit,

Mopps, quand il te parle ? Est-ce qu'il prétend que l'enfant est de lui ?

— Je ne sais pas.

— Tu mens !... Il affirme à tout le monde qu'il est de lui...

— Je t'assure, Jef...

— Alors, suppose... Ah ! tu me prends pour un homme bon, pour un gentil garçon... Et tu crois que je m'en irai comme ça, en les laissant tous les trois derrière moi !

C'était la première fois de sa vie qu'il se mettait dans cet état. Il s'exaltait comme un homme ivre. Comme un homme ivre aussi, il se sentait en butte à la méchanceté du monde et il se débattait, il se dressait dans un mouvement de révolte.

Il cherchait, pour se griser davantage, l'effet de ses paroles dans les yeux de Tita qui lui avait pris la main.

— Tais-toi, Jef ! Si on t'entendait...

— Ah ! Ah !... Tu viens de dire le mot... Tu avoues qu'ils me guettent, qu'à la moindre défaillance ils me retireront de la circulation... Mais je les aurai avant, Tita !... Ils m'ont tout volé, tu comprends ?... Quand je suis arrivé ici, je croyais que j'allais vivre... Je pleurais en mettant les pieds à terre, je pleurais de joie en me disant que ma vie commençait enfin... Et j'étais prêt à tout, à travailler comme dix hommes, à me priver, à faire n'importe quoi pour qu'on soit trois, enfin, dans la quiétude...

« Là-bas, dans la forêt, quand Charlotte était malade, je ne pensais qu'à cela... J'aurais tout donné pour que le petit naisse... Je lisais et je relisais le livre de médecine...

«Puis voilà qu'on arrive au Cercle, que Mopps regarde le petit, que...

Il éclata en sanglots. Il n'en pouvait plus. Tita lui avait passé un bras autour du cou et lui baisait machinalement le front.

— Allons!... Calme-toi...

— Me calmer?... Et après?... Pour qu'ils continuent à vivre tranquillement, avec le petit?... Il ne se souviendra même pas de moi... On lui dira peut-être un jour :

«— *Ton père est mort quand tu étais tout petit... Il n'était pas fort, vois-tu!...*

«Peut-être même que, quand il ne mangera pas sa soupe, on murmurera :

«— *Si tu n'es pas sage, si tu ne manges pas tout, tu mourras comme ton père...*

«À moins qu'on ne lui apprenne même pas que je suis peut-être son père...

Il ne s'essuyait pas les yeux. Les larmes coulaient et il parlait toujours et plus il parlait, plus il souffrait, plus il souffrait et plus il éprouvait le besoin de souffrir.

Cela lui faisait du bien.

— Ne pleure plus... Un homme ne doit jamais pleurer...

— Ne crains rien... Il m'arrivera de faire autre chose... Ils m'ont trop pris... Cela ne peut pas se dire... C'est... Non! Tu ne comprendrais quand même pas!... Et ils ne feraient rien pour moi, ils n'éviteraient pas un mot, un geste, une allusion...

— Tu l'aimes tant que ça?

— Qui?

— Charlotte.

Il ne trouva rien à répondre tout de suite. Il parut chercher en lui.

— Elle ?… Je ne sais pas…

Ce n'était pas d'elle qu'il parlait, mais d'eux trois, d'un ménage qui s'était formé par hasard, là-bas, en Amérique du Sud, et qui lui était devenu plus nécessaire que la vie. Est-ce que le centre en était Charlotte ou l'enfant ?

— Écoute bien ce que je te dis, Tita. Un jour, je ne sais pas quand, peut-être demain, peut-être dans un mois, je serai à bout et alors…

— Tais-toi !

— Non ! On peut le savoir… Après, on m'arrêtera, on me fera n'importe quoi…

— Bois quelque chose… Tiens !…

Et elle lui versait du rhum, espérant ainsi le calmer. Il le but par défi.

— Cela me fera cracher du sang, articula-t-il.

— Alors, n'en bois pas.

— Si ! Je suis peut-être capable de devenir alcoolique comme eux… Ils me dégoûtent, Tita !… Tout me dégoûte…

Il y eut des pas dans l'allée du jardinet. Mittel détourna la tête afin que le nouveau venu ne vît pas ses larmes… Il renifla.

— M. Jef n'est pas ici ? demanda la voix de Maria.

Elle l'aperçut alors.

— C'est madame qui vous cherche, parce qu'il faut aller acheter des œufs chez le Chinois…

— Merci.

Elle vit qu'il avait pleuré. Elle devina l'émotion de Tita, l'atmosphère dans laquelle ils venaient de vivre.

— Vous avez le médicament ?

— Tiens, le voici… Dis que je vais rapporter les œufs…

Et il se leva en effet, soudain très calme, tandis que la petite s'éloignait, pieds nus, ses lourds cheveux noirs sur la nuque.

— Elle ne dira rien, affirma Tita.

— Qu'elle dise tout ce qu'elle veut. Cela m'est égal…

Mais l'accent n'y était plus. La fièvre tombait à plat. Il se retrouvait écœuré comme après une orgie. Et n'était-ce pas une orgie de paroles et de passions qu'il venait de faire ?

— Promets-moi d'être calme, Jef.

— Est-ce que je ne suis pas calme ?

— Maintenant, oui ! Tout à l'heure, tu étais comme fou…

Alors, brusquement, il sortit sans rien lui dire, sans la regarder, tellement il avait peur de se fâcher, de frapper, de commencer une nouvelle scène.

Elle avait dit *comme fou…*

Et il marchait vite. Il lui semblait qu'un danger suivait ses pas, collait à sa silhouette. Le dimanche ressemblait à tous les dimanches de la terre. On vendait de la crème glacée dans la rue. Les magasins étaient fermés. Des jeunes gens, vêtus de leur meilleur costume, se promenaient dans un sens, les jeunes filles dans l'autre et, quand ils se rencontraient, il y avait des éclats de rire, parfois une poursuite qui se terminait par un baiser.

Qu'est-ce qu'il avait eu ? Il essayait, comme après

une nuit d'ivrognerie, de se souvenir de toutes ses paroles et il en était épouvanté.

Pourtant, il n'avait pas menti. Tout cela, il lui était arrivé de le penser, quand il était seul, mais alors cela n'avait pas la même précision, la même crudité.

Il s'était vanté, en somme ! Il avait voulu prouver à Tita et se prouver à lui-même qu'il n'était pas un gamin, un simple gamin faible et sentimental.

Par exemple, il avait fait allusion à l'enfant, formulé presque nettement une menace…

Mais ce n'était pas cela du tout. Cela avait seulement un fond de vérité…

C'était arrivé la semaine précédente. Charlotte, ce jour-là, était venue dans le bar se faire essuyer le dos par Mopps, en sortant de son bain. Il traînait dans la pièce des odeurs de pernod. La veille, on avait bu jusqu'à minuit…

Mittel s'était réfugié au fond du jardin avec l'enfant et il s'était assis sur l'herbe, l'avait couché tout près de lui tandis qu'un gros scarabée se promenait gravement le long des langes.

Il devait être onze heures du matin. À cette heure-là, il y avait toujours dans l'air un bruissement continu de vie et des paillettes de lumière montaient en crépitant de la surface lisse du lagon.

On avait l'impression de s'enfoncer dans une vie différente et merveilleuse où l'esprit fondait, où les sentiments se dissolvaient pour ne laisser dans l'âme qu'une chaleur, qu'une langueur.

Le petit avait les yeux fermés et parfois il plissait tout son visage parce qu'une mouche s'y posait.

Le klaxon d'une auto, quelque part… Puis des cloches… La voix criarde de Charlotte dans la maison…

La maison qui resterait la même quand il n'y serait plus ! Peut-être seulement Mopps s'y installerait-il définitivement au lieu de coucher chez Tita ?...

Le reste ne changerait pas. Qui sait ? Comme Mopps avait maintenant de l'argent, à la suite de la vente du cargo, Charlotte était capable de se faire épouser, afin d'assurer son avenir.

Et lui... Pourquoi pas ? Pourquoi, puisque tous les papiers étaient irréguliers, ne reconnaîtrait-il pas l'enfant ?

Le scarabée s'était immobilisé et remuait ses antennes sans qu'on pût deviner pourquoi il se donnait tout ce mal. Tioti arrêtait sa voiture devant le perron, une roue dans les fleurs, comme toujours, et entrait au bar où éclataient des rires.

Est-ce que ce ne serait pas mieux de partir tous les deux ? Et, dans la pensée de Mittel, partir, ce n'était plus prendre un bateau pour gagner d'autres rives. Des bateaux, des rivages nouveaux, il en avait maintenant la nausée.

Jamais il ne quitterait Tahiti, il le savait. Jamais il ne reverrait Dieppe, ni Paris, la rue Montmartre, Bébé qui était fâchée parce qu'il ne lui écrivait pas assez souvent, l'avenue Hoche et l'appartement de Mrs White...

Il partirait avec le petit, définitivement, sans attendre l'heure fixée par le destin...

Il s'était couché dans l'herbe. Le visage de l'enfant était tout près du sien.

N'était-ce pas mieux pour lui aussi ? Que ferait-il dans la vie, sinon, comme son père, courir après un bonheur impossible ?

Il lui avait fallu un violent effort pour échapper à cet enlisement. Il s'était redressé, avait pris le bébé sur les bras et il s'était promené longtemps avant d'oser rentrer au bungalow, tant il lui semblait que toutes ces pensées restaient gravées sur son visage.

Voilà ce qu'il avait pensé, une minute, rien qu'une minute ! C'était son petit... Il ne pouvait supporter l'idée qu'*après*...

Mais ce n'était pas ce qu'il avait dit à Tita. Une folie ! vraiment, oui, une folie, s'était emparée de lui et il avait crié, il avait menacé, il avait fait le matamore...

Si elle répétait seulement la moitié de ses paroles, les autres en profiteraient pour le retirer de la circulation.

Il s'arrêta net devant la boutique du Chinois qui lui vendait toujours des œufs et il lut un étonnement comique sur le visage du bonhomme.

— Alors, monsieur Jef ?

— Oui... Il faut des œufs...

Il ne savait plus. C'était miracle que ses pas l'eussent conduit justement là où il devait aller.

— Deux douzaines ?

— Oui.

— Vous avez chaud.

Sa chemise lui collait au corps. Il ne s'en était pas aperçu.

— Ce n'est pas bon de marcher vite à cette heure-ci...

Et le petit Chinois de trois ou quatre ans le regardait avec des yeux immenses.

Quand il rentra, il entendit d'abord des éclats de musique et il s'aperçut bien vite que Tioti avait apporté son phonographe. Céline était là aussi, ainsi que le secrétaire du gouverneur. Tout le monde se tourna vers lui et il eut l'impression qu'il y avait de l'étonnement sur les visages.

Qu'est-ce qu'il avait d'étrange ? S'apercevait-on qu'il avait pleuré ? Mais non ! Il n'y avait pas seulement de l'étonnement. Il décelait encore des sourires amusés.

C'était Mopps qui lui donnait une grande bourrade, de quoi casser les œufs si Mittel ne s'était raccroché au bar.

— Quoi ?

Il ne comprenait pas pourquoi ils riaient tous, pourquoi Charlotte le regardait d'une drôle de façon.

— Tu t'es enfin décidé ?... Avoue que tu y as mis le temps... Par exemple, tu ne m'as pas demandé la permission...

On changeait le disque. Il y avait sept ou huit verres demi-pleins sur la table. Maria était dans la cuisine, à remuer des casseroles.

— Content ?

— Mais...

— Fais pas l'imbécile, voyons ! Tout le monde est déjà au courant... Tout Papeete en parle... Jef s'est enfin décidé à goûter aux amours tahitiennes.

Il s'attendait à tout, sauf à cela, et il resta stupide d'étonnement à les observer l'un après l'autre. Ainsi ils croyaient que... avec Tita ?

Il en était écœuré. C'est tout ce qu'ils avaient trouvé ! Leur intelligence ne leur avait rien suggéré de mieux !

— Voilà les œufs... dit-il en les posant sur le comptoir.

— Il ne faut pas en avoir honte... fit Tioti en mettant une aiguille neuve dans le phono.

— Je n'ai pas honte...

— Tita ne va pas venir ? questionna Céline.

370

— Je ne sais pas…

Il était sidéré. Il essayait en vain de reprendre contenance.

— Je ne suis pas jalouse, moi ! éprouva le besoin de déclarer Charlotte.

C'était idiot ! C'était pitoyable ! Il se dirigea vers sa chambre, en revint, effrayé, en questionnant :

— Où est le petit ?

— Taitou est allée le promener.

Cela arrivait souvent. L'une ou l'autre voisine promenait l'enfant. Mais cette fois-ci, il avait eu peur. Il avait cru, sans raison, qu'on le lui avait enlevé à jamais.

— Elle le gardera toute la journée, car nous partons tout à l'heure jusqu'à la presqu'île…

— Ah ! oui…

Il dut dire cela comiquement, car tout le monde éclata de rire. Il revenait de trop loin. Il avait peine à se remettre dans l'atmosphère. Heureusement que le phono sévissait enfin et jouait des airs sud-américains.

— Va donc voir si Maria s'en tire…

Il ne s'éloigna pas sans avoir surpris le regard de Mopps qui le suivait et ce regard-là lui faisait à nouveau peur, car il semblait deviner des choses…

Tita devait être prévenue : elle arriva un peu plus tard et Mittel en fut averti par de nouveaux éclats de rire. Mais elle, qu'on taquinait, riait avec les autres et n'essayait pas de les détromper.

Elle se contenta, à un moment où il était près d'elle, de lui marcher sur le bout du pied comme pour le rappeler au calme.

Une heure s'écoula dans le bruit, chocs de verres et de bouteilles, plaisanteries lancées d'une table à l'autre, sans compter le phono que Tioti remontait sans répit.

Quatre musiciens arrivèrent en auto. Maria dut aller en ville chercher des couronnes de tiaré. La voiture de Mopps comportait, à l'arrière, en place de porte-bagages, un coffre en zinc qui servait de glacière, et on y installa une vingtaine de bouteilles.

— En route !

Mittel aurait bien voulu ne pas y aller, mais il avait peur de rester seul. De temps en temps, Tita lui adressait un signe complice.

— Qui part en avant ?

Il y avait quatre autos. Deux autres filles étaient arrivées avec le docteur et on s'entassa pêle-mêle, non sans laisser Charlotte avec Mopps.

Chacun s'était couronné de fleurs. Un musicien s'installait à l'arrière de chaque auto et grattait sa guitare.

Mittel se trouva assis à côté de Tita, coincé contre elle plutôt, car ils étaient trois sur la même banquette.

On sortit de la ville. La route suivait les méandres de la côte et on avait toujours le lagon sous les yeux, avec les hauts cocotiers du bord et les pirogues à balancier échouées sur le sable.

Mittel ne pensait pas. La musique, derrière lui, n'était qu'un rythme obsédant, comme le tam-tam de la forêt équatoriale qui finit par commander au rythme même de la vie, de la circulation du sang, pourrait-on croire.

Il mit longtemps à s'apercevoir qu'une main serrait la sienne et il se tourna vers Tita qui le regardait avec un sourire bienveillant, un peu craintif.

— Alors ?… semblait-elle dire.

Il s'efforça de sourire aussi et elle, tout bas, très vite :

— Est-ce qu'on n'aurait pas mieux fait…

Elle faisait allusion à ce qu'ils avaient dit tous, à ce qu'ils avaient cru.

— Est-ce qu'on n'aurait pas mieux fait… ?

Mais, cinq cents mètres plus loin, Mittel, qui avait chaud, retira sa main.

5

Tita s'ingéniait à lui faire aimer la vie. Exubérante, les lèvres humides, elle ne laissait pas passer une beauté du paysage sans la lui désigner.

— Regarde, Jef, annonça-t-elle en traversant le premier village, je suis née ici. Voilà l'école…

Et il regardait de tous ses yeux les petites maisons coiffées de vastes toits rouges. Ce n'étaient pas des tuiles, mais de la tôle ondulée peinte au minium, ce qui donnait un ton somptueux, admirablement en harmonie avec la verdure sombre.

Les huttes à l'indigène, en feuilles de cocotier, étaient rares. On en voyait de loin en loin au bord du lagon, habitées par les pêcheurs les plus pauvres, entourées d'enfants nus.

Mais, aux deux côtés de la route, dans les villages, s'alignaient des maisons de bois qui avaient le charme de jouets. Le bois en était peint de couleurs tendres, vert clair, bleu pâle, rose parfois. La façade était ornée d'une véranda, précédée d'un jardin aux fleurs bariolées. Et, comme c'était dimanche à Tahiti tout comme c'était dimanche dans la banlieue parisienne, les Tahitiens en chemise éclatante de blancheur, les Tahitiennes un peu grasses, étaient assis sur les seuils, souvent près d'un phonographe, tandis que jeunes gens et jeunes filles couraient la route en bicyclette.

Cela ne ressemblait à rien et pourtant rien ne choquait, n'éveillait même la curiosité. Il semblait tout naturel qu'il y eût des cocotiers le long du lagon et tout à coup, au détour du chemin, une jolie église claire, au clocher pointu.

L'école que Tita désignait se dressait, sans étage, au milieu d'une vaste pelouse et toutes ses fenêtres étaient ouvertes, permettant d'apercevoir les bancs, le tableau noir, le pupitre de l'instituteur.

Une école de n'importe où... Comme le village... Comme les Tahitiens eux-mêmes, à peine plus bronzés que les blancs, vêtus comme eux, les yeux doux, la voix chantante...

À Paris, personne ne se fût retourné sur Tita et on eût été bien en peine de dire d'où elle venait.

— Arrête ! cria-t-elle au chauffeur.

Elle ajouta pour Mittel :

— Il faut que je dise bonjour à Sonia. C'est la fille du chef. Nous étions à l'école ensemble...

Sonia était petite, boulotte ; elle se promenait toute seule au bord du chemin, vêtue d'une robe blanche à pois bleus, ses cheveux d'encre réunis en une lourde tresse. Elle avait une fleur à la main et souriait doucement.

— Sonia !...

Tita était fière d'être dans la voiture et de voir sa petite amie monter sur le marchepied pour l'embrasser.

— Tu ne veux pas venir avec nous ?

— Non... Il va être l'heure des vêpres...

À gauche, une boutique de Chinois et toute la famille sur la véranda indispensable aux maisons tahitiennes.

C'était dimanche et les gens ne faisaient rien, restaient là à écouter le glissement des heures dans l'air calme.

Si, pourtant! Après trois kilomètres, alors qu'on venait de franchir un pont jeté sur la rivière, on entendit des cris et on vit, derrière un rideau de cocotiers, un terrain de football où deux équipes s'affrontaient malgré le soleil. Des spectateurs autour... Des hurlements quand un joueur s'échappait avec le ballon...

Comme fond, cette énorme montagne de deux mille mètres, à peu près inaccessible, inhabitée, qui est l'armature de Tahiti.

On contournait ce bloc. Tous les kilomètres, on traversait une rivière ou un ruisseau qui venait de là-haut et on vit des gens, dans l'eau jusqu'à la ceinture, qui pêchaient à la ligne.

— Est-ce que la France est aussi belle? questionnait Tita. Non, n'est-ce pas?

Avec eux, dans la voiture, on avait mis l'Anglais qui tenait un des grands magasins et qui ne parlait pas le français. Il somnolait sans s'occuper de ses compagnons. Tita se rapprochait à nouveau de Mittel et lui parlait avec un enjouement câlin.

— Il ne faut plus dire des choses comme ce matin... La vie est si jolie!... Regarde les garçons qui pêchent dans le lagon...

Ils se tenaient debout, chacun sur une pirogue, un court épieu à la main, scrutant l'eau transparente. Et soudain on les voyait plonger, poursuivre leur proie sous l'eau, revenir avec la bête argentée au bout du bâton pointu.

Dans la première voiture, Charlotte était assise entre Mopps et Tioti et celui-ci lui caressait la hanche, sûr de n'être pas vu par le Commandant qui conduisait. Elle se laissait faire. Elle était gaie, elle aussi, d'une gaieté nerveuse, bruyante. Elle avait envie de se rouler dans l'herbe. Quand elle voyait une rivière, elle avait envie de prendre un bain. Et quand elle apercevait un bungalow plus coquet que les autres elle en avait envie aussi.

— Il faudra acheter une maison comme ça, n'est-ce pas, Commandant ?

— Pourquoi pas ?

Après le deuxième village, la bande de terre se rétrécissait entre la montagne et la mer et le pays y gagnait en pittoresque. Aussi, tous les kilomètres, apercevait-on une maison plus importante, des jardins bien entretenus.

C'était la partie élégante de l'île, habitée surtout par des Anglais et des Américains. Il y avait des tennis, des chemins semés de gravier autour des pelouses et des arroseuses mécaniques.

— Promets-moi de n'être plus triste… disait Tita en se coulant presque dans les bras de Mittel.

Et il était incapable de garder sa mine renfrognée. Il y avait quelque chose dans l'atmosphère qui le faisait fondre, qui l'émouvait aussi profondément qu'un chant d'orgues, de la même manière, sans qu'il pût dire exactement ce qui le frappait.

C'était tout et rien, c'était cette petite île au milieu d'un océan immense, c'étaient ces maisons pareilles à des jouets, ces hommes en pantalons blancs, manches retroussées, le vaste chapeau de paille sur la tête, et les robes claires des jeunes filles, la nonchalance des êtres et de la nature, le silence absolu qui tombait de la calotte lumineuse du ciel comme du plafond d'une cathédrale.

Derrière lui, assis sur la carrosserie de l'auto, le musicien grattait toujours sa guitare, sans y penser, et personne n'y pensait, on oubliait l'instrument, mais on était pénétré de ces notes qui s'enchevêtraient sans rythme apparent.

Mittel se trouva avoir son bras passé autour des épaules de Tita et elle se blottit davantage, murmura :

— Tu verras ! Je t'aiderai à être heureux... On ira se promener tous les deux...

Une pensée qui le traversa lui gonfla le cœur et dès lors il ne fut plus le même.

Est-ce que ce n'était pas la dernière fois qu'il voyait ce pays ? Jamais encore il n'avait visité l'île. Il avait fallu un hasard.

Et quand ce hasard se représenterait-il ? Trop tard peut-être ?... Qui sait ?... La prochaine fois que la bande s'en irait en auto, on dirait :

— Ce pauvre Jef... Il n'est plus là pour faire la cour à Tita...

— Ce n'est pas beau, tout ça, Jef ? lui demandait-elle encore.

— Mais si !

C'était trop beau, justement. Ce n'était pas un simple paysage. C'était à la fois un tableau, une musique, un poème, un ensemble complexe et pénétrant, un monde qui vous enveloppait et qu'on avait peur de quitter, qu'on voulait sentir davantage encore autour de soi, en soi...

Cette paix surtout, qu'il n'avait ressentie nulle part ! Les mots tombaient dans l'air comme les petits remous de la brise font soudain friser une parcelle de la surface d'un étang, puis l'air semblait se refermer.

Et toujours un spectacle venait lui rappeler quelque chose, remuer ce qu'il y avait de trouble en lui : par exemple cette famille qui marchait le long de la route, une femme en robe d'un bleu ardent, et son mari, un Tahitien formidable, qui portait un tout petit enfant sur son épaule…

On ne pouvait même pas penser qu'ils venaient de quelque part et qu'ils allaient quelque part. Non ! Ils étaient là, à suivre la route sans penser, et ils se rangèrent au passage de la voiture sans envier ces gens qui allaient si vite…

— Bonjour ! leur cria Tita en agitant la main.

La femme agita la main aussi, gentiment.

— Ils croient tous que tu es mon amant !

Elle riait, câline, du bout des dents, et elle eut même un mouvement vif pour frôler ses lèvres des siennes.

— Tu es fâché ?… Tiens ! Voilà qu'on s'arrête à la cascade… Écoute !… On va prendre un bain, tous les deux…

Les trois autos se rangeaient au bord de la route, à moins d'un mètre du lagon. Ici, la bordure de plaine, au pied de la montagne, n'avait pas cent mètres et le rocher à pic la dominait.

Pendant que Mopps arrangeait quelque chose à son auto, Tioti prenait le bras de Charlotte et tous deux marchaient devant, excités, riant trop fort.

— Tu n'as pas vu le film *Ombres blanches* ? questionnait Tita. C'est ici qu'on l'a tourné. J'étais dedans…

Les yeux écarquillés, Mittel les suivait comme on suit une procession, écrasé par le spectacle. Cela dépassait l'imagination. Tout ce que la poésie a chanté y était, et aussi toute la poésie facile des cartes postales et des films.

Du haut de la montagne, une cascade tombait en larges rubans et de fins embruns voletaient dans l'air où se dessinaient des arcs-en-ciel.

Si l'on se retournait, c'était le lagon vert et bleu, les cocotiers, la frange d'écume sur les coraux, tout là-bas…

Au pied de la cascade, au milieu d'une végétation drue et variée, un lac d'eau douce était comme suspendu entre la montagne et la mer.

— Hello ! criaient des gens qui étaient déjà là.

— Hello ! répliquait la voix de Tioti.

Et Tita expliquait :

— Ce sont les Américains du cinéma. Ils ont commencé un film voilà quinze jours… Presque toutes mes amies sont ici…

Un brouhaha, un mélange bariolé de gens en blanc et d'indigènes demi-nus ou en paréo… Les appareils de prise de vues, sur des trépieds, et les camions rangés dans la broussaille, des écrans argentés pour refléter le soleil, des projecteurs…

Au bord du lac, ou plutôt de la fontaine, une vingtaine de Tahitiennes attendaient, vêtues d'un simple paréo, et elles avaient dû aller à l'eau car le fin tissu leur collait au corps.

— Hello, Tita !

— Hello, Céline !… Taitou !… Suzy !…

Repos, entre deux prises de vues. Charlotte avait déjà sur le front la visière parasoleil de l'opérateur et Mopps bavardait avec deux jolies figurantes.

Il n'y avait qu'une actrice blanche, vêtue du même paréo que les autres, le visage et les épaules enduits de fards gras.

Le metteur en scène cria des ordres. Toutes les indigènes se précipitèrent vers le rocher du fond et gravirent quelques mètres pour atteindre une sorte de plate-forme. De là, l'eau coulait sur une pente lisse comme un toboggan et, au signal, elles se laissaient glisser les unes après les autres, tombaient dans l'eau profonde et nageaient parmi les fleurs de tiaré qui flottaient.

On tournait. Il fallait se taire. La vedette blanche nageait à son tour en premier plan. Mittel remarqua que Tioti ne quittait pas Charlotte et qu'ils étaient tous deux les plus gais de la bande.

— Tu te baignes ? souffla Tita.

Il résistait. Il avait honte. Et pourtant une envie folle le prenait de s'élancer dans cette eau limpide où évoluaient les filles demi-nues.

— Viens…

— Non !

— Tu ne sais pas nager ?

C'était au contraire le seul sport auquel il excellât. Quand il avait une douzaine d'années, il habitait près du Pont Neuf, et, presque chaque jour, il allait se baigner dans la Seine.

Tioti, qui était à cinq mètres d'eux, comprit le sens de leurs chuchotements et fit à Mittel un signe interrogatif.

— On y va ? voulait-il dire.

En même temps il retirait sa chemise, découvrant un torse trop rose et déjà empâté. L'appareil de prise de vues s'était arrêté. Les Tahitiennes nageaient encore, pour leur plaisir, avec nonchalance, et l'une d'elles, comme un marsouin, décrivait de jolies courbes pour pénétrer sous l'eau d'où elle ressortait après de longues secondes, toujours à un endroit inattendu.

Tioti plongea, gardant son pantalon de toile sur le corps. Du coup, Tita retira sa robe rouge et apparut les seins nus, les reins serrés dans un petit pantalon noir.

Elle nageait, elle aussi. Ses cheveux lui tombaient sur la figure. Elle riait, le visage ruisselant de gouttelettes, appelait Mittel auprès d'elle.

Charlotte s'avançait vers lui pour lui dire quelque chose, sans doute pour lui recommander de ne pas se baigner, à cause de ses poumons, mais déjà il avait retiré son veston, ses espadrilles, et il plongeait en pinçant les narines, restait sous l'eau jusqu'à en perdre le souffle, revenait à la surface, victorieux, en proie à une étrange excitation.

— Ici !... lui criait Tita.

Et il nageait vers elle, frôlant les filles dont le paréo flottait en partie à la surface si bien qu'elles ressemblaient à d'énormes fleurs bleues ou rouges.

Il était maigre. Il avait les mouvements brefs, saccadés, mais il savait que sa nage était impeccable et il s'évertuait pour la galerie.

L'eau était froide, si froide que Tioti en sortait, découvrait une serviette appartenant à la troupe de cinéma et la tendait à Charlotte qui le frictionnait.

Pendant ce temps-là, aidé d'un mécanicien, Mopps sortait les bouteilles de la voiture et les rangeait au pied d'un arbre.

— À celui qui restera le plus longtemps sous l'eau !... lança Tita.

— Chiche !

Il n'était nulle part. Il évoluait dans un monde où l'on ne pensait pas, où l'on se grisait de mouvements, d'images entrevues à travers les gouttelettes qui pendaient aux cils chaque fois qu'on sortait la tête de l'eau.

Ils émergèrent en même temps, l'un contre l'autre, et Tita se maintint à lui pour reprendre son souffle.

— Tu nages bien… Où est Tioti?… Déjà sorti… Tioti!… Hé! Tioti… Tu as eu peur?…

Elle était plus exubérante, plus enfant que jamais.

— Tu sais faire ceci, Jef?

Elle exécutait une sorte de saut de carpe, tournait sur elle-même, sous l'eau, et déjà il l'avait imitée.

— Et ça?

C'était le même mouvement, en sens contraire. Il haletait. Ses oreilles bourdonnaient un peu, mais il aurait voulu que cela durât toujours.

— Tu vois que c'est bon, la vie!…

Pourquoi lui disait-elle cela? Il le savait bien! Il le savait trop bien! Et c'est justement parce qu'il l'aimait avec passion, cette vie, qu'il était malheureux. L'idée lancinante lui revenait : c'était peut-être la dernière fois qu'il se baignait de la sorte?

Et sur l'eau flottaient des couronnes de tiaré… Et l'eau était si claire que, quand il plongeait, il voyait, démesurément grossis, les cailloux du fond…

— Tu as froid, Jef!

— Mais non!

— Sors…

Tita le regardait, soucieuse.

— Si tu ne veux pas, je vais sortir avec toi… Viens par ici… Nous nous sécherons derrière les buissons…

Ils n'avaient que quelques pas à faire et ils échappaient à la foule qui commençait à boire. Il y avait déjà deux compagnes de Tita qui avaient retiré leur paréo pour le mettre à sécher et qui ne manifestèrent aucune gêne.

— Donne-moi ton pantalon…

Il était honteux, lui, mais elle avait tant d'autorité qu'il n'osa pas refuser et qu'il ne garda que son caleçon sur le corps.

— Couche-toi…

Près des deux autres Tahitiennes, près de Tita, dans les hautes herbes… En ouvrant les yeux, on ne voyait que le ciel et un arbre planté de travers surplombant la montagne.

— Tu n'as plus froid ?

Et, câline :

— Attends-moi… Ne bouge pas…

Elle resta quelques minutes absente, revint avec une pleine bouteille d'alcool, du rhum blanc, qu'elle avait chipé dans la cantine de Mopps.

— Bois ça !

Ils restaient tous les deux à l'écart de la foule qu'ils entendaient s'agiter et rire. Tita, au lieu de se coucher, s'était accroupie près de Mittel et lui caressait les cheveux.

— Tu pourrais être si heureux ! C'est la première fois que je vois un blanc aussi inquiet que toi. Ou alors, ce sont des blancs qui se saoulent… Tiens ! Bois encore une gorgée…

Ils se partageaient la bouteille, fraternellement. Mittel eut sa tête sur la hanche d'une des femmes qui continuait à sommeiller face au ciel. Et il voyait Tita le regarder avec tendresse, avec un rien de pitié, peut-être aussi d'ironie ?

— Pourtant, tu es le plus gentil…

Il ne pensait plus. Le bain froid faisait battre son

sang plus vite dans ses artères. Le rhum lui mettait le feu aux joues et sa sensibilité était décuplée. Il entendait les moindres bruits, percevait le mouvement des feuilles, se fondait en somme dans la vie trop forte de cette nature qui l'écrasait.

Pourquoi s'obstinait-il à se faire du mauvais sang ? Est-ce que des heures comme celles-ci n'effaçaient pas toutes les autres ? Et pourquoi s'inquiéter de Charlotte alors que Tita était là, plus fraîche, plus jolie, avec son charme animal, son sourire toujours éclatant ?

— Tu es un drôle de garçon, Jef ! Si ce n'était pas ta femme, je te guérirais, moi...

— Guérir de quoi ?

— De tout... Et on aurait un petit aussi...

— Tais-toi !

— Alors, ne fronce pas les sourcils... Tiens !

Et elle lui baisait les deux yeux, la bouche, en riant. Mittel sentit sa tête glisser et, quand il détourna le regard, il s'aperçut que les deux Tahitiennes étaient parties, que Tita était seule avec lui, se coulait contre son corps.

— Jef !...

Elle lui mordillait la lèvre. Il y avait un large éclat de soleil sur son épaule nue.

Il ferma les yeux. Ils entendaient toujours la rumeur de la foule, des autres qui, derrière un mince rideau de verdure, continuaient à boire. Et des bruits d'eau révélaient que des filles plongeaient encore.

Assise près de lui, Tita, émue, questionnait :

— Tu es content ?

Il ne savait plus. Sa tête était brûlante. Il lui semblait

qu'il ne pourrait plus se lever, qu'il allait rester là, dans un engourdissement total de son être. Pourtant il gardait une main de Tita dans la sienne et balbutiait :

— Je voudrais tant…

Il n'ajoutait rien.

— Qu'est-ce que tu voudrais ?

Et lui, avec une moue d'enfant qui va pleurer :

— Être comme les autres !

— Tu n'es pas comme les autres ?

— Non, faisait-il de la tête.

Il ne savait pas pourquoi, mais il n'était pas comme les autres. En tout cas, il y avait une raison péremptoire : c'est que lui, dans un an, dans deux au plus, n'existerait plus !

— Tous les hommes disent ça, Jef ! Tiens ! Moi aussi, je trouve que je ne suis pas comme les autres… Tu ne le crois pas ?

Il sourit malgré lui.

— À seize ans, il a fallu que je gagne ma vie… Alors, je suis allée au La Fayette, pour danser…

Un léger voile tombait sur son visage, mais elle le dissipait, caressait à nouveau le front de Jef, qui était grand, uni, très beau.

— Tu as de petites mains comme une femme, des yeux profonds…

Elle était attendrie, c'était certain. Elle l'examinait avec une attention assez comique.

— Si tu voulais, tu deviendrais fort. Tu nages mieux que Tioti… Lui a dû sortir de l'eau tout de suite… Il boit trop… Il manque de souffle.

Elle redressa sa petite tête bien dessinée et tendit le cou, comme une biche qui a perçu un bruit dans la forêt. Mittel comprit bientôt la cause de son émoi.

On se disputait, derrière les arbustes. En tout cas, il y avait des éclats de voix et quelqu'un répétait :

— Calmez-vous, voyons !… Calmez-vous…

Puis la voix plus forte de Mopps articulait :

— Je te dis que tu es un petit voyou, voilà ! Un vilain petit voyou qui a une vilaine gueule et qui pourrait bien se la faire casser…

Tita se redressait de plus en plus. Mittel cherchait son pantalon autour de lui.

— Ne dis pas de bêtises… Je ne savais pas… Tu n'as jamais rien dit…

— Je n'ai jamais rien dit parce que je croyais que tu étais un copain. Or, tu es un petit voyou.

— Mopps !… Tioti !… Taisez-vous… Buvez…

Car c'était à Tioti que Mopps faisait des déclarations aussi catégoriques.

— Viens voir… souffla Tita.

Mais, avant leur arrivée, Mopps s'était déjà éloigné. On le voyait monter tout seul dans sa voiture, faire une marche arrière périlleuse, frôler un camion de cinéma et se diriger vers Papeete. Tioti paraissait navré. Charlotte, à l'écart, haussait les épaules.

— Qu'est-ce qu'il y a eu ? demanda Tita à une amie.

— Je crois qu'il les a surpris !

— Qui ?

— Nous étions en train de boire… Mopps racontait des histoires… Tout à coup, il a demandé :

« — Où est Charlotte ?

« Nous, on ne savait pas… On buvait aussi… Il a fait quelques pas… Il a disparu là-derrière et quand il est revenu il était accompagné de Tioti et l'engueulait…

Charlotte, pendant ce temps, bavardait avec le secrétaire du gouverneur.

— Alors, Charlotte et Tioti… pouffa Tita.

— Oui !… Mopps est devenu tout rouge…

Tioti n'était pas fier non plus. Tout le monde était plus ou moins sidéré, sauf les Américains qui chargeaient leurs appareils dans les camions, car les prises de vues étaient finies pour ce jour-là.

Mittel cherchait son veston, lugubre, la tête vide. On marchait sur des paréos rouges et bleus. Les Tahitiennes se rhabillaient, se prêtaient l'une à l'autre peignes et miroirs. Il y avait des bouteilles vides au pied des arbres.

— Il exagère… entendit Mittel.

Il se retourna. C'était Tioti qui parlait à Charlotte, de qui il s'était rapproché.

— C'est ta faute aussi… C'est malin, hein !

— Est-ce qu'on pouvait savoir ?

— Je t'ai toujours dit qu'il était jaloux… Seulement, il ne voulait pas en avoir l'air… Cet après-midi, il avait bu… Il paraît qu'il a vidé à lui seul près d'une bouteille de pernod.

Elle était abattue. Elle ne voyait pas Mittel qui se tenait coi.

— Je te ramène ? questionnait Tioti.

— C'est ça ! Pour provoquer une nouvelle scène ! Non ! Il ne faut pas rentrer par la même auto.

Elle aperçut enfin Mittel qui avait retrouvé son veston.

— Et pendant ce temps-là, toi, tu faisais l'idiot.

— Comment ?

— C'est fin de se baigner dans l'eau glacée quand on a les poumons atteints !… Et après, où étais-tu ?

Il était trop sidéré pour répondre.

388

— Malin, va ! Tu crois que tout le monde ne sait pas que tu étais là-derrière avec Tita ?

Elle était furieuse.

— Il vaut mieux que je rentre avec toi… Je parie que Mopps attend à la maison…

Elle l'entraîna vers l'auto où Tita se trouvait déjà et Mittel s'assit entre elles deux. Il n'osait rien dire. Son pantalon n'était pas sec et lui collait au ventre et aux cuisses. On avait oublié le musicien, mais il y avait heureusement les cars du cinéma qui ramèneraient tout le monde.

Tita, de temps en temps, avançait la main et pinçait la peau de Mittel, tout en regardant gravement devant elle. Plus on avançait et plus Charlotte se montrait inquiète. Elle n'avait pas un coup d'œil pour le paysage, ni pour les gens qui sortaient du terrain du football. La route était encombrée de Tahitiens et de Tahitiennes en vélo. Le ciel, du côté de Moréa, devenait mauve et on rencontra des Anglais des villas qui revenaient en auto de Papeete.

Deux fois, trois fois Jef frissonna et Tita tressaillit, tandis que Charlotte ne s'en apercevait même pas.

— Je te l'avais dit ! souffla Tita.

Et Charlotte de grommeler :

— Quand vous aurez fini de vous tortiller ainsi…

Le souci la rendait presque laide. Son front se durcissait, révélait deux bosses assez fortes et toute sa peau se tirait, montrait ses irrégularités.

Ce n'était pas un retour : c'était comme une retraite, comme une fuite. Une auto corna derrière et on vit passer Tioti avec cinq Tahitiennes, à une allure de bolide.

— C'est malin !… fit encore Charlotte.

Et à Mittel :

— Tu ne pourrais pas reculer ?… Tu es tout humide… Cela me glace…

Les camions suivaient, avec du monde jusque sur les bâches. On croisait des autobus, des *truks*, comme on dit à Tahiti, bourrés d'indigènes endimanchés qui avaient passé la journée à Papeete. Dans chacun il y avait deux ou trois guitares et presque tout le monde chantait à tue-tête.

Les maisons à toit rouge, entourées de leur jardinet, s'estompaient peu à peu dans la pénombre et les couleurs s'assombrissaient.

Au bord du lagon, les pêcheurs se préparaient à partir en pirogue et essayaient les lampes à acétylène qui leur servaient à attirer le poisson.

Toujours le même calme, mais aussi cette sorte de lassitude, de lumière un peu glauque des dimanches soir, avec la fatigue qu'ils comportent et parfois un peu d'écœurement.

Les passagers des *truks* chantaient, certes, mais pas comme ils devaient le faire le matin. La journée était finie, la joie aussi.

Mais pour eux la joie ne recommencerait-elle pas le lendemain ?

Mittel avait le cœur gros et toujours la même question se posait avec sa crudité.

Pour la chasser, pour dissiper la gêne qui les étreignait, il demanda bêtement à Charlotte :

— Pourquoi as-tu fait ça ?

— Et toi ? répliqua-t-elle.

Alors il eut honte d'être coincé entre elles deux. Il s'écarta de Tita. Il s'écarta de Charlotte. À mesure qu'on approchait de la ville, que les maisons se faisaient plus serrées il retrouvait ses fantômes.

— Pourvu que Maria ait bien fait attention au petit !

Charlotte ne pensait pas à cela. C'est tout juste si elle ne haussa pas les épaules.

Et le docteur, qu'était-il devenu ? Mittel ne se souvenait pas l'avoir aperçu après l'algarade. Est-ce qu'il se mettrait du côté de Mopps ?

Il y aurait un moyen de tout arranger : en profiter pour fuir Papeete, pour s'installer dans un village, voire dans la maison la plus pauvre d'un village, et pour essayer de faire quelque chose, n'importe quoi !

Il n'osait pas en parler. Il hésitait. La présence de Tita le gênait.

— Il y a des petites maisons charmantes... murmura-t-il enfin. Je pourrais essayer d'être instituteur, ou quelque chose dans ce genre...

— Laisse-moi tranquille avec tes stupidités !

Ce fut Tita qui lui serra une fois de plus le bout des doigts.

— Si Mopps est furieux...

— Laisse-moi tranquille, te dis-je ! Occupe-toi de Tita ! Elle est là pour ça, elle...

Et Charlotte pensait toujours, les nerfs tendus. Elle ne respira librement que quand l'auto arriva sur le quai. On venait d'allumer les lampes électriques qui formaient guirlande le long des rues. La première, elle s'aperçut que les fenêtres du bungalow étaient éclairées, non seulement les fenêtres de la chambre et de la cuisine où Maria pouvait se tenir, mais celles du bar.

Donc, Mopps était là !

Et il y était en effet, juché sur un tabouret, un verre

devant lui. Il les regarda entrer tous les trois. Il était
complètement ivre, au point qu'il put à peine balbutier :

— Donne-moi un lit…

Il ajouta entre ses dents :

— Saleté, va !…

Il faillit rouler de son tabouret, ne gagna le lit de
Mittel qu'en se retenant aux cloisons.

6

Trop de désordre, voilà ! Cela l'avait poursuivi toute sa vie et maintenant c'était pis que jamais, à en donner la nausée. Il était né dans le désordre comme son fils qui, lui, avait été soigné dès son arrivée au monde par un médecin ivre.

Il ne savait même plus s'il dormait ou s'il ne dormait pas. Mopps ronflait, en tout cas, et la porte de la chambre était restée ouverte. C'est Mittel qui l'avait voulu, parce que Maria et l'enfant couchaient dans la pièce et que l'air empestait l'alcool.

Cette question des lits, encore ! Une fois le commandant couché, Charlotte s'était tournée vers Tita :

— Tu n'as pas un lit à me prêter ?

— J'ai le mien.

— Tu en seras quitte pour aller coucher au Pacifique !

Et comme ça Maria et Tita étaient allées chercher le lit dans la rue voisine et l'avaient ramené comme des brancards ! On l'avait monté dans le corridor, pour Mittel.

Tita avait embrassé celui-ci furtivement avant de partir, tandis que Charlotte se déshabillait.

Jef avait très chaud. Il suait beaucoup plus que les autres jours et il avait une sensation de cuisson au côté droit, comme si on lui eût posé un cataplasme. Presque toute la nuit, il flotta entre la veille et le sommeil et il croyait flotter, d'ailleurs, la veille représentant l'air libre, le sommeil la surface du lac.

Il entendit vaguement Mopps qui se levait et qui tâtonnait longtemps dans l'obscurité avant de trouver le robinet et de boire.

Le matin, il s'éveilla tard, car c'était toujours à l'aurore qu'il sombrait dans un profond sommeil. Portes et fenêtres étaient ouvertes. Le lait du petit devait être dans le bain-marie, car on entendait le chuintement du réchaud à gaz.

Il se leva et sourcilla en s'apercevant qu'il avait les jambes molles et une étrange impression de vide dans tout le corps. En pyjama, pieds nus, il pénétra dans le bar, aperçut Mopps, de dos, qui faisait quelque chose dans la cuisine et soudain il dut se retenir au comptoir, faute de quoi il fût sans doute tombé.

Charlotte était sous sa douche. Mopps bougea et Mittel vit ce qu'il faisait : il donnait le biberon au bébé !

Le soleil pénétrait partout, surtout dans la tête de Jef qui s'élança vers son lit, oui, qui prit vraiment son élan pour être sûr d'y arriver.

Son pouls était rapide. Son cœur battait trop fort. Il avait peur et il n'osait appeler personne. Les yeux fermés, il se souvint qu'il était dans le lit de Tita et il fit un nouvel effort pour gagner le sien, qui était encore défait.

Charlotte avait entendu du bruit et vint voir, en peignoir, le visage fatigué, les cheveux non peignés.

— Ça ne va pas ?

— Pas très bien… Cela va passer…

— Tu as assez fait l'imbécile, hier… Il ne manquerait plus que d'avoir attrapé une pneumonie…

— Non… Je suis sûr que non…

— Tu veux qu'on t'apporte quelque chose ?

— Peut-être un peu de lait chaud ?

Il l'entendit qui disait à Mopps, dans la cuisine :

— Le voilà malade, maintenant ! Ah ! pour une jolie journée, c'est une jolie journée. Fais chauffer du lait, Maria…

— Il y en a du chaud.

— Alors, va le porter à monsieur.

Pauvre Maria ! Elle était la seule à se faufiler dans tout cela sans mauvaise humeur. Mopps était malade aussi et il ne s'habillait pas, traînait dans la maison, les yeux cernés, la bouche mauvaise.

— Va pas ? demanda-t-il à Mittel.

— Ce ne sera rien.

Puis ce fut le tour de Tita, qui avait dormi au Pacifique et qui annonça que la bande avait encore bu jusqu'à deux heures du matin.

— Tu es malade, Jef.

Il le devint. Le matin, ce n'était qu'un malaise. À midi, il se sentait une forte fièvre, mais il n'osait pas demander le thermomètre. Quatre ou cinq fois, il avait été pris de hoquets qui lui faisaient très mal dans la poitrine.

— Tita !

— Elle vient de sortir, lui répondit-on, du bar.

Les autres buvaient. Le secrétaire du gouverneur était là, à s'enquérir des suites de l'incident. Car c'était un événement à Tahiti. On en discutait au Pacifique et dans tous les cercles. Certains racontaient que Mopps voulait se battre avec Tioti, d'autres qu'il avait quitté Charlotte.

Et le Commandant, les paupières lourdes, se contentait de grommeler :

— C'est un petit voyou.

— Il était ivre, intercédait-on. Il ne faut pas le prendre au sérieux. Vous connaissez son caractère !

— N'empêche que s'il ne donne pas sa démission du Cercle, c'est moi qui m'en irai.

Mittel remuait dans son lit. Vers le soir, la température montait toujours et une angoisse le tenaillait : s'il avait le délire, s'il perdait le contrôle de lui-même, sûr qu'on en profiterait pour le transporter à l'hôpital !

Alors, ce serait fini ! Dans son esprit, cela ne faisait aucun doute ! S'il franchissait encore une fois le portail, il ne sortirait pas vivant de la grande cour entourée de bâtiments blancs…

— Ferme la porte ! dit-il à Tita quand celle-ci revint le voir.

— Tu veux ?

— Oui… Qu'ils pensent ce qu'ils veulent… Écoute ! Viens ici…

Et il lui serrait la main dans ses mains déjà brûlantes. Il parlait avec âpreté, l'œil luisant.

— Écoute… Il se peut que je devienne très malade… Alors, il faut que ce soit toi qui me défendes… Ils voudront me transporter à l'hôpital. Il ne faut pas les laisser faire, Tita !

— Tu ne veux pas aller à l'hôpital ? Pourquoi ?

— Parce que ce serait la fin. N'essaie pas de comprendre… Jure-moi…

— Mais oui, Jef !

396

Elle était étonnée, voilà tout. Elle avait été malade et c'est à l'hôpital qu'on l'avait guérie.

— Qu'est-ce qu'ils font ?

— Ils ont commencé à manger… Mopps est toujours de mauvaise humeur… Il ne s'est pas habillé de la journée et je parie qu'il va encore coucher ici…

Maria vint mettre l'enfant au lit et salua gaiement Tita.

— C'est promis ?

— Promis, Jef !

Enfin, il se laissa couler dans le sommeil.

Ils étaient là comme un couple de commerçants après la fermeture de la boutique. Charlotte faisait sa caisse, refermait le tiroir à clef, ramassait tout ce qui traînait sur le comptoir, tandis que Mopps répétait en se grattant la tête :

— Si je le rencontre, je lui casse la gueule.

— Et si vous faites ça, moi, je ne vous parle jamais plus.

Il haussa les épaules, signifiant ainsi, soit que cela lui était égal, soit que Charlotte était incapable de tenir parole.

— Il y a quelque chose que vous ne savez pas…

— Vraiment ?

— Tioti est au courant de tout… Il me l'a dit hier…

— De tout quoi ?

— De mon vrai nom, de ce qui est arrivé en France…

— Et après ?

— Il est capable de me dénoncer pour se venger.

— Va dormir, grommela Mopps en se dirigeant vers le lit resté dans le couloir.

— Vous ne comprenez pas que c'est sérieux et qu'on pourrait m'arrêter ? Sans cela, je l'aurais repoussé…

— Ne mens pas !

— Je le jure.

— Cela ne fera jamais qu'un faux serment de plus…

Et il se retourna lourdement vers la mer. Au Pacifique, on buvait toujours. Tioti était là, avec des amis, et Tita venait d'arriver.

— Et Mopps ?

— Il reste là-bas comme un fauve dans une cage. Je crois que Jef est très malade.

— Parbleu ! Il n'en a pas pour longtemps… Dès qu'il a débarqué, j'ai vu qu'il ne ferait pas long feu…

— C'est vrai ?

Tita était toute triste, soudain. Elle avait de l'affection pour Jef, sans savoir pourquoi.

— Et Charlotte ? questionnait Tioti, les deux coudes sur la table.

— Elle est comme toujours.

— C'est-à-dire qu'elle s'en f… ! Elle tuerait quelqu'un avec le même calme. D'ailleurs, ce ne serait pas la première fois.

Il était ivre, mais tout le monde se retourna quand même.

— Elle a tué quelqu'un ?

— Bon ! Je n'en dirai pas plus. N'empêche que je sais ce que je sais ! Tu viens chez moi, Tita ?

— Non.

Pas ce soir-là ! Elle préférait être seule. Elle pensait qu'il n'y avait personne pour s'occuper de Jef et elle aurait voulu être là-bas.

Le matin Maria passa en courant. Tita l'interpella de sa fenêtre.

— Je vais chercher le docteur, cria la petite. Il va plus mal !

— Il va plus mal… répétait Marius, au bar. En voilà un qui n'aura pas vécu longtemps ici…

On le considérait déjà comme mort et c'est ce qui glaçait Tita. Elle courut au Cercle, trouva Charlotte qui s'essuyait les yeux et qui avait encore des traces de larmes sur les joues. Dans la chambre, Mopps était assis à côté du lit où Mittel avait un visage cramoisi.

— Cela ne va pas, Jef ?

Et lui serrait les dents, comme s'il eût craint de sangloter. Maria avait dû être alarmante, car Brugnon vint avec son auto quelques instants plus tard. Les trois hommes restèrent seuls et Tita, dans la salle du bar, rejoignit Charlotte qui grignotait son mouchoir.

— Il ne me veut même pas près de lui, dit-elle. Je lis dans ses yeux qu'il me déteste. Est-ce que j'en peux, moi, s'il n'a jamais été fort ?

— Vous croyez qu'il va mourir ?

La porte s'ouvrit. Brugnon demanda de l'eau bouillie et des serviettes. On n'en trouvait pas de propres. Maria dut aller en emprunter au Pacifique.

La consultation dura près d'une heure. Deux fois on entendit Mittel pousser un cri de douleur et le docteur revint enfin, accompagné de Mopps qui avait son plus mauvais visage.

— Eh bien ?

— Il fait une belle pleurésie, simplement.

— C'est grave ?

Un haussement d'épaules. Le docteur se lavait les mains. Mopps servait à boire, machinalement.

— On pourra le soigner ici ?

— Il ne veut pas venir à l'hôpital. Je lui ai dit que ce

serait plus sage, qu'il serait mieux soigné. Enfin! On verra ce soir… À votre santé. Toi, Mopps, tu ferais bien de ne pas prendre d'alcool pendant quelques jours. Je suis sûr que tu fais de la tension.

Tita n'osait rien dire… Elle était impressionnée par une sorte de solennité qu'elle sentait derrière ces faits et gestes de tous les jours. Elle alla rejoindre Mittel qu'elle trouva sanglotant, le visage dans l'oreiller.

— Jef! Il ne faut pas pleurer! Qu'est-ce que tu as?…

Il ne pouvait pas s'arrêter et il haletait, incapable de reprendre sa respiration, jusqu'au moment où un hoquet violent le plia en deux. Alors, il regarda Tita à travers ses larmes et esquissa une moue qui voulait être un sourire.

— Ma pauvre Tita!…

— Pourquoi?

— Je suis lâche… J'ai peur… Dis, Tita, est-ce que tu as le courage de rester près de moi, toi?

— Mais oui, Jef!

— Ils veulent m'envoyer à l'hôpital, n'est-ce pas? Pour eux, c'est comme si c'était fini et ils n'ont pas la patience d'attendre que je parte tout seul… Qu'est-ce qu'elle dit?

— Qui?

— Charlotte…

— Elle a pleuré…

— Évidemment!

Et elle pleurerait encore derrière son corbillard. Au fait, est-ce qu'il y avait des corbillards à Papeete? Il le demanda à Tita. Elle lui expliqua que c'était la voiture de la fabrique de glace qui servait pour les enterrements, recouverte, non pas d'un drap noir, mais de palmes de cocotier.

— Et le petit?

— Il est dans la cuisine, avec Maria…

Ils venaient de parler de glace et une demi-heure plus tard on en apportait, envoyée par Brugnon, avec ordre d'en mettre sur la poitrine de Jef. Ce fut Mopps qui s'en chargea, un Mopps de plus en plus hargneux, replié sur lui-même, qui rôdait dans la maison avec l'air d'en vouloir à tout le monde.

— Tu peux aller, Tita.

— Non! Jef a demandé que je reste. C'est moi qui le soignerai…

Mopps interrogea Mittel du regard et celui-ci fit signe que c'était vrai.

— Comme tu voudras… Enlève ton pyjama… Tout à l'heure, je te placerai des ventouses…

Mais c'est le soir, quand Brugnon vint lui faire une injection d'argent colloïdal, que la maison devint pour de bon une maison de malade, imprégnée dans ses moindres recoins par l'odeur de la maladie et des médicaments.

Mittel retrouvait d'un seul coup l'atmosphère du sanatorium et il eut un triste sourire en pensant que là-bas, pendant quelques mois, il avait échappé au désordre.

Il revoyait les grandes baies vitrées qui donnaient sur la vallée, les infirmières toujours propres, la table roulante couverte d'une nappe; il entendait la cloche qui sonnait la visite du médecin et les repas…

— Ne bouge pas… Je ne te ferai pas mal…

Il y était habitué. Il attendait la piqûre, esquissait une grimace.

— On ne m'opère pas? demanda-t-il à mi-voix, effrayé d'avance de la réponse.

Car il était familier avec les affections des poumons. Il savait que, dans certains cas de pleurésie, une opération s'impose et réussit presque toujours.

— Je ne crois pas… grommela Brugnon.

— Ah!…

Cela voulait dire que son affection était trop grave, à cause des antécédents tuberculeux. La fenêtre était ouverte. Une palme balancée par la brise entrait et sortait du cadre lumineux et une petite bête, dehors, sans doute un merle des Moluques, faisait crisser des cailloux.

— Tu ne veux toujours pas qu'on t'emmène à l'hôpital?

— Non!…

— Ce n'est pas raisonnable. D'abord, pour toi. Tu serais mieux soigné. Ensuite pour les autres, qui vont vivre pendant des semaines parmi les médicaments. Tu ne penses même pas au petit…

— Si.

— Alors, c'est oui?…

— C'est non!

Instinctivement, il cherchait Tita des yeux et ils se comprenaient.

— On ne peut pas fermer le Cercle à cause de toi… Il y a toujours un va-et-vient bruyant…

— Cela m'est égal.

— Laisse-le, dit Mopps au docteur.

Et les deux hommes allèrent bavarder dans la salle à manger, à voix basse. Mittel souffla à Tita:

— Va écouter ce qu'ils disent.

402

Il attendit, les yeux ouverts. Quand elle revint, il la cueillit du regard dès la porte.

— Ils parlent de Tioti… C'est toujours la même chose… Tioti a donné sa démission, mais cinq autres membres l'ont donnée avec lui… Alors, ce n'est même plus un Cercle… Puis Tioti raconte à tout le monde qu'il pourrait vous faire mettre tous en prison…

— C'est vrai, dit Mittel avec une sorte de satisfaction.

— Charlotte a tué quelqu'un?

— Eh oui!… M. Martin, boulevard Beaumarchais, avec la leçon de violon dans l'appartement voisin!… Tu resteras près de moi, dis, Tita?

— Puisque je te l'ai promis!

— Je te demande pardon, pour hier… Je ne sais pas comment cela s'est passé… Je ne voulais pas…

— C'est moi qui voulais! avoua-t-elle en souriant franchement.

— Maintenant…

Il ne continua pas. Ce maintenant-là voulait dire trop de choses. Maintenant, il n'était plus un homme! Il était couché avec de la glace sur la poitrine et son visage ruisselait d'une sueur épaisse.

— Tita!… Va chercher le petit.

Elle resta longtemps partie, si longtemps qu'il s'inquiétait, le regard rivé sur la porte. Quand elle revint, elle avait le bébé sur les bras, mais Mopps la suivait.

Alors Mittel devint grave, l'œil méchant.

— Écoute, petit, disait Mopps, il ne faut pas garder le gosse trop près de toi… Tu comprends ce que je veux dire?…

La contagion, évidemment! Il fit signe qu'on pouvait

403

emmener son fils. Il ne le regardait même pas ! Il se tournait de l'autre côté.

— Sois sage, fiston... Tu n'es pas sérieux...

Et Mittel faisait signe qu'il voulait qu'on le laissât... Oui, tout le monde, même Tita ! Il voulait être tout seul. Est-ce qu'il n'avait pas toujours été tout seul ?

Il avait besoin de penser. Mais il ne pensait pas. Il ne venait à son esprit que des images, des odeurs, des sons, des souvenirs ténus qui s'embrouillaient.

... Comme le bruit du charbon dans la chauffe, puis soudain le sifflement de la vapeur, quand le robinet avait éclaté... La silhouette de Napo...

Et Plumier !... Le trou qu'on avait creusé tant bien que mal sous les arbres et la croix qu'il avait faite avec deux morceaux de caisse.

— Tita !...

Il la rappelait, impatient, il lui en voulait d'être partie.

— Reste ici... Je ne peux pas...

Il tremblait. Il avait peur.

— Ferme la fenêtre...

Il ne voulait plus voir cette palme depuis qu'on lui avait dit que, sur la voiture du fabricant de glace...

Les petites maisons à toit rouge, tout le long de la route...

— Qui est au bar ?

Il entendait un murmure de voix.

— Ils sont trois ou quatre... Il paraît que Tioti est toujours furieux... Il raconte son histoire à tout le monde... Mopps parle d'aller le trouver pour le faire taire, mais les autres essaient de le retenir... À quoi penses-tu ?

— À rien.

Si ! Il pensait que Charlotte irait peut-être en prison

404

et il essayait d'imaginer la prison de Papeete, dont il ne connaissait que la façade. Qu'est-ce qu'on y faisait des femmes ? Les hommes, il les apercevait tous les jours, par groupes, sous la surveillance d'un gardien indigène, qui procédaient à l'entretien de la voirie. Mais les femmes ?

— Tu vois, Jef !… Ce soir, tu es plus calme. Je parie que tu as moins de fièvre…

— C'est la piqûre.

— Tu crois ?

Il en était sûr. Il connaissait le régime. On allait le bourrer de caféine. C'était agréable pendant une heure ou deux, parce que cela donnait une sensation d'irréel. Le corps devenait flou et les pensées étaient de plus en plus inconsistantes, comme des rêves d'enfant.

— Où Maria va-t-elle coucher ?

— Ils arrangent quelque chose au fond de la salle à manger. Chut !… Écoute !…

On ouvrait et on refermait violemment la porte. Tita sortit, courut vers le bar, tandis que Mittel entendait s'éloigner les pas de trois ou quatre hommes.

Quand Tita revint, elle était accompagnée de Charlotte, qui montra un visage abattu.

— Ça y est… annonça-t-elle en se laissant tomber sur une chaise. Il n'y a rien à faire… Mopps est parti…

— Chercher Tioti ?

— Il n'aura pas besoin de le chercher longtemps. Tioti ne quitte pour ainsi dire plus le Pacifique où il est ivre du matin au soir…

— Ils vont se battre ?

Elle soupira :

— Comment tout cela finira-t-il, mon Dieu ?

Il ne devait pas le savoir ce soir-là. Il s'endormit sans

en avoir conscience. Quand il se réveilla, c'était la nuit et sa première sensation fut une sensation de peur. Un peu de lune filtrait des rideaux. Il chercha autour de lui, étendit la main, toucha un corps qui remua.

— C'est toi, Tita ?

C'était elle, couchée sur une natte, enveloppée d'une couverture. Mais elle dormait si fort qu'elle ne sentit rien.

Peut-être étaient-ils aussi saouls l'un que l'autre. Mais c'est quand Mopps avait bu qu'il paraissait le plus calme. Les trois hommes qui le suivaient essayaient de le retenir, tout en espérant qu'il se passerait quand même quelque chose. Ils longeaient le quai, apercevaient les lumières du Pacifique, quelques dîneurs attardés aux tables et Mopps, en accentuant la lourdeur de sa démarche, poussait la porte, se campait au milieu de la pièce.

— Où est-il ?

Il y avait une arrière-salle où se tenaient plus volontiers les familiers et on entendit du bruit de ce côté. Marius se montra, s'avança vivement :

— Écoute, Mopps…

— Où est-il ?

Tioti se levait, renversait sa chaise, faisait un pas et, sans un mot, Mopps allait à lui, s'arrêtait à cinquante centimètres sans qu'on pût savoir ce qu'il allait faire.

L'autre était devenu pâle. Ses lèvres, qu'il forçait à sourire, frémissaient.

Alors, le poing partit, le poing de Mopps, d'une détente nette et sèche. On entendit le bruit des os contre les os. Tioti vacilla, trouva derrière lui une table qui l'empêcha de tomber et resta immobile, une main sur son menton, les yeux fixes.

— Si tu ne te tais pas, ce sera plus grave, articula le Commandant en se tournant vers la porte. Compris ?

Un cri… Des gens qui se bousculaient… On avait vu Tioti porter lentement sa main à sa poche revolver, mais déjà ils étaient cinq ou six à l'immobiliser.

— Compris ? répéta Mopps, sur le seuil.

Et il s'en alla, suivi de ses compagnons, rentra au Cercle où il se coucha dans le corridor sans rien vouloir dire à Charlotte.

Au matin, c'était un vacarme fou dans la ville. Au marché, tout le monde en parlait et les chauffeurs de taxi n'avaient pas d'autre sujet de conversation.

Des groupes s'arrêtaient en face du Cercle, discutaient et repartaient en se retournant. Tioti dormait toujours et on racontait que, pendant deux heures, il avait fallu lui bassiner la mâchoire à l'eau fraîche.

Mopps, assez fier, en somme, le faisait exprès d'aller en pyjama sur le perron en fumant sa pipe à petites bouffées.

— Il se vengera, pleurnichait Charlotte. Et qui est-ce qui écopera ? Pas toi, bien sûr, mais moi…

Il ne se donnait pas la peine de répondre. À dix heures du matin, le défilé commençait au bar où on venait aux nouvelles et où on discutait en prenant l'apéritif.

— Il paraît que le gouverneur est au courant… On lui a répété les menaces de Tioti, mais il ne veut pas y croire…

Deux clans se formaient, celui du Pacifique et celui du Cercle, comme on disait. Au Pacifique, Tioti, assez bien informé, on ne pouvait savoir par qui, proférait des menaces contre Mopps, dont il connaissait le passé, et racontait que le cargo avait été maquillé, qu'en réalité il aurait dû être saisi par la douane pour trafic illégal.

— On lui fera rendre l'argent !… gronda-t-il.

Tout cela répété à Mopps quelques minutes après.

Le Commandant évitait de boire et manifestait une certaine sérénité, parfois de l'ironie.

— Laissez-le dire !…

— C'est vrai ?

— Et même si c'était vrai ?

Tita faisait la navette entre la chambre de Mittel et la cuisine, car il fallait sans cesse de la glace ou des médicaments. En même temps, elle apportait des nouvelles que Mittel écoutait avec avidité.

— Et le petit ?

— Maria le soigne bien. Elle l'aime comme si c'était son fils. Nous autres, à Tahiti, nous sommes folles des enfants…

Et lui donc ! Peut-être ne pensait-il qu'à cela ? Était-ce la fièvre qui décalait ses idées ? Il est probable qu'en Europe il n'eût jamais pensé des choses pareilles.

Par exemple, il se disait que, s'il avait un peu d'argent, il serait simple de faire à Tita une petite rente. Elle achèterait une maison à toit rouge, pas loin d'une école, comme il en avait vu dans les villages. Et on lui donnerait le petit pour toujours !

Il grandirait comme les jeunes indigènes… Il irait pieds nus le long des chemins… On lui mettrait le dimanche son beau costume… Le soir, Tita et lui resteraient assis sur la véranda, à attendre mollement le coucher du soleil…

— Qu'est-ce que le docteur a dit ?

— Il ne dit rien.

C'était vrai. Brugnon faisait ce qu'il avait à faire, sans conviction, comme s'il eût été certain que tout était inutile. Il venait deux fois par jour. À chaque visite, il répétait :

— Tu serais tellement mieux à l'hôpital !

Alors Mittel et Tita échangeaient un regard. Il tenait bon ! Tout ce qu'il fallait, c'était ne pas être la proie du délire et parfois il sentait celui-ci le frôler. Aux heures chaudes, surtout, quand les persiennes étaient fermées et ne laissaient passer que de minces raies de soleil, il lui arrivait de tout embrouiller. Les sons se mélangeaient et ne correspondaient plus à rien de réel, à rien de présent en tout cas. Il confondait des images de Buenaventura avec des images de Papeete et une fois il se réveilla en sursaut en demandant :

— Où est Bauer ?

— Qui est-ce ? s'étonna Tita.

— Va chercher Bauer.

Pourquoi n'était-il pas dans sa librairie, rue Montmartre, alors que son fils, à quatre pattes, traînait parmi les livres et les déchirait ?

Il faisait un effort… Il se prenait la tête à deux mains… Il fermait les yeux, les rouvrait et soupirait enfin :

— Tita !…

C'était plus fatigant qu'une longue marche et même que nager pendant des heures.

— Qu'est-ce que j'ai dit ?

— Tu parlais de Bauer…

— Il ne faut pas que les autres entendent, tu comprends ? Il faut fermer la porte, les empêcher d'entrer…

— J'ai compris, Jef…

— Je n'aurai peut-être pas toujours le courage…
Est-ce que le petit a bu son lait?

— Mais oui…

— Je sais ce que je dis… Il y a des fois où on le lui
donne en retard… Ce n'est pas bon, pour un enfant…
Il ne faut pas de désordre…

Il parlait, parlait, puis sa voix faiblissait et quelques
instants plus tard Tita constatait qu'il s'était endormi. Il
devenait si faible qu'il fallait lui tenir sa tasse de lait
devant les lèvres. Son cou n'avait plus l'air d'un cou
d'homme, mais du cou d'un jeune gamin, et ses os
saillaient aux épaules.

— Il faut le décider à aller à l'hôpital, disait Charlotte à Mopps. Je n'en peux plus! Sans compter ces
odeurs qui traînent dans la maison et qui me soulèvent
le cœur… Je ne mange plus… On ne sait plus comment
on vit…

Et elle déambulait, en savates, à travers les pièces
qui n'étaient entretenues qu'à moitié, car Maria ne
pouvait suffire à tout. On mangeait froid, sur un coin
de table; des verres restaient sales deux ou trois jours
durant.

7

Il y avait comme des bouées qui permettaient de s'y retrouver. Les deux visites quotidiennes du docteur, déjà… Brugnon en avait tellement pris l'habitude qu'il ne regardait plus Mittel. Souvent il traversait le bar sans voir personne. Tita lui avait toujours préparé la seringue qu'il retirait de l'eau bouillante et c'était la Tahitienne, maintenant, qui limait le petit bout de l'ampoule. Puis le tampon de coton imbibé d'éther…

Ces deux visites étaient des bouées pour Mittel parce qu'elles aidaient à démêler un réseau embrouillé de cauchemars et de réalité.

Le matin, c'était presque toujours lui qui attendait le docteur, très calme, si las qu'il n'avait pas la force de parler à Tita. Mais il voyait tout. Il entendait le frémissement de l'air déjà chaud, dans le jardin, et il lui semblait parfois qu'il voyait passer des vagues de chaleur, de petites vagues comme celles dont la brise ourlait la face calme du lagon.

Il ne pensait pas beaucoup, parce que c'était trop fatigant et, au surplus, les douleurs ne tardaient pas à commencer, atteignaient leur paroxysme à huit heures, quand Brugnon arrivait.

Le docteur tâtait le pouls, par habitude, soulevait le drap, faisait sa piqûre de morphine et s'en allait, incapable, eût-on dit, de prendre plus longtemps intérêt à l'état du malade.

Ne savait-il pas, lui aussi, que cela suivait un rythme déterminé ?

Il était à peine au coin de la rue que de bonnes heures commençaient, avec engourdissement, rêves, demi-sommeil. Puis, à mesure que la journée s'avançait, Mittel, dans son lit, était plus mal à l'aise, s'agitait, appelait Tita d'un air soupçonneux, comme s'il eût craint d'être abandonné. La température, en quelques heures, passait de trente-huit cinq à quarante et la seconde bouée c'était l'arrivée de Brugnon, à six heures, avec le même cérémonial de seringue dans la casserole d'eau bouillante, d'éther et de tampon de coton.

Seulement, à cette visite-là, la chambre sentait la fièvre et les hoquets du malade scandaient les minutes. Bien qu'habituée, Tita avait toujours pour le médecin un regard anxieux.

— Même chose !… la rassurait-il.

Mittel avait les yeux ouverts, mais, à cette visite-là, il ne devait pas reconnaître Brugnon, car il naviguait dans le domaine du délire.

La nuit, il râlait, appelait au secours, se cramponnait à Tita. Vers le matin, l'effet de la piqûre disparaissait et il souffrait, hurlait de douleur.

Seulement, après, il ne s'en souvenait pas. Il vivait deux vies, ou plutôt il ne vivait vraiment que l'une des deux puisque son âme ne participait pas à l'autre.

Quand la fièvre était tombée, il était beaucoup plus calme qu'au début, il atteignait même à une étrange sérénité. C'était peut-être l'effet de la faiblesse ? Il pouvait rester des minutes et des minutes à regarder une raie de soleil, à écouter sautiller un merle dans l'allée ou à tendre l'oreille à des voix lointaines, deux femmes qui bavardaient, accoudées à la barrière d'un jardin…

Il avait besoin que Tita fût là… Dès qu'elle disparaissait un instant, il devenait anxieux, méfiant, comme jaloux.

— Où es-tu allée ?

— Nulle part, Jef… Il fallait que je prépare ton lait…

Si bien qu'un ordre était né dans le désordre, que les journées avaient un rythme immuable.

… Comme encore la visite de Mopps, tous les matins, un peu après le départ du docteur. Mopps fumait sa première pipe, tapotait en entrant la tête de Tita.

— Pas trop fatiguée ?

Puis il s'installait à califourchon sur une chaise et regardait Mittel, longuement, comme un homme qui pense à une foule de choses.

— Tu te maintiens, fiston ?

Il restait un quart d'heure, vingt minutes, mais les deux hommes, sans parler, poursuivaient chacun sa rêverie. Ils entendaient Charlotte prendre sa douche, Maria qui revenait du marché. Souvent, pendant ces minutes-là, Mittel en profitait pour penser au cargo, entre autres au jour où, pour la première fois, il avait fait beau et où tout le monde avait émergé sur le pont. Napo était couché sur le dos, face au ciel. Jolet, appuyé sur les coudes, lisait un livre de mathématiques…

Ce n'était pas cette fois-là, c'était quelques jours plus tard que Mittel avait eu avec lui la conversation au sujet des cargos.

— Pourquoi le bateau porte-t-il à l'arrière le nom du port de La Rochelle, puisqu'il n'y va jamais ? avait-il demandé.

— Le port d'attache d'un cargo, avait répondu l'autre, c'est comme le lieu de naissance d'un homme. On n'y retourne pas toujours. On va dans un port. On charge. On croit partir pour l'Espagne, par exemple, et voilà qu'on vous expédie en Allemagne. On pense revenir huit jours plus tard et on vous colle un chargement pour la Baltique… Ce n'est pas comme les tramways…

— Quels tramways ?

— On appelle ainsi les cargos qui font toujours le même chemin, avec un horaire fixe, qu'il y ait beaucoup de fret ou non. Ils partent de Bordeaux tel jour, relâchent vingt-quatre heures à Nantes, puis au Havre, à Dunkerque, à Rotterdam, pour revenir par le même chemin… Ah ! si j'avais pu m'embaucher à bord d'un tramway !

C'étaient des choses qui lui revenaient, mais pas aussi crues, pas aussi nettes. Il y avait autour des images comme un monde de poésie, de significations cachées. Il n'était jamais retourné à son lieu de naissance non plus, car il était né, non à Paris, mais à Versailles ; c'était à une demi-heure et pourtant jamais il n'y avait remis les pieds et il était parti, comme un cargo, pour Dieppe d'abord, puis pour Panama, pour la Colombie, pour Tahiti…

Un nom perçait soudain cette couche de pensées diffuses : *Barranquilla*… Et il fronçait les sourcils, cherchait à quoi ce mot se rattachait, faisait des efforts qui le mettaient en sueur…

Pourquoi pensait-il à Barranquilla ? Est-ce qu'il y

avait vécu? Y était-il passé? Il se torturait. Il avait besoin de savoir et il répétait le mot à mi-voix.

— *Barranquilla... Barranquilla...* Qu'est-ce que c'est?

Il interrogeait Mopps avec autant d'ardeur que si son sort en eût dépendu.

— Un port de la Colombie, sur le golfe du Mexique.

— Nous y sommes allés?

— Non...

Alors, pourquoi avait-il ce mot-là en tête? Le lendemain, il y pensait encore! Il y avait ainsi des tas de petits mystères qu'il s'obstinait à percer.

Est-ce qu'il n'aurait pas aussi bien pu naître tramway que cargo? Rien que d'y penser, il était pris de tendresse pour les villes qu'on lui avait citées, des villes grises feutrées de pluie, aux quais noirs et boueux... C'étaient ces villes-là qui, pour lui, prenaient le charme de l'exotisme: Nantes... Dunkerque... Rotterdam...

Charlotte avait un peu maigri et elle venait s'asseoir à son tour, les yeux humides, l'air parfois si désespéré que Mittel avait presque envie de la consoler. Mais elle ne restait pas longtemps, car il ne tardait pas à entrer quelqu'un au bar.

Il ne s'en occupait plus. C'est à peine s'il s'informait auprès de Tita de ce qui se passait dans la maison. Il s'était fait son coin, sa niche, et il s'y blottissait, s'y enfonçait autant que possible, reconnaissant comme une amie la moindre tache du mur, une fente plus large du plancher, le mouvement régulier des raies de soleil.

Certaines taches, quand il fermait à demi les yeux, formaient une tête humaine et, selon les heures, Mittel la voyait grimacer ou sourire. Il n'en parlait à personne, pas même à Tita. Cela ne regardait que lui.

Il ne pensait presque jamais qu'il allait mourir. Tout cela, c'était bon au début, quand son corps se défendait. Maintenant, il s'assoupissait comme un enfant et parfois il retrouvait des impressions de quand il était tout petit, surtout des bruits, des langueurs, un engourdissement du cerveau et des membres...

Il avait fait tout ce qu'il avait pu... Voilà ! C'était son idée dominante ! Au fond, il était un bon petit garçon. Qu'est-ce qu'on pourrait lui reprocher ?

Cela avait été dur, parfois, dans la chauffe, par exemple, puis plus tard dans la forêt, quand Charlotte était sur le point de mourir. Il la tenait dans ses bras, lui, comme s'il eût été capable de la retenir et il faut croire que c'est possible, puisqu'elle avait vécu !

Tita faisait presque la même chose. Elle était fatiguée, mais elle souriait chaque fois qu'il la regardait. Elle avait une façon à elle de dire *Jef* qui suffisait à le rendre heureux.

C'était tendre et grave à la fois et elle prononçait ce mot comme elle eût dit des choses très sérieuses...

Par exemple, comme si elle eût dit :

— Je ne suis qu'une petite Canaque mélangée de blanc, la fille d'un Européen qui n'a passé que quelques jours ici et que je ne connais même pas... Je dansais au La Fayette... J'y retournerai, mais je t'aime bien malgré tout... Je voudrais que tu ne sois pas malheureux... Je sens que tu as peur et je m'efforce de te rassurer... Tu es un petit enfant...

Elle adorait les enfants. Elle disait, en anglais, des *babies* et il lui arrivait d'appeler Mittel ainsi.

Alors il souriait ; elle souriait. C'était une complicité, comme si tous deux eussent été capables de penser des choses inaccessibles aux autres.

Elle seule savait combien la nuit, quand il avait la fièvre, il se débattait, se raccrochait à la vie avec une énergie farouche. Elle comptait les heures, finissait par se rendormir, car ses forces avaient des limites.

Dans la maison, on s'était si bien habitué à sa présence que personne ne s'occupait d'elle et qu'on eût été dérouté si un jour elle n'eût pas été là pour préparer la seringue. Maria, beaucoup plus jeune, était la seule à s'étonner et la regarder avec respect, à cause précisément de cette seringue mystérieuse qu'on lui confiait comme à une blanche.

Quand Tita disait :

— Tu es un *baby*...

— Bébé... pensait-il.

Et il revoyait sa mère, dans sa loge vitrée de correctrice, près des linotypes où il allait parfois l'embrasser.

Un bébé tout craquelé, trop rose de fards, aux yeux trop noirs, qui avait des défauts de petite fille et qui, entre autres, avait envie de tout ce qu'elle voyait...

Est-ce qu'elle possédait enfin son manteau de fourrure ? Était-elle comme cela quand il était né, à Versailles, dans la maison d'un ami où elle s'était réfugiée pour ses couches ? Est-ce qu'elle avait failli mourir de sa naissance, elle aussi ?

Il ne parlait presque jamais du petit. Quelquefois, on se demandait s'il y pensait toujours...

Voilà que les allées et venues recommençaient entre la maison, le Pacifique et, cette fois, le tribunal. Le clan du Pacifique tenait le bon bout et luttait avec âpreté. Dans les cafés, dans les maisons amies, Tioti faisait campagne contre Mopps et contre ses compagnons et déjà il n'y avait plus que deux ou trois fidèles à oser se montrer au Cercle.

On parlait d'un câble que Tioti avait envoyé en France et d'une réponse télégraphique de trente lignes et plus dont il avait toujours des copies en poche et qu'il montrait à tout le monde.

Un soir, le secrétaire du gouverneur arriva tard. Il y avait justement une panne d'électricité et on avait allumé des bougies plantées à même le comptoir. Le docteur venait de partir. Charlotte ne se sentait pas très bien et Mopps lui préparait une tisane, car il y avait des moments où il aimait tripoter dans la cuisine.

— Il est ici ?

— Je vais l'appeler.

Pour la première fois, on la fit sortir et, faute d'avoir autre chose à faire, elle alla s'asseoir près de Tita dans la chambre de Jef, qui avait son délire.

— Mauvaises nouvelles, dit le secrétaire au Commandant. On a discuté de votre cas toute la journée, au palais et chez le gouverneur. Je le quitte à l'instant. Il a invité exprès le procureur et le président du tribunal à dîner...

Mopps semblait deviner le reste.

— Tioti a donné tant de précisions qu'on n'a pas pu éviter de l'écouter... Il a même reçu un câble avec des détails...

— On va arrêter Charlotte ?

— Mais non ! D'abord, on n'a pas reçu d'ordres et les autorités d'ici ne sont officiellement avisées de rien... On pourrait l'arrêter quand même, vous arrêter tous les trois et attendre des instructions de Paris... Mais ce serait du zèle et au surplus cela coûterait près de dix mille francs pour le rapatriement. Ils sont à peu près d'accord là-dessus… Le bateau anglais passe le 17, dans cinq jours… Le gouverneur serait assez d'avis d'attendre jusque-là et, ma foi, si l'idée vous prenait de monter à bord et de gagner l'Australie, il n'aurait pas de raison de s'y opposer. Il faut bien me comprendre… C'est l'ami qui est ici… Je ne suis pas en mission officielle… Je répète : *Si l'idée vous prenait de monter à bord et…*

— … *il n'y aurait pas de raison de s'y opposer !* acheva Mopps. Merci, vieux. Tu bois quelque chose ?

— Merci… Je n'ai pas le temps…

Parbleu ! Ils n'auraient plus le temps ni les uns, ni les autres !

— Qu'est-ce que je leur dis ?

— Dis-leur rien… Je ne sais pas… Quel est le bateau ?

— Le *Mooltan*…

— C'est un bon bateau… Je connais le commandant… Qui sait ?

— C'est oui ?

— Ce n'est rien du tout… On verra…

Les lampes se rallumèrent d'un seul coup et le secrétaire battit en retraite comme s'il eût été effrayé par la lumière.

— Qu'est-ce qu'il voulait ? demandait déjà Charlotte, qui était entrée sans bruit.

— Que nous prenions le bateau du 17 pour l'Australie…

— Pourquoi ?

— Parce que autrement on nous arrêtera, toi pour meurtre, Mittel et moi pour complicité… Faux papiers par surcroît… Contrebande, et tout…

Il était calme, mais farouche. Ses paupières étaient

plus lourdes que jamais et il commença par saisir la bouteille de whisky. Mais il la remit en place sans avoir bu, peut-être parce que, comme cela lui arrivait les derniers temps, il avait eu un pincement au cœur.

— Vous avez de l'argent ?

— Un peu, oui…

— Alors ? L'Australie a un climat plus sain qu'ici…

— Oui… Seulement…

Ce n'était pas la même chose ! Il ne serait pas chez lui, mais chez les Anglais, avec des bars qui n'ouvrent qu'à certaines heures de la journée et qui ferment à six heures du soir, une activité fiévreuse dans les rues, des règlements de toutes sortes…

— On ne peut pas aller ailleurs ?

— Où ?

Aux Indes néerlandaises, c'était pareil. Il avait vécu partout. Il était fatigué. Et, justement, il avait trouvé le coin idéal, un coin de France, où il pouvait traîner des journées sans fatigue, dans une atmosphère de veulerie voluptueuse.

— Va dormir, dit-il.

— Mais…

— Va dormir.

— Vous n'avez pas pensé à quelque chose…

— Que si !

— À quoi ?

— Au pauvre Jef…

Cinq jours. Et après ? Est-ce qu'on pouvait l'emmener dans l'état où il était ? Est-ce qu'on pouvait le laisser mourir sur le bateau et envoyer son corps au fond du Pacifique ?

— Va te coucher, te dis-je !

Il parlait méchamment. Le lendemain, ce fut Char-

lotte qui prit le docteur à part, au fond de la cuisine
dont elle fit sortir Maria et l'enfant.

— Qu'est-ce que vous en pensez ?

— De quoi ?

— De Jef… Combien de temps peut-il encore vivre ?

— Je ne sais pas… Peut-être trois semaines et
peut-être trois jours… Un hoquet peut l'étouffer d'une
minute à l'autre…

— Je vous remercie.

Elle avait ses pensées. Mopps avait les siennes.
Maria, qui sentait que quelque chose se préparait, se
montrait inquiète et nerveuse. Quant à Tita, elle vivait
dans l'autre monde, dans celui de Mittel, et elle n'en
sortait qu'un peu ahurie, comme quelqu'un qui passe
de l'ombre à la lumière.

Deux fois Mopps alla à la banque, sans dire ce qu'il
allait y faire. Le second jour, comme par ironie, l'état
de Jef sembla s'améliorer, la température du soir fut
moins forte et les hoquets plus espacés.

— Vous avez pris les billets ?

Il fit signe que oui. Il en avait honte, mais il les avait
pris, car il n'y avait rien d'autre à faire. On chuchotait
en ville qu'il avait rendu secrètement visite au gouverneur mais qu'il n'en avait rien obtenu. Il s'astrei-
gnait à passer devant le Pacifique sans baisser la tête et
nombreux étaient les gens qui le plaignaient, car il
avait toujours été cordial et généreux.

— S'il ne meurt pas avant ?

Voilà où on en était ! S'il ne mourait pas, que faire
de Mittel que, d'ailleurs, les autorités maritimes n'au-
toriseraient pas à s'embarquer ? En tout cas, le médecin
du bord n'accepterait pas ce passager encombrant…

Mopps allait toujours s'asseoir, le matin, au chevet

du fiston, comme il disait, et il regardait avec de gros yeux prêts à se détourner dès que Mittel l'interrogerait. Quant à Charlotte, elle avait commencé à préparer les bagages et on l'entendait aller et venir sans cesse dans la maison.

— On dirait qu'ils déménagent, dit un matin Jef à Tita.

— Mais non ! s'écria-t-elle en riant. On range…

Et lui, doucement ironique :

— Qu'est-ce qu'on range ?

Oui, que ranger, alors qu'il n'avait jamais vu que désordre autour de lui ? Il en souriait, maintenant. À mesure qu'il s'affaiblissait, il devenait plus doux et l'amertume finissait par fondre dans un étrange engour-dissement.

Deux ou trois fois il murmura encore :

— *Barranquilla…*

Il aurait bien voulu savoir pourquoi il avait ce nom-là en tête plutôt qu'un autre et il lui arrivait de se dire qu'il allait peut-être mourir sans éclaircir ce petit mystère.

Cela l'amusait ! Oui, c'était drôle de s'être encore donné ce souci, lui qui en avait tant eu.

— J'aurai vu ce nom sur la carte, quand nous avons traversé le golfe du Mexique…

Mais un autre aurait pu lui rester dans la tête aussi. Or, il ne retrouvait même pas le nom de la rivière au bord de laquelle, en Colombie, il avait vécu des mois.

Il y a comme cela des choses que l'on oublie et d'autres qui vous reviennent. De même que pour les tendresses…

Il ne souffrait pas du tout de ce que lui avait fait

Charlotte. Au contraire ! Quand elle venait le voir, il la regardait d'un air amusé…

Par contre, il pensait tout le temps à Jolet qui avait une maison et trois enfants sur la falaise, du côté de Fécamp, et qui préparait toujours son examen de mécanicien. S'il en avait eu la force, il lui aurait écrit… Au fond, c'était un tramway, lui. Et cela devait être tellement bon d'être un tramway !…

— Tita !

Elle se penchait sur lui. Elle était tout près.

— Quand ce sera fini, il faudra prendre Mopps à part… Tu lui diras que je serais bien content s'il envoyait à ma mère de quoi s'acheter un manteau de fourrure… Pas un cher… Un manteau ordinaire, peut-être même en lapin… Du moment que ça fera de l'effet, elle sera contente…

Il n'osait pas le demander lui-même à Mopps. Il n'osait pas leur parler du petit. Ça, c'était pour le plus mauvais moment de la journée, quand la fièvre commençait à monter. Il fermait les yeux et il pensait, il pensait…

Mais c'était peut-être l'enfant de Mopps et, dans ce cas, la fatalité n'avait-elle pas bien fait les choses ? Mopps avait encore plus de trois cent mille francs. Il ne dépenserait sans doute pas tout et le petit aurait de quoi entrer dans la vie confortablement…

— Tita !

— Oui…

— Où étais-tu ?

Il avait besoin de l'entendre. Avec l'ombre naissait la panique et il percevait trop de bruits, en arrivait à entendre les voix dans le bar et à distinguer tous les mots.

C'est ainsi qu'un matin il murmura :

— J'ai rêvé qu'on partait, Tita…

Mais il n'était pas tout à fait sûr d'avoir rêvé. Il fronçait les sourcils, comme pour *Barranquilla*, cherchant dans ses souvenirs.

— Mais oui, on part ! Où allons-nous ?

— Tu as rêvé, Jef…

Elle avait compté sans Charlotte, qui entrait.

— Pourquoi partons-nous, Charlotte ?

— Qui est-ce qui te l'a dit ?

Elle regardait Tita. Celle-ci lui faisait signe de se taire, mais il était trop tard.

— Où allons-nous ? Pourquoi partons-nous ?

Il voulait savoir, maintenant.

— Nous allons en Australie… On a deviné notre identité. Les autorités nous laissent partir, pour éviter les histoires et les frais…

— Quand partons-nous ?

— Dans quelques jours…

Fatiguée, malade d'énervement, elle alla trouver Mopps.

— Il sait tout… gémit-elle. C'est affreux !… Je lui ai laissé croire qu'il venait avec nous…

Mais non, il ne le croyait pas ! La preuve, c'est qu'il caressait la main de Tita, qu'il souriait, amusé :

— Ils continuent le cargo… disait-il.

— Le quoi ?

— Tu ne peux pas comprendre… Seulement, je dois les embêter…

Il pleura, pourtant. Une crise de larmes brutale et brève, qui eut pour résultat de le replonger dans un sommeil fiévreux.

Il n'y avait plus que trois, que deux jours. Le lendemain, le *Mooltan* s'amarrerait à quai et il repartirait au matin.

Mopps vieillissait à vue d'œil, ne parlait plus à personne et ne buvait, tout au long du jour, que de l'eau minérale. Il n'allait pas en ville non plus, mais se promenait sur le quai, tout seul, passait et repassait devant le Pacifique.

— Qu'est-ce qu'ils feraient, Tita, si je ne mourais pas ?

C'était effrayant de l'entendre parler de lui et de sa mort avec ce calme-là. Tita ne le faisait pas exprès, mais elle reniflait, finissait par pleurer tout en le soignant.

— Je crois qu'ils resteraient…

— Moi, je ne crois pas… Mais tu sais, je pense que je mourrai à temps.

Il se couvrait le visage du drap de lit, restait ainsi longtemps, puis il avait une série de hoquets et il repoussait le sac de glace qui couvrait sa poitrine et qui l'écrasait.

— Je vais te confier quelque chose… Le petit… Je crois que ce n'est pas à moi… Je me souviens, maintenant…

Il ne se souvenait pas, mais il voulait qu'il en fût ainsi. Il demanda à voir l'enfant. En l'amenant, Maria reniflait, elle aussi, et elle se tenait à l'écart avec le bébé, comme on le lui avait recommandé.

— Emporte-le vite…

Il ne le verrait pas marcher ! Il…

— Tita ! Il n'est pas encore l'heure de ma piqûre ?

Toute la ville était au courant. On en parlait au marché et dans les bars.

— On pourra toujours le laisser à l'hôpital avec une petite somme… disait Charlotte au Commandant.

Elle comptait les heures, regardait l'horizon du côté où elle verrait poindre dans le ciel la fumée du navire. Elle ne serait tranquille qu'une fois à bord, en territoire étranger, où nul n'aurait le droit de venir l'arrêter.

Elle avait déjà fait porter la plupart des bagages dans le local de la douane, sur le quai. Elle avait même acheté une robe pour le voyage, chez les Chinois, car elle n'avait rien de propre à se mettre.

On étouffait. Et Mittel, comme par miracle, avait moins d'infection et moins de fièvre !

— Il peut guérir ? demanda Charlotte au docteur.

Celui-ci secoua la tête.

— Mais il peut traîner, n'est-ce pas ?

C'était cent fois plus fort que la panique du Choco. Ici, elle jouait sa liberté, peut-être sa tête. L'idée de rentrer en France, de franchir la porte du Dépôt, puis de Saint-Lazare…

Elle ne faisait plus rien. Elle allait et venait sans but, entrait dix fois par jour dans la chambre de Mittel.

Le bateau arriva. Peut-être Jef fut-il le premier à entendre la sirène et il s'agita toute la nuit, en proie à la fièvre, tandis que Charlotte et Mopps ne dormaient pas, faisaient la navette entre le port et le bungalow.

Il n'était pas mort, voilà ! Et le couple ne pouvait pas rester ! Le départ était annoncé pour huit heures du matin, juste l'heure de la piqûre de Jef. Brugnon avait refusé la somme qu'on lui offrait pour continuer les soins et accueillir Jef à l'hôpital.

Tita pleura toute la nuit, dans son coin, et le matin

elle fit le tour de la maison déjà vide, écarquilla les yeux en pensant qu'ils ne reviendraient plus.

Elle se trompait. Ils revinrent, Charlotte et Mopps, en auto, car ils étaient pressés.

— Il dort?

Non! Il venait d'ouvrir les yeux et il les regarda calmement, Mopps avec un faux col et une cravate, Charlotte dans sa robe neuve.

— Pardon! cria-t-elle en se jetant à genoux au pied du lit. Ce n'est pas ma faute, Jef... Il le faut!...

Mopps ne disait rien, regardait ailleurs, le visage comme tuméfié, les lèvres si grosses qu'elles semblaient sur le point d'éclater.

— Jef... Dis-moi quelque chose... Dis-moi que tu ne m'en veux pas... Est-ce que je l'ai fait exprès?...

— Le petit... fit-il avec effort.

On ne le lui avait pas amené. Il était déjà là-bas, sur le pont du navire, entouré par les officiers anglais qui essayaient de le faire rire! On lui avait acheté un berceau spécial et Maria le veillait jusqu'à l'heure du départ.

Le petit?... Il avait commencé le cargo, lui aussi!... L'Australie?... Ils iraient plus loin... Désormais, ils ne pourraient plus s'arrêter en route... Quelque part, Mopps lâcherait la vie à son tour... Et alors?...

— Tita!... appela-t-il.

Une seule main ne suffisait pas. Il avait besoin de lui tenir les deux. Il se tourna vers la fenêtre, regarda ses raies de soleil.

— Tita!

Il l'appelait parce qu'elle n'était pas assez près, parce que...

C'était mieux... Cela allait être fini...

— Partez !… haleta-t-il. Partez !… Mais partez donc…

On avait déjà donné le premier coup de sirène. Le bateau lèverait l'ancre dans un quart d'heure. Il est vrai qu'ils avaient eu la précaution d'amener une auto !

— Partez !

Il ne fallait pas qu'ils soient là.

— Mopps… Je vous en supplie…

Et Mopps ne put cacher son visage mouillé, ses yeux rouges. Il força Charlotte à se lever.

— Viens…

Il voulut s'approcher de Mittel, mais celui-ci parvint à haleter encore :

— Partez !… Tita !…

Il l'attirait toujours plus près, comme s'il eût voulu l'embrasser. Mais c'est parce qu'il ne la voyait plus nettement, parce qu'il ne la sentait plus.

— Ils sont partis ?… Tita…

Il écarquilla les yeux, car il entendait l'auto démarrer.

— Tita !… Écoute…

Il bavait. Les hoquets lui déchiraient la poitrine.

Et soudain, comme s'il lui eût confié un grand secret, il balbutia à deux reprises :

— *Barranquilla… Barranquilla…*

On aurait dit qu'il souriait, qu'il lui avouait à elle seule le but de son voyage.

— *Barran…*

Il ne savait pas où c'était… Il était le cargo… Il…

Tout le monde vit Tita traverser la ville comme une folle, en criant, et arriver près des docks au moment où le bateau virait sur son ancre. Elle répétait, elle aussi, inconsciente :

— *Barranquilla…*

Elle rencontra le médecin, le saisit au revers du veston :

— Dites !... Qu'est-ce qu'il a voulu dire ?...

Jef était tout seul, à se refroidir, dans le bungalow dont la porte était restée ouverte.

DU MÊME AUTEUR

Dans la collection Folio Policier

Les enquêtes du commissaire Maigret

SIGNÉ PICPUS, Folio Policier n° 591.

LES CAVES DU MAJESTIC, Folio Policier n° 590.

CÉCILE EST MORTE, Folio Policier n° 557.

LA MAISON DU JUGE, Folio Policier n° 556.

FÉLICIE EST LÀ, Folio Policier n° 626.

Romans

LOCATAIRE, Folio Policier n° 45.

45° À L'OMBRE, Folio Policier n° 289.

LES DEMOISELLES DE CONCARNEAU, Folio Policier n° 46.

LE TESTAMENT DONADIEU, Folio Policier n° 140.

L'ASSASSIN, Folio Policier n° 61.

FAUBOURG, Folio Policier n° 158.

CEUX DE LA SOIF, Folio Policier n° 100.

CHEMIN SANS ISSUE, Folio Policier n° 247.

LES TROIS CRIMES DE MES AMIS, Folio Policier n° 159.

LA MAUVAISE ÉTOILE, Folio Policier n° 213.

LE SUSPECT, Folio Policier n° 54.

LES SŒURS LACROIX, Folio Policier n° 181.

LA MARIE DU PORT, Folio Policier n° 167.

L'HOMME QUI REGARDAIT PASSER LES TRAINS, Folio Policier n° 96.

LE CHEVAL BLANC, Folio Policier n° 182.

LE COUP DE VAGUE, Folio Policier n° 101.

LE BOURGMESTRE DE FURNES, Folio Policier n° 110.

LES INCONNUS DANS LA MAISON, Folio Policier n° 90.

IL PLEUT BERGÈRE..., Folio Policier n° 211.

LE VOYAGEUR DE LA TOUSSAINT, Folio Policier n° 111.

ONCLE CHARLES S'EST ENFERMÉ, Folio Policier n° 288.

LA VEUVE COUDERC, Folio Policier n° 235.

LA VÉRITÉ SUR BÉBÉ DONGE, Folio Policier n° 98.

LE RAPPORT DU GENDARME, Folio Policier n° 160.

L'AÎNÉ DES FERCHAUX, Folio Policier n° 201.

LE CERCLE DES MAHÉ, Folio Policier n° 99.

LES SUICIDÉS, Folio Policier n° 321.

LE FILS CARDINAUD, Folio Policier n° 339.

LE BLANC À LUNETTES, Folio Policier n° 343.

LES PITARD, Folio Policier n° 355.

TOURISTE DE BANANES, Folio Policier n° 384.

LES NOCES DE POITIERS, Folio Policier n° 385.

L'ÉVADÉ, Folio Policier n° 379.

LES SEPT MINUTES, Folio Policier n° 398.

QUARTIER NÈGRE, Folio Policier n° 426.

LES CLIENTS D'AVRENOS, Folio Policier n° 442.

LA MAISON DES SEPT JEUNES FILLES suivi du CHÂLE
   DE MARIE DUDON, Folio Policier n° 443.

LES RESCAPÉS DU TÉLÉMAQUE, Folio Policier n° 478.

MALEMPIN, Folio Policier n° 477.

LE CLAN DES OSTENDAIS, Folio Policier n° 558.

MONSIEUR LA SOURIS, Folio Policier n° 559.

L'OUTLAW, Folio Policier n° 604.

BERGELON, Folio Policier n° 625.

LONG COURS, Folio Policier n° 665.

Composition Interligne
Impression Novoprint
le 15 juin 2012
Dépôt légal : juin 2012

ISBN 978-2-07-030787-6./Imprimé en Espagne.